Tempestades do Sul

Obras da autora publicadas pela Editora Record

ABC do amor
As cartas que escrevemos
No ritmo do amor
Sr. Daniels
Vergonha
Eleanor & Grey
Um amor desastroso

Série Elementos
O ar que ele respira
A chama dentro de nós
O silêncio das águas
A força que nos atrai

Série Bússola
Tempestades do Sul

BRITTAINY CHERRY

SÉRIE BÚSSOLA

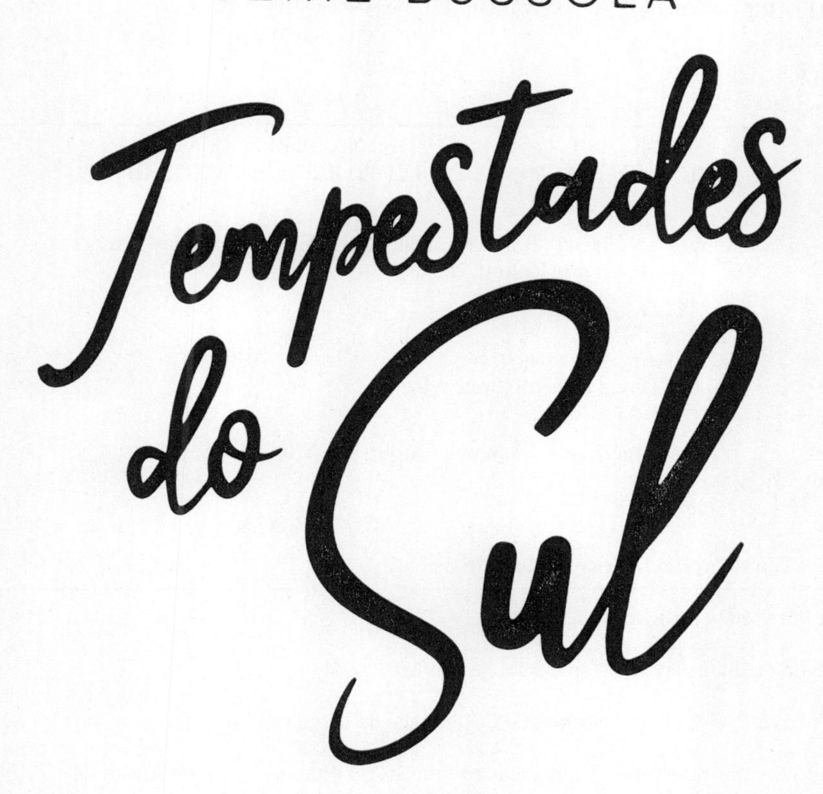

Tradução de

Carolina Simmer

2ª edição

EDITORA RECORD
RIO DE JANEIRO • SÃO PAULO
2022

EDITORA-EXECUTIVA
Renata Pettengill
SUBGERENTE EDITORIAL
Mariana Ferreira
ASSISTENTE EDITORIAL
Pedro de Lima
AUXILIAR EDITORIAL
Júlia Moreira
COPIDESQUE
Isabela Duarte Britto Lopes
REVISÃO
Luiza Miceli
Cristina Freixinho
CAPA
Leticia Quintilhano
DIAGRAMAÇÃO
Myla Guimarães
TÍTULO ORIGINAL
Southern Storms

CIP-BRASIL. CATALOGAÇÃO NA PUBLICAÇÃO
SINDICATO NACIONAL DOS EDITORES DE LIVROS, RJ

C449t Cherry, Brittainy C.
Tempestades do Sul / Brittainy C. Cherry; tradução de Carolina Simmer. – 2ª ed. – Rio de Janeiro: Record, 2022.
; 23 cm. (Bússola; 1)

Tradução de: Southern Storms
Continua com: Luzes do Leste
ISBN 978-65-5587-427-3

1. Ficção americana. I. Simmer, Carolina. II. Título. III. Série.

22-76325 CDD: 813
CDU: 82-3(73)

Gabriela Faray Ferreira Lopes – Bibliotecária – CRB-7/6643

Publicado mediante acordo com Bookcase Literary Agency.

Texto revisado segundo o novo Acordo Ortográfico da Língua Portuguesa.

EDITORA RECORD LTDA.
Rua Argentina, 171 – Rio de Janeiro, RJ – 20921-380 – Tel.: (21) 2585-2000,
que se reserva a propriedade literária desta tradução.

Impresso no Brasil

ISBN 978-65-5587-427-3

Seja um leitor preferencial Record.
Cadastre-se no site www.record.com.br
e receba informações sobre nossos lançamentos e nossas promoções.

Atendimento e venda direta ao leitor:
sac@record.com.br

Para todo coração que precisa de um bálsamo,
este aqui é para você.

"Teu destino é o destino a todos comum; a chuva sempre cai sobre cada um."

— *Henry Wadsworth Longfellow*

Prólogo

Jax

Treze anos

Sol,

Desculpa se deixei você chateada com minhas últimas cartas. Não sei o que fazer. Estraguei tudo e não tenho mais ninguém com quem conversar. Meu irmão me odeia. Meu pai me odeia. Ele me odeia muito, e eu não sei o que fazer. Não consigo parar de chorar. Quero fugir para sempre e nunca mais olhar para trás. Você disse que eu poderia fugir para você se precisasse, lembra? Posso mesmo? Posso ficar com você? Talvez seus pais possam me buscar. Você sabe o meu endereço. Se você vier, vou estar pronto. Odeio este lugar. A culpa é toda minha. Quero fugir. Por favor, me deixe fugir para você.

Você tem medo de mim agora, depois do que eu fiz? Foi por isso que parou de escrever para mim? Foi sem querer. Juro que foi sem querer. Eu não tinha a intenção de fazer aquilo. Ela era minha melhor amiga, assim como você é minha melhor amiga.

Por favor, me responda.

Desculpe. Desculpe. Desculpe.

Não quero mais ficar aqui. Não quero mais me sentir assim. Odeio isso. Desculpe.

Por favor, me responda.

Por favor, Sol. Preciso de você.

— Lua

1
Kennedy
Presente

— Não me faz passar vergonha hoje, por favor — disse Penn enquanto ajeitava a gravata pela enésima vez naquela noite.

O papel de parede da nossa casa estava impregnado de fumaça de cigarro e falsas promessas. Meu marido foi responsável por algumas delas, e eu também fiz a minha parte. O matrimônio se resumia àquilo? Dias que viravam semanas, que se transformavam em meses e anos de promessas não cumpridas? A palavra "aceito" vinha acompanhada de um texto em letras miúdas que ninguém se dava ao trabalho de ler. Nós passamos direto pelos termos e condições e clicamos na caixinha que diz "concordo" no fim da página, sem saber as consequências ocultas daquele contrato.

Eu não cumpri meus votos, mas ele também não.

Promessas, promessas, tantas promessas não cumpridas.

Naquela noite, prometi a ele que não cairia no choro na frente de seus colegas de trabalho e dos clientes durante o evento da imobiliária dele. A noite seria uma ótima oportunidade para Penn se socializar com figurões ricos que buscavam grandes propriedades. Quanto mais aprazível fosse a festa, mais chances Penn teria de passar uma boa impressão para os clientes. Ele não queria me levar, mas o chefe dele insistiu que as esposas também fossem.

Também prometi a Penn que eu não falaria sobre o nosso passado. Eu não tinha nenhuma intenção de não cumprir minhas promessas naquela noite. Tomei meu remédio para ansiedade. Fiz meus exercícios de respiração. No caminho até o evento, minha única reação foi fechar os olhos quando passávamos por cruzamentos. Fiquei bem na via expressa. Normal, até — bem, normal para mim.

Minhas promessas estavam intactas.

Tudo corria perfeitamente, tão perfeitamente quanto possível levando em consideração meus problemas, e então, durante o jantar, Marybeth — a linda e deslumbrante Marybeth — se inclinou na minha direção. Nós dividíamos a mesa com outros cinco casais, incluindo essa colega de trabalho de Penn, Marybeth. Os outros eram potenciais clientes que valiam mais dinheiro do que eu seria capaz de imaginar.

Eu queria ser mais parecida com Marybeth. Ela era perfeita. A mãe perfeita, a esposa perfeita, a corretora perfeita. Ela cheirava a Chanel nº 5, e seu pescoço era salpicado de diamantes. Seu sorriso branco e reluzente fazia todo mundo sorrir com a boca fechada, por saber que seria impossível atingir o nível de deslumbramento que o sorriso de Marybeth oferecia. Ela era tudo o que eu não era e tudo o que eu sonhava me tornar.

Houve uma época em minha vida na qual eu me amava tanto que nunca sentia inveja de mulher nenhuma.

O que aconteceu comigo? Quando foi que meu corpo perdeu toda a força?

A perfeita Marybeth tocou meu pulso com delicadeza e sorriu com os lábios e com os olhos castanho-claros.

— Que tatuagem diferente, Kennedy. O que significa?

Foi naquele instante em que a promessa que fiz a Penn se dissolveu. Primeiro, foi uma rachadura pelas extremidades, mas então toda a estrutura se estilhaçou.

— Fiz... pra minha... — Respirei fundo e me deparei com os olhos de Penn focados em mim ao me virar. Seus olhos azuis transmitiam sua decepção, porque ele sabia identificar os sinais do meu fracasso. Ele sabia exatamente quando eu ia perdendo, perdendo, perdendo o controle. Meu corpo tremia, minha voz falhava, e cada respiração parecia um sacrifício. — Fiz... bem...

Olhei para a tatuagem em minha pele: um D ao contrário no centro de uma margarida.

— Minha... Fiz pra... — Engoli o nó na garganta e fechei os olhos. As lágrimas esperavam para se libertar, e eu odiava saber que estava a ponto de deixá-las rolar. — Fiz para os meus pais e pra minha... — Abri os olhos e fitei Penn, cujo olhar gritava *Não*, mas eu era incapaz de me calar depois que começava a falar desse assunto. — Nossa filha. O D ao contrário é em homenagem à nossa filha.

Os lábios dela se abriram quando ela se deu conta do que aquilo significava. Ela se ajeitou na cadeira com um olhar arrependido. É claro que sabia sobre o acidente. Todo mundo sabia sobre o acidente; as pessoas simplesmente preferiam evitar o assunto em vez de encará-lo. Ninguém gostava de falar sobre a morte, e isso é compreensível. É um assunto muito delicado de abordar.

Tracei o D ao contrário em minha pele enquanto as lágrimas começavam a escorrer pelo meu rosto.

— Minha filha se chamava...

Eu queria contar a ela. Eu precisava continuar falando deles para mantê-los vivos para mim. Era uma espécie de consolo necessário, mas, às vezes, as palavras saíam vacilantes demais.

— Kennedy. — Senti uma mão em meu pulso, cobrindo a tatuagem. Levantei o olhar e vi Penn me encarando, balançando levemente a cabeça enquanto apertava meu pulso com mais força do que o necessário. — Acho melhor você ir lavar o rosto, se acalmar um pouco.

Tradução: *Você está me fazendo passar vergonha de novo — se recomponha.*

Ele havia parado de sentir pena de mim. Depois de mais de um ano, por que continuaria sendo compreensível? Ele já havia superado nossa perda. Eu também devia ser capaz de seguir em frente, mas, por algum motivo, não conseguia.

Tudo o que eu queria era me sentir melhor.

Sequei as lágrimas, e isso só fez com que outras escorressem mais rápido.

— Está bem. Claro. Desculpa, eu só... — Afastei minha cadeira da mesa e pedi licença. — Desculpa — murmurei.

Os olhos de Marybeth estavam cheios de culpa. Ela pressionou uma das mãos no peito quando eu me virei para sair, então a ouvi murmurar um pedido de desculpas para Penn.

— Não, não, você não fez nada de errado, Marybeth — disse Penn, parecendo pesaroso ao consolar sua colega de trabalho, e não sua esposa. — Ela fica assim mesmo. Você não fez por mal. Ela que é sensível demais e precisa aprender a se controlar. Francamente, ela não tem mais idade pra isso...

Sensível demais.

Fui ao banheiro para me recompor. Ao me olhar no espelho, fiquei chocada com o reflexo que me encarava. Quando foi que me tornei aquilo? Quando foi que perdi toda a cor, toda a luz? Minhas olheiras sempre foram tão marcadas? Quanto peso perdi para que minhas bochechas ficassem tão encovadas?

A porta do banheiro se abriu, e uma mulher entrou — Laura, esposa de um dos clientes de Penn.

Laura era mais velha, provavelmente tinha cinquenta e muitos anos. Ela sempre foi muito gentil comigo, apesar de eu parecer deslocada e desconfortável na maior parte das vezes. No último ano, Penn havia se comportado como se eu fosse mais um fardo do que um apoio em suas confraternizações de trabalho. Em várias ocasiões, tive de ouvir que seria melhor se eu tivesse ficado em casa.

— Você está bem, querida? — perguntou Laura com um interesse genuíno. Seu cabelo castanho-escuro tinha mechas onduladas grisalhas, e seu sorriso era tão poderoso que era possível sentir sua força.

Dei uma risadinha e sequei os olhos da melhor forma que pude.

— Sim, desculpa. Só fico sensível dema...

— Você não é sensível demais — interrompeu-me ela, se aproximando de mim com uma toalha de papel nas mãos. — Você não está exagerando. Perdi um filho quando era mais nova. Foi um aborto espontâneo, mas, mesmo assim, era meu filho. Fiquei destruída. A única coisa que me salvou foi meu marido. Ele foi meu porto seguro enquanto tudo desmoronava à minha volta. Veja bem, não quero me meter, mas não pude deixar de notar a forma como o Penn falou com você. Querida, espero que não se ofenda com o que vou dizer, mas um marido não deveria tratar a esposa daquele jeito. Você jamais deveria ser diminuída quando está no fundo do poço. Ele deveria ajudar você a se reerguer, não piorar as coisas.

Abri a boca para responder, mas não sabia como.

Laura secou as lágrimas do meu rosto com a tolha de papel e abriu um sorriso contido.

— De novo, sei que não é da minha conta, e o Jonathon me mataria se soubesse que estou me metendo na vida dos outros, mas... você merece viver seu processo de cura, e deveria poder falar sobre a sua filha sem ser humilhada. Saiba seu valor. E então cobre mais caro.

Engoli em seco enquanto ela me dava um abraço do qual eu nem sabia que minha alma precisava. Meu corpo derreteu junto ao de Laura, e ela me amparou enquanto eu chorava em seus braços.

— Está tudo bem, querida. Você está bem. Não precisa se reprimir. Deixe as emoções virem.

Depois que desmoronei em seus braços, ela me soltou e sorriu.

— Aliás, eu li todos os seus livros. Suas palavras são um tesouro. Mal posso esperar pelos próximos.

Fazia cinco anos que eu vinha publicando romances, mas, desde o acidente, não conseguia escrever nem uma palavra. Meu agente me dizia para dar tempo ao tempo, que as palavras voltariam aos poucos, mas eu estava começando a desconfiar de que isso não aconteceria.

Perdi minha musa inspiradora, e minhas palavras tinham ido embora com ela.

O trajeto de volta para casa foi feito em silêncio; eu permaneci virada de costas para Penn, mantendo os olhos fechados durante todo o caminho. Quando chegamos, Penn finalmente liberou sua raiva reprimida.

— Você prometeu que não faria aquilo — disse ele com um suspiro, passando as mãos pelo cabelo cheio de gel. — Você jurou que não teria outra porra de faniquito em público! Cacete, Kennedy! Você não cansa de ficar se fazendo de louca?

As palavras dele doeram como um soco.

Eu já esperava por aquilo, porque era o que sempre acontecia depois das minhas crises. Nas primeiras vezes, ele foi compreensivo, porque também estava sofrendo com o luto. No entanto, com o passar dos meses, a compreensão se transformou em amargura. Ele estava exausto com o meu comportamento, e eu não o culpava.

Eu também estava exausta. Só queria que ele conseguisse enxergar que eu estava me esforçando o máximo que podia. Eu me esforçava para ser normal, me esforçava para voltar a ser eu mesma.

Eu me esforçava.

Eu o encarei sem saber o que dizer, porque um pedido de desculpas parecia inútil depois de tantas tentativas fracassadas de voltar a ser quem eu era.

Ele tirou o paletó e o jogou na poltrona da sala antes de soltar as abotoaduras da camisa.

— Você não devia ter feito essa tatuagem idiota. É uma lembrança escrota de uma época escrota, Kennedy. Não entendo por que você inventou de esfregar isso na própria cara todos os dias.

Eram palavras duras, porém, mais uma vez, eu não o culpava. Apenas fiquei em silêncio, encarando a tatuagem no meu pulso. Ele não entendia, mas eu precisava daquele lembrete diário. Eu precisava sentir minha menininha na minha pele. Eu precisava sentir que ela continuava comigo.

— Você não vai falar nada? — perguntou ele, tirando o cinto. Penn inclinou a cabeça na minha direção como se fosse um pai decepcionado, em vez de um marido preocupado e amoroso. — Nada?

— Me... — Engoli em seco e olhei para o chão. — Me des-descul...

— Você vai pedir desculpa — interrompeu-me ele, balançando a cabeça. — É claro que vai. Você sempre pede desculpa. Sua vida inteira é um pedido de desculpas.

Ele estava irritado, e eu entendia o motivo, mas aquela agressividade toda era incompreensível. Talvez fosse o uísque pesando em seu estômago depois do jantar. Meu marido era bem mais direto e ríspido comigo quando bebia. Ele estava à beira de estourar.

— Quer saber? Não dá mais. — Ele suspirou, passando as mãos pelo cabelo antes de se jogar no sofá diante de mim. Ele puxou seu maço de cigarros e acendeu um. — Não dá mais pra continuar desse jeito.

— Eu... eu sei. — Engoli em seco e fechei os olhos. — Sei que sou difícil às vezes...

— Às vezes, Kennedy? O tempo todo. Você não se comporta como uma pessoa normal há uma eternidade, e isso é cansativo. É horrível. Faz meses que você não escreve. Mal sai de casa. Entrar num carro é um suplício. Estou me sentindo sufocado. Você está me sufocando. Não consigo mais. Não consigo... — Ele balançou a cabeça. — Eu nunca devia ter feito nada disso, na verdade.

— Feito o quê?

— Ter me casado com você. A gente nunca devia ter se casado. Meus pais me avisaram que era uma péssima ideia, mas eu era novo e burro, e olha onde eu vim parar. Eles me avisaram que você só estava tentando me prender, mas eu discordei.

Balancei a cabeça, olhando para ele.

— Penn...

— Mas aqui estou eu... preso. Eu devia ter ouvido. Eu devia ter voltado correndo pra eles em vez de agir como um idiota.

— Você... você está chateado. Sei que fiz besteira hoje, mas...

— Para de falar. Você não entendeu, Kennedy? A gente só se casou porque você engravidou, e, agora, eu nem tenho mais uma filha, por sua causa — esbravejou ele, passando uma das mãos pelo cabelo.

Meu peito parecia estar ruindo.

Apesar de estarmos distantes um do outro as palavras dele machucavam. Mesmo eu sabendo que seus comentários não deviam mais me abalar. Fazia um tempo que não éramos mais tão íntimos, a não ser nas vezes em que fazíamos sexo por fazer e quando eu ia às festas do trabalho dele. Eu não conseguia me lembrar da última vez que rimos juntos. Meu coração mal batia por ele. Mesmo assim, o veneno em suas palavras fez minha cabeça perder o prumo, se infiltrando em meus neurônios e acabando com meu amor-próprio — não que restasse muita coisa dele.

Ele continuou. Continuou me atacando. Continuou me destruindo com suas palavras.

— Meu pai tinha razão. Você devia ter abortado. Teríamos poupado bastante tempo.

Meu coração...

Suas batidas...

Tudo parou.

Desabando...

Eu estava desabando.

Meus joelhos cederam, e o piso frio e rígido de madeira amparou meu corpo. Cobri o rosto com as mãos e comecei a chorar, mas não havia ninguém para me consolar. Penn estava cansado de tudo, cansado de mim, cansado daquilo — dos meus ataques de pânico, das minhas crises, das minhas dificuldades.

Foi então que eu entendi.

Nossa relação, nosso casamento, nossas promessas haviam chegado ao fim.

Ele inclinou a cabeça para mim, parecendo inabalável.

— Talvez fosse melhor você dormir em outro lugar hoje. Por um tempo, na verdade. Algumas semanas, alguns meses... Dá um jeito, porque não dá mais pra você ficar aqui.

— Pra onde eu vou? — perguntei, engasgada, arrebatada pela confusão.

— Sei lá, Kennedy. Pra sua irmã ou pra qualquer outro lugar.

Yoana...

Fazia mais de um ano que eu não via minha irmã. O que ela pensaria se eu aparecesse após tanto tempo sem dar sinal de vida? O que diria? Por que ela deveria me confortar depois do meu longo sumiço? As únicas notícias que ela recebia de mim eram mensagens de texto esporádicas dizendo que eu estava bem, mesmo quando não estava. Ela não me devia nada, mas continuava me dando tudo. Suas respostas eram imensas, me contando sobre sua vida, sobre tudo e todos. Eu só conseguia responder com alguns emojis ocasionais, pois, enquanto a vida dela estava seguindo em frente, a minha permanecia estagnada.

A última mensagem que recebi dela foi sobre sua lua de mel, que ela finalmente estava prestes a comemorar, após dois anos de casada. A anterior foi um pedido para que eu fosse visitá-la. Antes disso? Ela deixou uma longa mensagem de voz contando sobre uma casa que reformou com Nathan e que eles colocariam à venda. Desde o casamento, os dois estavam dedicados à ideia de reformar casas antigas e vendê-las depois. O fato de eles conseguirem trabalhar juntos e permanecerem tão felizes fazia com que eu me lembrasse muito dos nossos pais. Mamãe e papai eram iguaizinhos.

Eu e Penn? Nós éramos o oposto um do outro. Quando contei que queria ser escritora, ele riu de mim, disse que eu não tinha estudo suficiente para isso. Quando recebi minha primeira oferta, ele falou que foi sorte. Quando meus cheques pelos pagamentos de direitos autorais chegaram, ele me alertou que não gastasse o dinheiro, porque provavelmente eu não receberia mais.

Penn foi até seu escritório e voltou com alguns papéis.

— Eu ia te dar isto antes do acidente, mas fiquei enrolando. É só assinar na linha pontilhada e deixar no hall de entrada quando for embora.

Então ele saiu da sala, me deixando sentada no chão com meus sentimentos transbordando, dando o golpe final no nosso casamento. Um pedido de divórcio.

Assinei tudo com o peito doendo.

Juntei minhas coisas em três malas, levando apenas o mais importante, apenas os itens que tinham um significado especial para mim. Então chamei um táxi e comecei a viagem de quarenta e cinco minutos para visitar uma irmã que nem sonhava que eu estava prestes a aparecer em sua porta implorando para entrar.

Quando o motorista me deixou na frente da casa dela, na cidade de Rival, Kentucky, arrastei minhas malas até a varanda.

Um suspiro de alívio me atravessou quando vi o carro deles estacionado na garagem.

Avancei e bati à porta. Já passava das dez da noite, e era bem provável que Yoana estivesse dormindo. Ela nunca foi de ficar acordada até tarde, sempre preferiu levantar cedo.

— Quem é? — perguntou uma voz grave. Nathan, é claro.

Falei um pouco mais alto do que o normal.

— Yoana, sou eu. — Engasguei com os nós em minha garganta. — É a Kennedy. Eu, ahn, preciso... — Engoli o medo que crescia em meu peito e fechei os olhos. — Preciso de você.

A porta se abriu, e lá estava ela de pijama, me encarando com o olhar mais preocupado do mundo.

Minha irmã mais velha parecia uma deusa até mesmo agora, depois de ter sido acordada no meio da noite. Nossa, como eu precisava dela. Eu precisava tanto, tanto dela, que meu estômago chegou a doer só de ver seus olhos me encarando... olhos tão parecidos com os de mamãe.

— Você está bem? — perguntou ela, e essas três palavras arrancaram a casca das minhas feridas.

A sinceridade em sua voz doía mais do que eu era capaz de explicar — a preocupação, o carinho, o amor. Passei o último ano mentindo para minha irmã sobre como eu me sentia, por burrice e por estar lutando contra meus demônios, e, mesmo assim, sem hesitar por nenhum segundo, ela me perguntava se eu estava bem.

Meus lábios se separaram, mas nenhuma palavra saiu. Lágrimas inundaram meus olhos, e cobri o rosto enquanto chorava incontrolavelmente, molhando a palma das minhas mãos.

— Desculpa, Yoana — implorei, balançando a cabeça, envergonhada e triste. — Desculpa, desculpa, desculpa.

Ela não parecia precisar do meu arrependimento. Não me encheu de perguntas sobre minha situação nem brigou comigo por eu ter me afastado. Em vez disso, deu um passo à frente e me envolveu em um abraço apertado.

— Você está bem, Kennedy. Está tudo bem. Estou aqui. Estou aqui.

Seu abraço era forte. Pela primeira vez em um ano, comecei a respirar de novo, e minha irmã não me soltou.

E, enquanto me amparava, ela fez uma pergunta muito, muito importante — talvez a mais importante que me fizeram em meses.

— Quer uma taça de vinho?

— Sim. — Eu ri e fiquei chocada com a sinceridade do som. — Quero.

2

Kennedy

Recomeços deveriam vir acompanhados de um aviso.

Atenção: mudar de vida não impede memórias antigas de inundarem seu cérebro, resultando em ataques de pânico, desconforto social e um misto de todos os sentimentos possíveis e imagináveis, começando pela depressão, passando para gratidão e explodindo em surtos de raiva. Nenhuma emoção é ignorada.

Fazia três dias que eu dormia no quarto de hóspedes da minha irmã, e Penn não tinha me procurado nem uma vez. Eu me esforcei ao máximo para não externar os pensamentos confusos que passavam pela minha cabeça. Não queria que minha aflição tivesse um impacto negativo na vida da minha irmã e de Nathan — eles não mereciam isso. Eles mereciam a versão de mim que sentia apenas gratidão, não a garota triste que venho sendo durante o último ano. Esse era o problema com Penn — ele via minha tristeza e me mostrava que aquele era um lado meu que não merecia amor. Por isso eu me esforçava cada vez mais para não deixar essa parte de mim transparecer. Eu não queria que o luto continuasse me afastando das pessoas.

Eu queria que elas ficassem comigo.

Finja até virar verdade, Kennedy.

Já foi provado que sorrir bastante faz com que as pessoas achem que você está feliz. É um fato científico. Desde que cheguei à casa de Yoana, eu sorria tanto que minhas bochechas estavam até doloridas. Às vezes, eu ia ao banheiro só para deixar o sorriso desaparecer por um segundo antes de devolvê-lo aos meus lábios.

Até agora, ninguém tinha comentado sobre meu fingimento, o que significava que meus sorrisos eram dignos de um Oscar.

— Tá, não olha! — pediu Yoana enquanto me guiava pelas ruas de uma cidadezinha chamada Havenbarrow.

A cidade ficava a apenas quinze minutos de sua casa, e ela disse que era o lugar mais fofo do mundo. Nos últimos dias, ela não parava de tagarelar sobre o quanto a cidade era fofa.

Eu não conseguiria olhar nem se quisesse, graças à bandana que cobria meus olhos. Fazia um tempo que estávamos andando, e eu tropeçava toda hora enquanto Yoana tentava não me deixar morrer.

— Essa venda é realmente necessária? — perguntei, um pouco confusa com o comportamento estranho da minha irmã enquanto ela me guiava.

No instante em que estacionamos o carro, Yoana me mandou fechar os olhos. Então me levou para uma aventura.

— É! Agora, fica quieta e continua andando. Estamos quase lá. Espera! Para! Carro! — guinchou ela, me puxando para trás.

— Ai, caramba! — gritei, fazendo Yoana soltar uma gargalhada.

— Brincadeira. Não estamos nem perto da rua. Só achei que seria engraçado.

— Ah, como senti falta desse seu senso de humor.

Meu tom era irônico, mas senti falta do senso de humor dela de verdade. Eu havia sentido falta de basicamente tudo relacionado à minha irmã, e, desde que pedi sua ajuda, ela estava sendo um anjo para mim.

— Só vamos virar mais uma vez pra esquerda — disse ela com as mãos nos meus ombros. Então me girou para a direita. — Quis dizer direita, direita! Tá, mais uns passos pra frente... dois passos pra trás.

— Nós estamos fazendo a coreografia de "Opposites Attract", da Paula Abdul? Porque, se for isso, preciso trocar de sapato — avisei.

— Calada, mulher. Chegamos. Só vai um pouquinho pra esquerda. — Dei um passo para o lado. — Mais um pouquinho. — Deslizei meus pés outra vez. — Tá ótimo, ótimo. Agora, um pouquiiiinho pra direita.

— Yoana! — berrei.

Ela riu, e o som me fez dar uma gargalhada.

— Tá bom, tá bom, desculpa. Só quero que a surpresa seja perfeita. Só isso.

— Tudo bem, então me diz o que fazer. Posso ver a surpresa agora? Não que você precise me dar alguma coisa, porque me deixar ficar no seu quarto de hóspedes já é mais do que o suficiente. Além disso, você...

— Kennedy.

— Oi?

— Cala a boca.

— Tá bom.

— Obrigada. Agora, no três, vou tirar a venda e te mostrar a coisa mais maravilhosa do mundo. Um... dois... três!

Ela arrancou a bandana, e vi que estávamos paradas em frente a uma casa. Uma casa bem fofa, recém-pintada, com uma cerca de estacas ao redor do quintal cheio de mato verde. Nos degraus da varanda, estava Nathan — o marido de Yoana —, segurando duas garrafas de champanhe e exibindo o sorriso mais bobo que já vi em seu rosto.

Olhei para minha irmã sem entender nada.

— O que está acontecendo?

— Surpresa! — gritou ela. — É a sua casa nova!

— A minha... — Girei para encarar Yoana, boquiaberta. — A minha o quê? — exclamei, sendo tomada pela perplexidade.

— Sua casa nova. Como você sabe, Nathan e eu começamos a comprar e reformar casas, e esta foi a mais recente, na cidade mais fofa da face da Terra. A gente ia colocar o anúncio pra vender, mas resolvemos adiar um pouco pra você poder ficar num lugar que seja só seu. — Enquanto seguia para a varanda, ela falava como se tudo aquilo não fosse uma completa loucura. — Ainda não ajeitamos o quintal, mas os paisagistas vão começar em alguns dias, e quase não tem móveis. Tá, não tem nada lá dentro, mas encomendei umas coisinhas que acho que você vai gostar, e elas vão chegar nos próximos dias. Encomendei uma lava e seca, e, por enquanto, você tem uma geladeira azul vintage top de linha, um presente meu e do Nathan direto da nossa garagem. Também pedi pro Nathan comprar umas coisas básicas, tipo um colchão queen inflável decente, pratos e talheres, uma mesa de cozinha barata, produtos de higiene e...

— Por que você faria uma coisa dessas? — perguntei, engasgada, completamente maravilhada e confusa com toda aquela bondade, que eu nem merecia. — Isso é loucura.

Eu não merecia aquilo. Eu não podia ficar em uma casa que eles compraram para vender. Eu não podia abusar assim da minha irmã quando havia lhe dado tão pouco no último ano.

Tudo o que fiz foi tirar as coisas mais importantes da vida dela.

— Por quê? — perguntou ela, surpresa com a minha pergunta. Ela colocou as mãos em meus ombros e estreitou os olhos. — Kennedy... você é minha irmã. Eu faria qualquer coisa por você.

Quando eu pensava em anjos na Terra, minha irmã mais velha era sempre a primeira pessoa que surgia em minha mente. Yoana era uma santa perfeita, alguém que só fazia o bem. Corações como o dela eram muito raros. Ela era linda por dentro e por fora, mesmo que a maioria das pessoas notasse a beleza exterior primeiro. Yoana McKenzie Lost era a cópia da nossa mãe. Ela herdou seus cachos pretos definidos, a pele negra, os olhos grandes e pretos, e a covinha funda na bochecha esquerda. Sempre que sentia saudade da minha mãe, eu tinha a sorte de poder olhar nos olhos de minha irmã.

Eu, por outro lado, era a mistura perfeita dos meus pais, a personificação do romance deles. Havia ganhado o sorriso e o arco de cupido de mamãe. Meu nariz curvado e fino era igual ao de papai, assim como as bochechas rechonchudas. Eu e mamãe tínhamos marcas de nascença iguais na escápula e a mesma covinha no queixo. Meus cachos soltos cor de mel eram uma mistura da genética dos dois.

E meus olhos? Vieram do meu pai. Eu tinha os olhos dourados de papai, com riscos castanhos e verdes se misturando dentro da íris. Sempre que eu sentia saudade dele, me olhava no espelho. Quando me viam, algumas pessoas diziam que eu era birracial, mas eu gostava de pensar que era apenas a filha de Aaron e Renee.

Eu e minha irmã éramos a prova viva do romance épico de nossos pais — o maior amor do mundo. Apesar de papai não ser pai biológico de Yoana, não havia dúvida de que ele era o pai dela. Quando minha mãe estava perdida e completamente sozinha com uma criança de dois anos, papai conquistou as duas e amou Yoana como se fosse sua assim que colocou os olhos nela.

Só um homem muito especial seria capaz de amar uma criança que não era biologicamente sua. Nunca houve um milésimo de segundo em que ele tratasse Yoana diferente de como me tratava. Às vezes, quando eu era mais nova, até achava que ele a amava um pouco mais do que a mim. É claro que ele não fazia de propósito, e entendi isso conforme fui crescendo. Faltava um capítulo na história de Yoana, e papai se certificou de que ela soubesse que havia muito amor em sua trajetória, mesmo que não tivesse conhecido seu pai biológico.

Ela era filha dele — talvez não de sangue, mas com certeza de coração. O coração dos dois batia em sintonia, e, às vezes, eu podia jurar que Yoana tinha o sorriso de papai.

Eu sentia falta dos meus pais todos os dias, mas, por sorte, agora eu tinha o apoio da minha irmã. Gostaria de ter percebido isso antes em vez de ter me afastado por achar que ela me culpava pelo acidente.

Por causa de Yoana, eu sentia que as nuvens pesadas que me acompanhavam durante o último ano finalmente começavam a se dissipar, dando lugar a dias ensolarados e a noites mais tranquilas. Eu seria eternamente grata pelo seu amor incondicional.

Os dois me mostraram a casa, e fiquei chocada com a beleza de tudo, especialmente depois que vi as fotos de antes da reforma. Quando estava quase na hora de pegarem o voo para a lua de mel, Yoana fez questão de me entregar uma lista de tarefas para o período em que os dois estivessem fora.

— Agora, repete o que eu falei — ordenou ela.

— Meditar de manhã e de noite, não importa o que aconteça, mesmo que seja só pra respirar por cinco minutos. Sim, mamãe — resmunguei com uma irritação sarcástica, mas a verdade era que eu me sentia muito grata pelo amor de Yoana.

Havia muito do coração de mamãe na alma dela. Quando eu estava ao seu lado, me sentia enroscada no cobertor mais quentinho do mundo, completamente reconfortada.

— E sobre a floresta atrás da casa... Você pode fazer caminhadas por lá. Sei que ela fica fora do seu terreno, mas duvido que o dono note sua presença ou se importe. Na época em que eu e o Nathan estávamos reformando a casa, nos perdemos lá, e me lembrei tanto de quando éramos pequenas e mamãe e papai nos levavam pra fazer trilhas. Lembra que a gente sempre se perdia?

Eu ri.

— É claro que me lembro. Quando a mamãe ficava nervosa porque estava escurecendo, o papai dizia "Ninguém se perde quando está cercado pela natureza. A natureza é o nosso lar".

Sorri com a lembrança, mas depois meus lábios começarem a se curvar para baixo.

— Sinto saudade deles — confessou Yoana.

— Eu também. — Mais do que seria capaz de explicar. Eu não tinha dúvida de que acabaria caminhando pela floresta para algumas sessões de meditação.

Quando nós duas éramos mais novas, meus pais nos faziam acalmar nossa energia de manhã e à noite. Papai nos ensinou ioga, mamãe nos ensinou técnicas de respiração. Esses ensinamentos realmente moldaram a minha vida, mas, quando tudo deu errado, a meditação foi a primeira coisa que desapareceu da minha rotina. É engraçado... as pessoas perdem suas principais referências e crenças quando seu mundo vira de cabeça para baixo.

As outras tarefas na lista de Yoana?

- Encontrar uma coisa que me faça sorrir todos os dias.
- Começar um diário para voltar a escrever aos poucos.
- Pegar sol todo dia, se o tempo estiver bom.
- Conhecer Havenbarrow.

Yoana me cutucou.

— Agora que já está tudo resolvido, vamos sair pra jantar?

— Na verdade, estou meio cansada. Além disso, vocês não precisam pegar um voo pra Costa Rica?

Uma expressão pesarosa tomou conta de Yoana quando ela olhou no relógio.

— Ah, é. Tem isso.

— Sim, tem isso. — Eu ri. — É só a primeira parada da lua de mel mais épica de todos os tempos.

Ela me lançou um olhar de cachorrinho abandonado.

— Tem certeza de que não quer vir com a gente?

— Hum, tenho. Pode acreditar, se fosse uma ida ao cinema, eu não me importaria em ficar de vela. Mas viajar pelo mundo com vocês seria forçar a barra.

— Tudo bem. Só não sei o que vou fazer sem você por tanto tempo. Sinto que acabei de me reaproximar de você. — Ela fez uma pausa e mordeu o lábio inferior, seus olhos se enchendo de lágrimas e perdendo o brilho. — Não quero te perder de novo.

— Não se preocupa. Quando você voltar, vou estar melhor ainda. Você não vai me perder nunca mais. — Funguei um pouco, vendo Yoana ficar emocionada. — Não começa, porque você sabe que não posso ver ninguém chorando que choro junto. Só me abraça e cai fora, tá?

Ela me puxou para um abraço.

— Vou te ligar todo dia, tá? Não estou nem aí pra diferença de horário. A gente vai se falando por todas as redes sociais. E me avisa se precisar de mim, Kennedy, não importa o motivo.

— Eu sei. Obrigada. Agora, vai! — ordenei, gesticulando para que o feliz casal seguisse em direção à porta. Eu me inclinei, dei um beijo na bochecha de Yoana e um abraço apertado em Nathan. — Se você não cuidar dela, está com os dias contados, entendeu?

— Positivo e operante. Escuta, aqui na cidade tem uns restaurantes ótimos e muitos lugares legais pra visitar. E me avisa se alguém te tratar mal. Sei que esse pessoal de cidade pequena pode ser meio sem noção. Você é minha irmã agora, e não me importo de arrumar umas brigas enquanto estiver fora.

Eu ri.

— Vão logo. Amo vocês, se cuidem e façam o que mamãe e papai sempre ensinaram em suas aventuras: não tenham medo do desconhecido.

— Isso também vale pra você, irmã. Não tenha medo do desconhecido — repetiu Yoana.

Nathan se despediu de mim e saiu para nos dar um momento a sós. Meu peito doía só de pensar que ela estava me deixando, mas me esforcei para não demonstrar isso.

— O Penn foi cruel com você, e eu arrancaria o pau dele se pudesse, mas esse capítulo da sua vida ficou pra trás. Lembra o que a mamãe e o papai sempre diziam quando alguém fazia a gente se sentir fraca?

Assenti enquanto as lágrimas enchiam meus olhos.

— Quando alguém fizer você se sentir fraca, faça algo pra se sentir forte.

— Pois é, e é isso que você está fazendo agora. Está se redescobrindo, recomeçando, e a pessoa que tem coragem pra recomeçar é forte. Você é muito forte. A mamãe e o papai estariam orgulhosos. Eu estou.

Só Yoana mesmo para me fazer chorar.

— Nossa, vai logo embora, tá? Você vai me deixar aos prantos feito uma idiota, sozinha numa cidade pequena.

— Tudo bem, eu te amo. Ligo quando chegarmos no aeroporto.

Nós nos despedimos outra vez, porque nossas despedidas eram sempre algo extremamente demorado. Assim que minha irmã fechou a porta da casa, respirei fundo e deixei as lágrimas escorrerem pelas minhas bochechas.

Apoiei as costas na porta de madeira, fechei os olhos e senti a onda de solidão atingir meu peito. No fim das contas, não importava se uma casa era grande ou pequena, se era quente ou fria, se tinha mobília demais ou de menos — quando a solidão batia, a tristeza era a mesma.

Foi então que meu celular apitou.

Yoana: Esqueci de avisar! Trouxe um presente. Deixei na entrada da garagem, pra te animar um pouco.

Engoli em seco e me recompus enquanto ia buscar a surpresa. Assim que saí da casa, mais lágrimas rolaram pelo meu rosto.

Lá estava ele, estacionado à minha frente, um presente do passado que deveria me consolar: o conversível dos meus pais. Aquele carro velho representava minhas duas pessoas favoritas, pessoas que eu havia perdido. Ele era amarelo-claro, cheio de desenhos. Durante nossa infância, mamãe e papai nos pediam que desenhássemos nossos momentos favoritos no carro, a fim de criar lembranças duradouras que poderíamos revisitar com o passar do tempo.

Ao olhar para o carro, absorvi todas as lembranças registradas nele. Comemorações de aniversário. Exposições de arte. Viagens em família. Senti um sorriso aparecer em meus lábios. Aquele era um lembrete instantâneo de quem eu realmente era, da minha essência.

Eu me lembrava de cruzar a estrada com minha família, ouvindo Lauryn Hill com os cabelos ao vento, sem medos, cheia de felicidade.

Yoana costumava se sentar ao meu lado, e sua risada era contagiante. Ela tinha crises de riso quando soprávamos bolinhas de sabão no banco detrás. Era impossível não ser feliz com aquelas três pessoas e com toda aquela alegria.

Eu me sentei no banco do motorista e respirei fundo enquanto um aroma singular me preenchia.

Mamãe.

Olhei para o banco do carona, onde havia uma cesta cheia de coisas e uma carta. O perfume favorito de mamãe estava lá dentro, e eu sabia que era esse o cheiro que eu estava sentindo. Yoana deve ter borrifado a fragrância nos bancos do carro.

Lilás e mel.

Junto com o perfume havia uma garrafa de uísque e um pote de grãos de café.

Abri a carta e a li.

Kennedy,

Odeio me afastar de você justo agora que nos reconectamos, mas achei que seria bom deixar uma parte da família ao seu lado enquanto você se redescobre. Por isso, deixei para você o café favorito da mamãe para as manhãs e uma garrafa do uísque preferido do papai para suas noites.

Te amo, maninha. Me liga se precisar de qualquer coisa. Estou a apenas um voo de distância.

E tenta não pensar demais em tudo. Você está no caminho certo, mesmo nos dias em que não parecer que está.

— Yoana

Olhei para as estrelas que pintavam o céu de Havenbarrow, abri a garrafa de uísque e passei o restante da noite pedindo a elas por dias melhores. Pedi aos meus pais que me enviassem um sinal de que as coisas ficariam bem, apesar de tudo. Pedi orientação, orações e milagres.

Seria tão bom se um milagre acontecesse na minha vida.

Quando amanheceu, tive uma forte sensação de que finalmente conseguiria aproveitar o sol após tantos dias de escuridão.

3

Kennedy

— Olha por onde anda, Louise. Não vai amassar os arbustos — sussurrou uma voz enquanto eu bocejava no banco detrás do conversível, onde acabei dormindo. Despertei ao ouvir os sussurros no quintal.

Meu coração pulou no peito quando eu me sentei.

— Ah, para com isso, Kate. Pisar nesses arbustos seria um favor pros donos, confia em mim — rebateu a outra mulher em uma espécie de grito sussurrado.

Elas andavam com cuidado pelo terreno, espiando pelas janelas, segurando potes de plástico.

— Será que é uma família grande? — perguntou Louise. — Deus sabe que a última coisa de que precisamos é de mais crianças correndo pela vizinhança.

— Não sei, mas, pelos poucos móveis lá dentro, acho que pode ser alguém passando necessidade.

Arqueei uma sobrancelha e olhei para as fofoqueiras, que não tinham me visto sentada a alguns metros de distância.

— Tomara que eles contratem alguém pra ajeitar essa imundice de quintal. Não quero que o restante do bairro seja desvalorizado por causa de gente nova. A última família que morou aqui trouxe problemas o suficiente — bufou Louise, enojada.

— Posso ajudar? — interrompi, observando as fofoqueiras darem um pulo em seus saltos Louboutin ao ouvir minha voz.

Elas recuperaram o equilíbrio e, por sorte, conseguiram se manter agarradas aos potes ao girar e dar de cara com a minha pessoa sentada no carro.

— Ah, minha nossa, querida, você não devia dar susto nos outros — disse a mulher que usava um vestido amarelo de alcinha, provavelmente Kate, pressionando uma das mãos contra o peito. — Quase tive um ataque do coração.

Eu me controlei para não revirar os olhos diante da ironia da situação. Em vez disso, apenas abri meu sorriso sulista mais simpático enquanto saía do carro e me aproximava delas.

— Desculpa. Eu não tive a intenção de assustar ninguém.

Os olhos de Louise passaram pela minha roupa colorida antes de encontrarem os meus.

— Bom, pois é. Você devia tomar mais cuidado.

— Vou tentar não fazer isso da próxima vez. Então, como posso ajudar?

Kate deu um passo para a frente, seus cachos louros perfeitos balançando diante do rosto.

— Ah, sim. Somos suas vizinhas! Vimos você chegando ontem à noite e decidimos passar aqui pra dar as boas-vindas. Eu sou a Kate, e esta é a Louise.

— Não somos parentes — disseram as duas juntas, então riram. — Brincadeira, somos gêmeas!

Claro que eram.

— Moro na segunda casa à sua esquerda, e Kate mora na segunda casa à direita — disse Louise. — Você está bem no meio do sanduíche das gêmeas.

Que sorte a minha.

— Bom, eu me chamo Kennedy. É um prazer conhecer vocês.

O sorriso enorme continuou gravado no rosto das duas enquanto elas olhavam para o conversível dos meus pais. Então ambas analisaram minha aparência e voltaram para o carro.

— Seu carro é tão diferente — ponderou Louise, a voz carregada de reprovação. — Você usa ele ou é tipo um... objeto de colecionador?

— Era dos meus pais. Ele carrega um pouco da história da família. Ainda não saí pra dar uma volta com ele, mas talvez eu faça isso qualquer hora.

Talvez amanhã. Talvez daqui a um ano. Quem sabe...

As mulheres fizeram uma careta.

— Que interessante — disseram as duas, novamente juntas.

— Isso é pra mim? — perguntei, tentando mudar de assunto e encerrar o papo. Todos os livros que li até hoje me ensinaram uma coisa sobre cidades pequenas: é que aquelas gêmeas eram a receita perfeita para uma encrenca.

— Ah, é. Cada uma de nós fez uma torta pra você. As melhores tortas de morango e de maçã que você vai comer na vida. Ficamos até tarde na preparação depois que vimos você chegar.

— Não precisava — falei.

— Querida, claro que precisava. Nós somos suas novas vizinhas, afinal de contas. A gente leva a hospitalidade sulista muito a sério por aqui — comentou Kate, ainda franzindo a testa e olhando para a minha casa.

Louise pigarreou.

— Falando do quintal... — *A gente estava falando sobre o quintal?* — Quem vai cuidar do seu? Posso indicar algumas pessoas que fazem um trabalho ótimo.

— Ah, obrigada, mas já cuidamos disso. Na verdade, não sou a proprietária da casa.

— Ai, meu Deus — choramingou Kate enquanto pousava a mão nos lábios. — Você invadiu a casa? Você não mora aqui? Quer dizer, acho que o carro faz mais sentido agora, mas isso é ilegal.

— A gente devia avisar o delegado Reid — declarou a outra em um tom grave.

Essas mulheres estão falando sério? Isto é uma pegadinha? O Ashton Kutcher está escondido atrás dos arbustos amassados pelos Louboutins?

— Não, não. Eu quis dizer que aluguei a casa da minha irmã e do meu cunhado pelos próximos meses, antes de eles colocarem à venda. Os paisagistas devem começar a trabalhar daqui a alguns dias.

— Ah, ainda bem! — exclamou Louise. — Eu não aguentava mais esse matagal todo. Já basta a Joy Jones Maluca daqui do lado com esse pandemônio no quintal. Se eu pudesse, compraria a casa daquela esquisita.

Ela disse esquisita como se fosse algo ruim. Eu sempre gostei mais dos esquisitos. Eles parecem julgar menos as pessoas.

Olhei para a casa que fazia o favor de me impedir de ser vizinha de porta de Louise. O lugar era exatamente como ela descreveu — um pandemônio —, e, mesmo assim, perfeito. Flores selvagens brotavam como se tivessem sido plantadas para serem livres. Elas cresciam sem qualquer tipo de ordem ou arranjo, e mesmo assim pareciam uma obra de arte.

Minhas visitantes provavelmente me odiariam se eu dissesse que adorei a casa. A liberdade que ela proporcionava era um consolo para a parte enjaulada da minha alma. Eu queria viver do jeito como aquelas flores dançavam.

Livre. Solta. Como o vento.

— Faz anos que o marido dela morreu, e a Joy Maluca nunca mais saiu de casa — explicou Louise. — Sabe aquele desenho dos anos 1990, *Ei, Arnold!*? Não tinha um personagem, o Garoto da Soleira, que tinha medo de sair da soleira de casa? Então, a Joy Maluca é igualzinha. Depois que perdeu o marido, ela passou a ter medo de ir além do próprio quintal.

— Se ele não tivesse deixado uma herança e a casa não estivesse quitada, tenho certeza de que ela estaria morando na rua. Não gosto de fazer fofoca, Deus que me perdoe, mas aquela mulher é louca — acrescentou Kate. — Dizem que ela acredita que alienígenas vão dominar o mundo em um futuro próximo. Aquele bando de cartas que ela escreve todo dia na varanda são pra Área 51. Doida varrida.

Quanto mais as duas falavam, mais eu queria conhecer a vizinha.

— Seja lá quais forem os seus planos pro quintal, não cometa os mesmos erros que a Joy — alertou Kate. — Principalmente com aquilo — advertiu ela, apontando para o quintal de Joy.

Arqueei uma sobrancelha.

— Com o quê?

Os olhos dela se arregalaram em confusão.

— Você não está vendo?

— Vendo... o quê?

— Aquelas flores azuis! — gritou ela, meio assustada, gesticulando feito uma alucinada. — Ela encheu o jardim de flores azuis!

Esperei Kate continuar o raciocínio, mas seus lábios se fecharam como se aquela fosse a conclusão.

Louise deve ter percebido a minha dúvida.

— Flores azuis! São tão artificiais!

Caramba. Se Yoana e Nathan conhecessem as vizinhas, tenho quase certeza de que pensariam duas vezes antes de me deixarem morar ali.

Sorri para as duas moças malucas.

— Vou me lembrar disso. Agora, preciso voltar pro...

— Não quero ser enxerida, querida, mas você não estava dormindo no carro quando chegamos? Você não tem uma cama na casa?

Você não tem educação?

Aquela mulher estava procurando motivo para inventar as histórias mais absurdas sobre tudo e todos. Eu costumava ver o melhor das pessoas — e, sim, isso tinha lá seus problemas —, mas Louise e a irmã pareciam determinadas a só enxergar o pior.

Segurei minha língua. A última coisa que eu queria era me indispor com as vizinhas. Aquelas duas pareciam o tipo de pessoa que faria da sua vida um inferno se encontrasse a menor razão para isso.

— Gosto de dormir olhando pras estrelas de vez em quando. E meus móveis só chegam na semana que vem. Obrigada de novo pelas tortas, meninas. Foi um prazer conhecer vocês.

As duas me analisaram por completo com o olhar pela última vez, então suas bocas se abriram em um sorriso sinistro ao mesmo tempo.

Stephen King adoraria conhecer aquela dupla.

— A gente vai se ver bastante, tenho certeza. Bem-vinda a Havenbarrow. Se você não quiser ser vista por aí dirigindo a sua, ahn, herança de família, pode baixar o aplicativo Cuber — disse Louise com aquele sorriso maldoso.

— Você quer dizer Uber? — perguntei.

Louise riu e acenou com uma das mãos na minha direção.

— Não, querida, estou falando do Cuber. Não temos essas coisas de Uber ou Lyft aqui na cidade, mas o Connor Roe criou o próprio aplicativo chamado Cuber. O garoto tem dezessete anos, mas é esperto. E o carro dele é mais... estável do que o seu aparenta ser.

Ah, se ela soubesse que aquele comentário só aumentou minha vontade de passear com o carro dos meus pais pela cidade... Eu já tinha lidado com muitos valentões no passado, não havia mais espaço em meu coração para comentários desagradáveis.

Mesmo assim, eu nunca mais tinha dirigido depois do acidente. A verdade era que eu não sabia se seria capaz de fazer isso em um futuro próximo.

— Vê se não some enquanto estiver morando aqui. Não esquece: se precisar de qualquer informação sobre alguém ou alguma coisa na cidade, pode perguntar pra gente, meu bem. Sabemos tudo o que acontece por aqui. A Kate é casada com o prefeito, então temos obrigação de nos manter informadas. Se você quiser, pode dar um pulinho nas nossas casas pra buscar inspiração pro quintal. Lembra, moramos na segunda casa à esquerda e segunda à direita!

Lembrete: nunca virar para a esquerda nem para a direita quando sair de casa.

Ao meio-dia, mais uma dúzia de vizinhas tinha aparecido com sobremesas, todas dizendo que queriam se apresentar. Se eu já não estivesse atordoada com a minha vida antes de me mudar para Havenbarrow, certamente teria ficado depois de receber meu quarto pão de banana sem glúten, sem nozes e sem gosto.

Pela quantidade de perguntas e comentários bisbilhoteiros que ouvi, tinha certeza de que as mulheres da cidade teriam muito a dizer a meu respeito em sua próxima reunião do clube do livro.

Para fugir um pouco da loucura, calcei um par de tênis e peguei meu diário. Eu já tinha alcançado minha cota de contato humano por um bom tempo. Precisava recuperar as energias. Precisava voltar para as minhas origens.

Só eu, meu diário e a floresta.

4

Kennedy

Havia algo na natureza que me transmitia paz, algo na forma como as árvores cresciam à sua própria maneira e se inclinavam na direção do sol para receber beijos de luz. Eu sempre me emocionava ao ver a forma como os galhos acenavam e dançavam no ritmo do vento enquanto as raízes permaneciam firmemente no lugar, com que o ar fresco carregava um aroma revigorante, uma mistura de flores e folhas.

O jeito como os pássaros cantavam... Eu adorava suas canções no início de cada primavera, revelando o despertar das aves para um novo começo. Eu adorava a forma como os passarinhos percorriam espaços da natureza sem se deixarem intimidar, como se moviam livremente, sem restrições. Isso era tudo que eu queria para minha vida, me mover com a mesma liberdade dos pássaros e, ao mesmo tempo, ter raízes fincadas no chão. Parecia ridículo — a ideia de voar e ao mesmo tempo me manter firme —, mas meu sonho era pertencer a algum lugar e, ainda assim, ser livre.

Fazia quarenta e cinco minutos que eu vagava pela floresta nos fundos da minha casa, em busca de um lugar para relaxar e escrever meus desejos, meus sonhos e minhas esperanças.

Não memorizei o caminho de volta para casa e fiquei torcendo para conseguir encontrá-lo sozinha. Na pior das hipóteses? Eu dormiria embaixo das árvores. Não seria a primeira vez nem a última, provavelmente.

Passei por alguns galhos e fiquei surpresa ao me deparar com um campo aberto, livre de árvores e cheio de flores de todos os tipos. A flor que mais se destacava me deixou sem fôlego.

Margaridas.

Centenas e centenas de margaridas em um tom de amarelo vibrante pareciam ter sido colocadas ali de propósito. Meus olhos se encheram de lágrimas enquanto eu me esforçava para controlar minha respiração. Havia um banco branco no meio do campo, e não consegui resistir à vontade de percorrer o caminho que ia em sua direção. Era tão lindo. A maneira como o sol espreitava pelas flores e as fazia brilhar era de tirar o fôlego.

Eu não conseguia imaginar um lugar melhor para sentar, respirar e escrever. Então fiz exatamente isso.

Comecei a escrevinhar no caderno, concentrada em botar para fora todo e qualquer pensamento que surgisse em minha mente. Eu não tinha a menor noção de quanto tempo passei levando a caneta de um lado para o outro do papel, e não me importava. Estava mais preocupada em transformar minhas verdades em palavras — não importava o quanto elas estivessem bagunçadas.

Quando o céu da tarde começou a escurecer, os postes de energia solar espaçados entre as margaridas iluminaram o espaço, tornando tudo ainda mais especial.

— Que diabos você está fazendo aqui? — esbravejou uma voz em minha direção, me fazendo pular do banco.

A caneta e o caderno escapuliram das minhas mãos e saíram voando, aterrissando entre as flores. Quando me virei, encontrei um homem parado atrás de mim, então fui inundada por uma onda de nervosismo.

— Ah, oi. Eu me chamo Ke...

— Não perguntei qual é o seu nome — interrompeu-me ele, sua voz grave e inflexível. — Eu perguntei que diabos você está fazendo aqui.

Ele era um homem imponente. Seus ombros eram largos, seus bíceps, impressionantes, e seu sorriso era... bem, inexistente. E os olhos?

Eu me perdi naqueles olhos escuros que combinavam com o céu da meia-noite. Eu sabia que era bobagem, mas podia jurar que já tinha visto aqueles olhos antes. Talvez em um sonho, em uma fantasia. De toda forma, senti uma conexão com aquele desconhecido grosseiro. Eu conhecia aqueles olhos escuros que me analisavam, e a forma que ele inclinava a cabeça na minha direção, completamente perplexo, passou a impressão de que talvez ele também me conhecesse.

Mas quando foi isso?

De onde?

— Eu conheço... — comecei, mas fui rapidamente interrompida pelas palavras grosseiras dele.

— Você é surda? — repreendeu-me ele.

Era mais provável que a gente não se conhecesse. Eu teria me lembrado de uma pessoa tão mal-educada assim, e saberia que deveria ficar bem, bem longe.

— Não. Não, não sou.

Corri para pegar o caderno e a caneta que tinham saído voando pouco antes. Quando dei um passo para a frente, aturdida, tropecei nos meus próprios pés e cambaleei, tentando recuperar o equilíbrio.

— Cuidado! — exclamou ele, sua voz num misto de irritação e preocupação. Não preocupação por mim, é claro. Ele parecia mais apreensivo pelas margaridas.

Por sorte, não caí. Tentei desviar o máximo possível das flores enquanto recolhia minhas coisas.

— Desculpa. Eu estava andando pela floresta quando...

— Invadiu minhas terras.

— O quê?

— Você invadiu minhas terras. Aqui é uma propriedade particular.

Soltei uma risadinha enquanto apertava o caderno contra o peito.

— Sim, me contaram, mas...

— Então você sabia?

— Bom, sabia, mas...

— Não tem “mas”. Você sabia e infringiu a lei. Vá embora antes que eu chame a polícia.

Bufei, chocada com as palavras dele.

— Isso é tão sério assim? Eu só queria tomar um pouco de ar fresco e caminhar, e...

— Invadir a propriedade dos outros — interrompeu-me ele. De novo.

— Para de me interromper! — Meu rosto estava esquentando por causa daquele embate, e a raiva começava a borbulhar dentro de mim.

— Vou parar quando você sair da minha propriedade.

Aquele homem com olhar intenso e triste estava começando a me irritar. Por que ele se achava no direito de ser tão grosseiro com uma pessoa que nem conhecia? Ele estava sendo tão rude, desagradável e frio.

Resolvi que ele ganharia o apelido irônico de Sr. Chatonildo, graças ao seu comportamento tão adorável.

— Você não precisa ser tão mal-educado — resmunguei, balançando a cabeça, incrédula. — Não fiz mal nenhum vindo até aqui. Além do mais, a ideia de que as pessoas podem ser donas da natureza é ridícula. Essas árvores estavam aqui antes de você nascer, e vão continuar aqui muito tempo depois da sua morte, enquanto você fica aí insistindo que elas são suas. Pra mim, isso é loucura.

— Imagino que você não se incomodaria em ter um bando de estranhos andando pela sua casa sem serem convidados.

— Isso é diferente.

— O terreno onde a casa foi construída não existia antes de você nascer? Ele não vai continuar lá após a casa ser demolida e depois que você morrer? Mas acho que a ideia que você tem de pessoas invadindo o seu espaço é diferente porque ele é seu, não meu.

— Não precisa ser sarcástico — rebati, falando com firmeza, apesar do meu nervosismo.

Comecei a andar na direção do campo de flores e, sem querer, esmaguei algumas margaridas. Ele pulou na minha direção.

— Cuidado! — gritou ele.

Ele se agachou e começou a reparar o estrago que eu havia causado. A careta em seu rosto se transformou em uma carranca quando ele viu que não tinha jeito de salvar as margaridas. As mãos dele eram tão grandes que o homem parecia um gigante brincando com flores em miniatura. Seus lábios se moveram ligeiramente enquanto ele murmurava algo baixinho, mas não consegui entender o que estava dizendo.

— Desculpa, não ouvi — falei, meu coração ainda entalado na garganta de nervosismo.

— Provavelmente porque eu não estava falando com você.

— Tudo bem. Desculpa. E desculpa por ter estragado suas flores.

Ele resmungou alguma coisa baixinho — de novo. Sabe o Cesar Millan, o encantador de cães? Bom, no momento, eu estava lidando com o Sr. Chatonildo, o desencantador de humanos — porque ele parecia não fazer ideia de como se comunicar com as pessoas e só sabia ficar sussurrando.

— Se houver algo que eu possa fazer...

— Só vai embora — declarou ele, com a voz baixa e contida.

— Sem querer ofender, mas você é muito desagradável.

— Sem querer ofender, mas estou pouco me fodendo sobre o que você acha de mim.

— Babaca — resmunguei.

— Já sei disso.

— Já sabe do quê?

— Do meu papel na história desta cidade de merda — resmungou ele. — Sou o babaca daqui. Só estou cumprindo o meu papel.

— Dá pra ver que você leva sua missão a sério.

— Sou muito profissional.

— Espero que o seu papel na história da cidade seja curto.

— Não existem papéis curtos em uma cidade pequena, só mentes pequenas e antiquadas. Tenho certeza de que você vai se dar bem por aqui. Agora, se puder me dar o prazer de sair da porcaria do meu terreno, eu agradeceria.

Nossa.

Tudo bem, Sr. Chatonildo.

Ele seguia à risca o papel, um ator que encarnava o personagem — que ótimo. Sem dúvida, era admirável ver alguém tão comprometido com sua carreira no mundo do teatro. E, nossa, ele tinha talento. Aquela atuação merecia um prêmio. Acreditei em cada comentário arrogante que saiu da boca daquele cara.

Se Louise, Kate e o Sr. Chatonildo fossem o melhor que aquela cidade tinha a oferecer, minha diversão estaria garantida.

Ele não me encarou outra vez. Aqueles olhos escuros, misteriosos, não voltaram a encontrar os meus. O sujeito permaneceu focado nas margaridas com a cara tão fechada que parecia que eu tinha pisado no amor da vida dele e o esmagado até a morte.

Resmunguei outro pedido de desculpas, para o qual não recebi resposta, e comecei minha caminhada de volta para casa — bem, eu tentei encontrar o caminho de volta. Acabei andando em círculos pela floresta e voltando para o campo de margaridas. O Sr. Chatonildo estava sentado no meio do campo, no banco pintado de branco, e soltou um suspiro carregado ao me ver.

— Segue reto por aqui até a minha casa. Você vai sair na rua Alegria De lá, vamos torcer pra você encontrar a rua principal e o caminho pra sua casa.

— Certo. Claro. Obrigada.

Ele não disse mais nada.

Enquanto eu dava a volta no quarteirão para encontrar o caminho até a minha casa, tive de rir do fato de o Sr. Chatonildo morar numa rua chamada Alegria. Ele estava longe de ser alegre. Avenida Ranzinza combinaria mais com sua personalidade.

5

Jax

Não havia nada pior do que pessoas.

Infelizmente, meu trabalho exigia que eu estivesse sempre em contato próximo com humanos. Eu era o único encanador da cidade, então nem preciso dizer que passava muito tempo lidando com as merdas de Havenbarrow. Com frequência, eu me pegava desejando ter me tornado escritor, ou escultor — ou literalmente qualquer outra coisa que envolvesse o mínimo possível de interação com outras pessoas. *Ah, você precisa de alguém que passe cinquenta anos sentado em Marte? Sem problemas, chefe. Eu topo.*

Porra, ser veterinário seria melhor do que aquilo. Pelo menos eu poderia brincar com bichos fofinhos enquanto lidava com os donos idiotas, que achavam que não tinha problema dar vinho para um cachorro, porque RÁ, RÁ. SÓ SE VIVE UMA VEZ.

Nem preciso dizer que eu não me dava bem com pessoas. Elas eram humanas demais para o meu gosto. Eu já havia tido contato com os mais diversos tipos de indivíduos na vida, então sabia que a maioria deles não me agradava. Por isso, flagrar uma mulher invadindo minha propriedade não tinha sido a experiência mais divertida da tarde de ontem. Mesmo sendo linda, no fim das contas, ela ainda era humana. Sua beleza não foi suficiente para me fazer ignorar o fato de que ela estava no meu terreno. Eu queria dela a mesma coisa que queria de basicamente todos naquela cidade — distância.

— Mas o que raios está preso aqui? — resmunguei enquanto analisava a pia entupida do banheiro da suíte dos Jefferson.

Marie Jefferson era uma senhora mais velha com olhos gentis. Aos sessenta e poucos anos, ela estava sempre com seu colar de pérolas e usava as roupas mais caras e extravagantes da face da Terra. Suas peças eram de marcas famosas, e, quando usava algo de uma grife não tão conhecida, também custava uma fortuna. A maioria das pessoas em Havenbarrow recebia salários polpudos ou vinha de uma família que recebia salários polpudos, e Marie não era diferente. Ela só não se comportava do mesmo jeito arrogante que muita gente da cidade.

Na escala de pessoas que eu odiava, ela era uma das poucas que eu ainda conseguia tolerar, o que era uma coisa boa, considerando que o marido dela, Eddie, era meu terapeuta desde que eu tinha treze anos.

— Ah, bom, sabe... — Marie deu de ombros e enrolou uma mecha de cabelo ruivo-claro no dedo. — Ontem à noite, eu e o Eddie ficamos meio empolgados e, bom... — Ela pigarreou, e suas bochechas ganharam um tom forte de vermelho. — Jax, isso é meio constrangedor. O Eddie me pediu que não contasse a verdade, mas não sei mentir.

O olhar dela desviou de mim e parou em Connor, meu assistente, que havia acabado de completar o segundo ano do ensino médio. Ele era meu único funcionário por um motivo bem simples — ninguém mais na cidade tinha coragem de trabalhar comigo. Mas Connor era diferente. Ele era um empreendedor nato. Se havia dinheiro em jogo, Connor topava. Eu não me surpreenderia se ele se tornasse milionário antes de completar vinte e um anos. As engrenagens de seu cérebro não paravam de girar em busca de ideias que lhe permitissem ganhar mais dinheiro.

Fazia quase um ano que ele trabalhava comigo, e nenhum dos outros funcionários tinha durado tanto tempo. Todos os seus antecessores haviam ido embora chorando ou me chamando de babaca. Alguns choraram e me chamaram de babaca, tudo junto.

Connor era diferente. Ele não levava meus comentários agressivos e ríspidos para o lado pessoal. Estava determinado a receber seu salário e, ao mesmo tempo, se divertir. Até quando eu estava com um humor de merda, Connor agia como se fôssemos melhores amigos.

Isso inclusive funcionava muito bem a meu favor. Nós nos complementávamos. Era como se Oscar, o Rabugento, dividisse uma empresa de serviços hidráulicos com o Garibaldo. Quando eu era grosso com os clientes, Connor usava seu carisma para conquistá-los. Ele sempre ganhava mais gorjetas do que eu, porque as pessoas iam com a cara dele. Dava para entender por quê.

É triste dizer isto, mas, com o passar do tempo, aquele merdinha acabou me conquistando também.

Passei um braço pela testa.

— Ah, não precisa ter vergonha, Marie. Ou você me conta agora, ou descubro quando desmontar a tubulação. Vamos descobrir o que está lá dentro de qualquer jeito, mas, se você me falar logo, posso evitar um trabalho desnecessário, caso não seja tão complicado quanto imagino.

— Ah, céus. — Ela corou e apertou o colar de pérolas com seus dedos finos. — Tá, tudo bem, vou falar logo de uma vez. Tem esferas anais aí dentro. Elas não são grandes nem nada! É só um cordão pequenininho delas.

Na mesma hora, Connor soltou uma gargalhada. Lancei um olhar fulminante na direção dele para que ele ficasse quieto, enquanto meu corpo se encolhia só de pensar no que Marie havia acabado de contar. A imagem da doce e delicada Marie usando esferas anais me causou um desconforto que eu não estava pronto para encarar. Que fetiches esquisitos meu terapeuta tinha? Dizer que fiquei atordoado seria pouco.

Nossa, agora era eu quem estava me comportando feito um velho moralista.

— A gente só usou uma vez, quando eu e o Eddie estávamos... hum, bem... — Ela corou ainda mais e se inclinou na minha direção. — Sabe, eu estava de quatro na bancada da pia. — Ela fez uma pausa e gesticulou ao redor. — Não se preocupem, joguei água sanitária em tudo antes de vocês chegarem. Não tem go...

— Tááá. Sabe de uma coisa, Marie? Pode deixar com a gente a partir de agora. Que tal você aproveitar pra resolver o que quer que seja que tiver que fazer pela casa? Vou terminar o serviço rapidinho.

Olhei para trás e vi Connor parado com os braços cruzados e o rosto mais vermelho que já vi na vida. Suas bochechas estavam estufadas, como se ele fosse a porra daquele esquilo, Alvin, e eu sabia que bastaria uma cutucada para ele explodir.

Quando Marie saiu, Connor soltou a gargalhada, se inclinando para a frente e apertando a barriga enquanto se escangalhava de rir.

— Ah, nossa... que porra de história nojenta! Ela tem uns cem anos! — exclamou ele.

— Ela tem uns sessenta, não cem, e você terá sorte se chegar à idade dela e ainda tiver uma vida sexual.

Ele estremeceu diante da ideia.

— Que nojo. Não quero enfiar meu pau enrugado em ninguém com essa idade.

— Olha a boca, Connor.

— Só estou dizendo que acho nojento pra caralho.

— *Olha a boca*, Connor.

Ele gemeu.

— Foi mal, Jax.

— Só me passa a chave inglesa, tá? — Arregacei as mangas e me enfiei embaixo da pia para começar o serviço.

— Ei, Jax. Toc, toc — disse Connor, esticando a chave inglesa para mim. Juro que aquele garoto fazia mais piadas ruins do que o tiozão do pavê.

— Quem é?

— As esferas anais da Marie.

Puta merda.

— Que esferas anais da Marie?

Ele soltou uma risadinha e depois caiu na gargalhada.

— Não, é só isso. A piada é essa. A piada é que você está prestes a pegar as esferas anais da Marie, e se isso não for engraçado, não sei o que mais seria.

Ele continuou rindo durante todo o tempo em que eu trabalhava, e não esperava nada diferente daquele garoto bobo.

Depois que as esferas anais foram retiradas com sucesso do cano da pia, lavei bem minhas mãos e fechei a torneira.

— Vai guardar as coisas na picape. Encontro com você lá.

— Sim, senhor.

Ele foi correndo, e, quando saí do banheiro, dei de cara com Eddie entrando na casa, carregando sua pasta. Nos dias de folga, ele passava as manhãs no parque, lendo o jornal.

Eddie também tinha sessenta e poucos anos, e as rugas em seu rosto contavam histórias do seu passado. As rugas de risadas eram fundas, todas indicando algum nível de profundidade.

Ele me cumprimentou com um aceno de cabeça e um sorrisinho.

— Então você ainda está vivo depois de perder duas sessões de terapia — comentou ele com um riso debochado.

— Ando trabalhando muito.

Ele assentiu de modo compreensivo enquanto colocava a pasta no chão. Depois passou uma das mãos pelo cabelo grisalho.

— E a Amanda? Tudo bem com ela? Como vão as coisas entre vocês?

— Não vão. A gente terminou há algumas semanas.

— Humpf. — O olhar de Eddie dizia muito mais do que suas palavras.

Suspirei.

— Tá, desembucha.

— Desembucha o quê?

— Sua opinião sobre mim e a Amanda.

— Minha opinião? — murmurou ele, passando o dedão sobre o bigode grosso. — Eu não tenho opinião nenhuma sobre o assunto.

Arqueei uma sobrancelha.

— Sério?

— Sério.

Ele fez uma pausa rápida, ainda me analisando com seu olhar de terapeuta. Não era porque não estávamos sentados no consultório que ele não usaria suas habilidades comigo. No fundo, eu estava desconfiado de que ele tinha mandado Marie colocar as esferas anais no ralo só para me obrigar a aparecer ali depois de faltar a algumas sessões.

Eddie faria esse tipo de coisa.

— Por quê? — questionou ele, cerrando os olhos. — Eu deveria ter uma opinião? Você tem uma opinião?

Pronto.

Seus comentários pareciam muito desinteressados, mas eu sabia que ele estava armando para poder analisar as profundezas da minha mente a respeito das coisas que não tinham dado certo com Amanda. Ele estava bancando o terapeuta para cima de mim.

— Quer que eu me deite no seu divã e diga o que estou pensando? — brinquei.

Eddie abriu um sorrisinho.

— Meu divã está sempre disponível.

— É, bom, hoje não vai dar. Além disso, nós temos regras. As sessões só acontecem no consultório, lembra? Sem contar que eu tenho mais serviços pra fazer com o Connor, então me perdoa por não querer entrar em detalhes sobre o término do meu namoro.

— Hum. — *Ah, droga*. Eu conhecia o tom daquele hum. Nada de bom acontecia quando aquele tipo de hum saía da boca de Eddie. Ele apontou para o sofá. — Tem certeza de que não quer falar um pouco sobre isso? Nem por cinco minutos?

Eu ri.

— Boa tentativa, doutor, mas preciso ir.

— Do que exatamente você está fugindo? — perguntou ele com as mãos entrelaçadas e a cabeça inclinada para o lado.

— Agora? De esferas anais.

Ele jogou as mãos para cima.

— Pelo amor de Deus, Marie. Você precisava contar pro Jax sobre o ralo do banheiro? — berrou ele para a outra sala.

— Foi você quem deu a ideia das esferas, querido! Não me culpe por não saber mentir — gritou ela de volta. — Foi por causa da minha sinceridade que você se apaixonou por mim.

— É, bom, as coisas mudam. — Ele gemeu, balançando a cabeça.

Pressionei a bochecha internamente com a língua.

— Tem certeza de que *você* não quer se deitar no divã e me contar o que está pensando e sentindo?

Ele me fuzilou com o olhar, se tornando menos o Dr. Jefferson e mais o humano Eddie.

— Achei que você estivesse indo embora.

Abri um sorrisinho.

— Já estou saindo.

— Dá um pulo no consultório quando tiver tempo. Podemos ter uma sessão de verdade.

— Combinado.

— Ah, Jax?

— Sim?

— Sinto muito sobre a situação do seu pai.

Fiquei quieto por alguns segundos. Não me dei ao trabalho de perguntar como ele tinha ficado sabendo da notícia, porque todos os habitantes da nossa cidadezinha eram jornalistas sem diploma. Aquele lugar era um antro de fofoqueiros que estavam pouco se lixando para mim e para o meu pai.

No máximo, eles estavam aos pulos por aí, cantarolando de alegria por ele estar quase morto. Não demoraria muito para eu começar a ouvir pelas ruas a felicidade do povo: *Ding dong, o babaca morreu. Que babaca? O babaca mais babaca!*

Eu não amava meu pai, e os moradores da cidade gostavam ainda menos dele. Se eu tivesse que contar quantas vezes haviam se referido a ele como a versão local do Sr. Potter de *A felicidade não se compra*, ficaria exausto. Além disso, nem dava para refutar a comparação.

Meu pai não era um homem bom, e agora estava em uma casa de repouso, lutando pela vida após um terceiro derrame deixá-lo parcialmente paralisado, com demência vascular. Ele não sabia mais quem era, e eu não tinha mais condição de cuidar dele. Fazia pouco tempo que ele havia sido internado para receber os cuidados necessários.

Antes de meu pai ser transferido para lá, eu havia passado os últimos doze anos cuidando dele por conta de seus problemas de saúde — que eram muitos. Ele não se cuidava, o que só dificultava as coisas para mim. Durante esse tempo todo, ele também nunca perdeu a oportunidade de me bater, só para me lembrar de que eu lhe devia obediência. Meu irmão mais velho, Derek, foi embora no dia em que completou dezoito anos e nunca olhou para trás. Derek era filho do casamento anterior da minha mãe, mas sempre chamou meu pai de pai — até o dia em que nossa mãe faleceu e meu pai nos transformou em sacos de pancada.

Agora, meu pai havia saído da casa onde cresci e se tornado responsabilidade de outras pessoas. Apesar de eu odiá-lo, a casa parecia um pouco mais fria à noite. Era engraçado como somos capazes de sentir falta dos demônios que costumavam nos aterrorizar depois que eles vão embora.

Eddie fez a festa no dia em que expressei esse sentimento.

Assenti uma vez, tentando não demonstrar nenhuma emoção sobre o estado do meu pai. A verdade era que eu tinha faltado à terapia porque não estava pronto para falar sobre aquilo. Não sabia o que dizer.

Os lábios de Eddie se apertaram com firmeza. Ele já fora melhor em controlar suas expressões durante nossas sessões, porém, quanto mais velho ficava e quanto mais nos tornávamos uma família, menos Eddie conseguia esconder a preocupação que tinha comigo.

— Se você precisar conversar... — começou ele.

— Seu divã está sempre disponível. Sim, Eddie, eu sei.

Saí da casa imaginando que encontraria Connor na picape, mas, para minha surpresa, eu o vi parado perto da cerca, conversando com a nova vizinha de Eddie e Marie — a invasora.

Ele estava oferendo um cartão de visita para ela e falando pelos cotovelos — como sempre.

— Pois é, eu sou o fundador, dono e diretor-geral da Cuber S.A., e, por ser uma cliente nova, você ganha a primeira corrida de cortesia. Mas, como você parece ser um diamante no meio da uma mina de carvão que é esta cidade, vou dar duas corridas de graça. É só baixar o aplicativo e colocar o código "diamante". — Ele fez uma pausa e franziu o nariz. — Só não coloca o código agora, porque preciso atualizar o aplicativo antes pra ele funcionar, mas você pode pegar sua corrida de graça daqui a, tipo, umas dezesseis horas. — Ele franziu as sobrancelhas de um jeito sugestivo.

— Connor — chamei, fazendo sua cabeça virar rapidamente na minha direção. — Vamos.

Ele ergueu um dedo.

— Um segundo, sócio, estou tratando de negócios — disse ele então, virando-se para ela. — Falando em negócios, o Cuber não é meu único empreendimento. Sou sócio da Kilter e Roe Serviços Hidráulicos, e...

— Você não é sócio de nada, é meu funcionário, e, neste momento, até isso está por um triz.

Connor riu de mim e fez um aceno de mão na minha direção.

— Ignora, ele costuma ser rabugento assim até uma da tarde. Ele precisa de um tempo pra acordar e virar um ser humano decente como o restante de nós — brincou ele.

A invasora sorriu e soltou uma risadinha, olhando na minha direção.

— Imagino — disse ela.

Fiz uma careta, nem um pouco surpreso com o rumo daquela conversa.

— Connor, picape. Agora.

— Tá bom, sócio.

— De novo, você não é meu sócio.

Ele revirou os olhos.

— Algumas pessoas têm problemas em reconhecer os outros, né? — disse ele, sorrindo, e a invasora riu de novo. Que ódio daquela risada bonita. — Mas, enfim, é melhor eu ir antes que o Ranzinza da Silva tenha um ataque. Não esquece, se você precisar de um carro pra sair, o Connor vai te servir. E, se você tiver algum problema no seu encanamento, pode ligar pro segundo número neste cartão. — Ele entregou outro cartão de visita para ela e piscou. — Será um prazer dar uma desentupida nos seus canos.

Ah, nossa. As insinuações de duplo sentido que saíam da boca daquele garoto eram lamentáveis.

— Connor, entra logo no carro — esbravejei.

— Ranzinza da Silva mesmo. — A invasora abriu um sorriso travesso, o que me irritou ainda mais porque até aquele sorriso era bonitinho.

Fui até a picape e me sentei no banco do motorista.

Logo depois, Connor se juntou a mim, colocou o cinto e esfregou as mãos.

— Não dava pra perder a oportunidade de conseguir uma nova cliente. Você entende, chefe.

Ergui uma sobrancelha.

— Ah, então agora eu sou seu chefe?

— Escuta, Jax, é aquela história... mulheres respeitam homens que têm o próprio negócio. Eu fico parecendo mais profissional quando digo que sou seu sócio.

— Ou mais mentiroso.

— Isso é uma questão de ponto de vista.

— Deixa eu ver esse cartão de visita que você anda distribuindo por aí.

Ele tirou um do bolso.

Quando vi o cartão, balancei a cabeça na mesma hora.

— "Kilter e Roe Serviços Hidráulicos: é sempre a mesma merda, só mudam as privadas"? *Esse* é o slogan? — gemi.

— Era isso ou "A gente aposta na sua bosta" — explicou ele. — Acho que o que eu escolhi ficou melhor. Então, já que eu arrumei uma cliente nova e ajudei a tirar as esferas anais do encanamento, acho que agora é o momento perfeito pra gente fazer uma pausa pro almoço na lanchonete antes do próximo trabalho — sugeriu ele, levantando as sobrancelhas.

— A gente tomou café antes de vir pra casa dos Jefferson.

— É, tipo, duas horas atrás. Sei que você é velho, já não está mais na flor da idade, e a única coisa que o futuro te reserva são esferas anais, mas eu estou em fase de crescimento, Jax! Preciso de carboidratos.

Dei partida na picape.

— Vamos almoçar no escritório durante o nosso intervalo. Eu trouxe a comida.

Connor fez uma careta de nojo.

— Não me obriga a comer outro sanduíche de manteiga de amendoim e geleia com aquele seu shake proteico horrível, por favor. Já estou enjoado disso.

— É uma refeição rica em proteína, e vai ajudar a desenvolver seus músculos.

— Sabe o que mais me ajudaria? Um lanche do McDonald's.

Sorri.

— Você pode gastar seu salário nessas coisas durante seu tempo livre, mas, enquanto estiver trabalhando comigo, vai ganhar um sanduíche e um shake proteico.

— Com mato.

— Não é mato. É couve-de-folhas.

— Não quero ofender a sua masculinidade, Jax, mas colocar couve-de-folhas em shakes proteicos é coisa daquelas garotas que usam botas Ugg e são viciadas no Starbucks e na Target.

— Você está me chamando de menininha escrota?

Ele abriu a boca para responder, mas fez uma pausa, arqueando uma sobrancelha.

— Você vai dizer "olha a boca" se eu te chamar de menininha escrota?

— Vou.

— Bom, então para de ser uma menininha escrota que come couve--de-folhas. Daqui a pouco, você vai começar a postar fotos de torrada com abacate no Instagram enquanto bebe kombucha.

— O que é kombucha?

— Ah, graças a Deus. — Connor suspirou e passou a mão na testa. — Você ainda tem uma piroca.

— Não fala piroca — ordenei, sério, levantando um dedo em sua direção. — E não fala menininha escrota.

Ele se recostou no banco e juntou as mãos atrás da cabeça, apoiando os pés no meu painel antes de eu empurrá-los rapidamente para o chão.

— Tá, não vou dizer menininha escrota. Enfim, a gente pode aproveitar pra falar sobre a vizinha nova dos Jefferson, que é uma gostosa? — perguntou ele.

— Não.

— Fala sério, Jax. Impossível você não ter percebido. Ela é muito gostosa! E você viu aqueles olhos? São os olhos mais bonitos que já vi na vida. Eles eram, tipo... cor de mel. Você viu, Jax? Viu os olhos dela?

— Vi, Connor.

Eu vi os olhos dela, e ele tinha razão — eram lindos para cacete, mas aquilo não fazia diferença nenhuma para a minha vida, e com certeza não era da minha conta... e foi por isso que achei esquisito não conseguir parar de pensar naqueles olhos.

~

Passamos o resto do dia consertando o encanamento dos outros, e Connor não calou a boca. Eu juro que aquele garoto passa vinte e quatro horas por dia falando sobre coisas absolutamente inúteis. Eu já tinha aprendido a deixá-lo falando sozinho, porque metade das merdas que saía de sua boca não passava de besteiras de adolescente. Talvez fosse por isso que eu gostava dele — porque ele era completamente diferente de mim. Ele era carinhoso, simpático — e um perfeito idiota, sim, mas eu gostava da companhia do garoto mesmo assim. É claro que eu jamais lhe diria uma coisa dessas, porque ele passaria a vida jogando isso na minha cara.

Quando chegamos à casa dele no fim da tarde, o rosto de Connor empalideceu ligeiramente ao olhar para as janelas. O garoto animado e tagarela perdeu todo o brilho no instante em que viu sua mãe andando pela casa.

Eles moravam sozinhos, e sua mãe estava lutando contra um câncer, uma situação extremamente difícil para os dois. Eu sabia que Connor trabalhava muito porque queria cuidar da mãe. Ele tinha um coração de ouro, e ela era muito sortuda por ter um filho assim.

Baixei a cabeça enquanto minhas mãos continuavam segurando o volante.

— Se vocês precisarem de alguma coisa — ofereci, me sentindo péssimo pela situação. Eu queria poder resolver seus problemas.

Ele balançou a cabeça.

— Não. Está tudo bem. Estamos dando um jeito. Hoje vamos assistir a um filme da Disney pra ela se animar um pouco. Ela adora coisas da Disney.

Ele sempre tentava fingir que não se deixava abalar pela doença, mas eu sabia a verdade.

Não era justo que Connor estivesse sendo obrigado a amadurecer mais rápido do que deveria.

— Me manda uma mensagem se você precisar de alguma coisa — falei.

— Pode deixar. A gente se vê amanhã. Vamos torcer pra encontrarmos mais esferas anais — brincou ele, mas seu rosto continuava pálido enquanto ele tentava esconder o sofrimento fazendo piada.

— Duvido muito.

— Boa noite, Jax.

Ele pulou para fora da picape e correu para a porta. Fiquei esperando até vê-lo entrar.

Em vez de ir para casa, como eu queria, fui para o único lugar que preferia evitar, para ver a única pessoa que queria esquecer. Segui direto para a casa de repouso, a fim de visitar meu pai.

Eu sabia que ele provavelmente estaria dormindo quando eu chegasse. Ultimamente, ele dormia durante boa parte do dia, enquanto seu corpo lutava para preservar a vida ou deixá-lo mais perto da morte — eu não tinha certeza de qual das duas opções era a correta.

Minha única certeza era de que, desde que ele fora internado, eu estava lá todas as noites, sentado ao lado de sua cama, enquanto meu pai dormia profundamente.

Vi uma bicicleta parada em frente à casa de repouso e me dei conta de que era de Amanda, uma das cuidadoras do meu pai e, por acaso, minha ex-namorada.

Entrei e me deparei com ela sentada na recepção, lendo um livro. Ela vivia lendo histórias sobre cavaleiros em armaduras brilhantes que salvavam todo mundo.

Acho que foi por causa daqueles livros que eu nunca havia conseguido corresponder a suas expectativas. Eu tentei mergulhar de cabeça no nosso namoro, mas sempre soube que, no fundo, faltava algo. Paixão? Uma conexão mais profunda?

Vai saber.

Talvez meus traumas do passado tivessem fodido tanto a minha cabeça que acabei me tornando incapaz de amar alguém do jeito certo. Eu só sabia que, após dois anos de namoro e nenhum noivado, ela ficou de saco cheio. Quando ela sugeriu que tivéssemos um filho e pulássemos a etapa do casamento, eu soube que havia chegado o momento de acabar com tudo.

— Oi — falei, cumprimentando-a com um aceno de cabeça.

Ela nem tinha percebido que eu havia chegado. Quando seus olhos estavam grudados naquelas páginas, Amanda se desligava do restante do mundo, totalmente imersa nas palavras, a menos que um paciente precisasse dela.

Ela fechou o livro e abriu um meio sorriso para mim.

— Olá.

— Como ele está?

— Sabe como é... a mesma coisa de sempre.

Ela se levantou da cadeira e abraçou o livro contra o peito. Seu cabelo castanho estava preso em um rabo de cavalo bagunçado, e ela parecia exausta. Eu tinha a impressão de que o trabalho dela não era o mais fácil do mundo.

Era evidente que meu pai não tinha muito mais tempo de vida, e, para ser sincero, eu não sabia como deveria me sentir. Meu pai não era um homem bom. Ele era cruel com tudo e todos que cruzavam seu caminho.

Bastava olhar para a minha casa para saber como meu pai me tratava. Ele havia feito um número considerável de buracos nas paredes em seus momentos de raiva, quando estava bêbado. Quando os socos não acertavam as paredes, era porque provavelmente haviam atingido a minha cara. Eu não tinha dedos suficientes nas mãos para contar a quantidade de vezes que ele me deu uma surra em cada cômodo daquela casa pelos motivos mais bobos.

Se a máquina de lavar roupa não terminasse o ciclo antes do jornal da noite — surra.

Se ele visse um desconhecido vagando pelo nosso terreno — surra.

Se ele me escutasse roncando alto demais — surra.

Se ele estivesse com saudade da minha mãe — outra porra de surra.

Eu vivia tentando identificar o momento em que meu pai havia se tornado aquele monstro. Ele já era cruel e violento antes da morte da minha mãe, mas acabou perdendo a cabeça depois que ela se foi. Eu não culpava meu irmão por ter ido embora. Eu deveria ter feito a mesma coisa, mas nunca tive coragem de abandonar meu pai.

Talvez uma parte de mim sentisse necessidade de cuidar dele.

Talvez uma parte de mim sentisse que eu merecia as surras.

De toda forma, eu fiquei.

Eu deveria ter tampado os buracos nas paredes, mas, no fundo, não queria esquecer os danos que meu pai havia causado.

Amanda cruzou os braços, e seu olhar se tornou gentil.

— Como você está? — perguntou ela.

— Sabe como é... a mesma coisa de sempre — resmunguei, repetindo suas palavras. Tirei o livro de dentro do meu casaco e o ergui no ar. — Posso ir lá?

— Pode, claro.

— Tá. Valeu, Amanda.

O céu se iluminou do lado de fora, e uma tempestade caiu em questão de segundos.

— Droga — murmurou ela, virando-se para trás. — Está caindo o mundo, e vim de bicicleta pra cá.

— Posso te dar uma carona quando eu for embora, se você quiser.

Vi o brilho de esperança em seus olhos quando disse aquilo, e desejei ser o tipo de babaca que não registrava as emoções de uma mulher. Eu preferia isso a ser capaz de decifrar cada sentimento que passava pelo rosto dela.

— Sim, seria ótimo — disse ela, tentando reprimir um sorriso.

Não sorria para mim, Amanda. Eu não valho a pena.

Segui para o quarto do meu pai e, quando entrei, ele estava dormindo, o que foi bom. Se ele estivesse acordado, eu teria cogitado dar meia-volta e ir embora. Mesmo moribundo, ele ainda tinha a capacidade de ser extremamente cruel — até quando não me reconhecia como seu próprio filho. Já nos momentos de descanso, eu conseguia encará-lo e ver um ser humano, não um monstro.

Puxei uma cadeira para perto da cama e comecei a ler *Guerra e paz* — o livro favorito dele. Eu vinha lendo alguns capítulos todas as noites, mesmo que ele não conseguisse ouvir. Aquele romance era uma das poucas coisas que tínhamos em comum. Fora o fato de gostarmos do mesmo livro, sempre fui o completo oposto do homem frágil deitado à minha frente.

Li por uns quarenta e cinco minutos e então fechei o livro e me levantei. Meu pai parecia destruído e cansado. Às vezes, eu contava suas respirações para me certificar de que estava tudo bem.

Em outras ocasiões, eu colocava uma das mãos sobre seu peito para sentir as batidas de seu coração.

Meu coração de pedra não sabia lidar com o estado daquele homem que sempre fora tão rude e violento. Vê-lo assim, tão acabado, era mais difícil do que eu poderia imaginar.

Assim que terminei minha visita, segui para a recepção, onde Amanda já estava me esperando.

— Pronta? — perguntei.

Ela fez que sim com a cabeça enquanto pegava suas coisas.

Entramos na picape, e ela se apressou em mexer no rádio para mudar da estação de rock para uma que tocava pop.

— Obrigada pela carona. Eu não sabia que ia chover — explicou ela, esfregando as mãos nas coxas.

— Sem problemas.

— Você recebeu o convite pro casamento do Alex e da Morgan? — perguntou ela. — Quer dizer, ele chegou na nossa antiga casa, mas a Morgan disse que mandaria outro pra você, já que não vamos mais juntos. A menos que... — Ela mordeu o lábio, e, merda, eu só queria uma cerveja gelada e silêncio. — A menos que você ainda queira ir comigo.

Passei uma das mãos pelo cabelo.

— Acho que nós dois sabemos que isso não seria uma boa ideia.

— Talvez pudéssemos tentar. É sério, por que não experimentamos algo sem compromisso? Acho que já superei nosso término. — O tom de voz dela era brincalhão, mas eu sabia que ela estava falando sério.

— Amanda... você me ligou bêbada no fim de semana passado, aos prantos.

— Foi culpa do álcool. Fico triste quando bebo.

Ela riu, mas eu sabia que era uma risada de nervosismo. Eu me sentia péssimo com o término, não porque fora a decisão errada — porque não foi —, mas por ela estar sofrendo tanto com tudo aquilo.

Quando paramos em frente ao prédio dela, coloquei a picape em ponto morto.

— Amanda, fala sério. A gente já conversou sobre isso. Não vai dar certo entre a gente. Você sabe que eu te acho uma garota maravilhosa, e...

— Não me trata feito idiota fazendo esses elogios vazios — murmurou ela. — Isso não melhora as coisas.

Baixei a cabeça.

— Se cuidar do meu pai faz com que a nossa separação seja mais difícil, posso tentar transferir ele de...

— Posso muito bem fazer o meu trabalho — rebateu ela. — Você não precisa questionar a minha capacidade profissional por causa dos meus sentimentos. Além do mais, eu estava brincando sobre a gente ficar sem compromisso. Deixa pra lá. Tenho certeza de que daqui a pouco você já vai estar com outra, e vai ser como se eu nunca tivesse existido.

— Não estou saindo com ninguém.

Se ela soubesse o quanto aquela teoria estava errada. Ter um relacionamento com alguém estava fora de cogitação. Se eu não queria uma família com uma garota como Amanda, talvez aquilo não fosse para mim. Ela era uma boa pessoa, tinha um coração bondoso.

No fundo, eu não conseguia me imaginar apaixonado por ela, criando nossos filhos, então não a enrolaria feito um babaca. Eu só partiria seu coração feito um babaca.

Não havia nada de bom naquela situação.

— Você me amou em algum momento? — perguntou ela, e, *porra*, que pergunta horrível.

Ela sabia a resposta. Eu não entendia por que estava fazendo aquilo consigo mesma.

Olhei para ela e vi seus olhos se enchendo de emoção.

— Desculpa, Amanda.

— Talvez você seja igual ao seu pai — declarou ela, e essas palavras me causaram calafrios. — Talvez a sua cabeça seja tão problemática que você nem seja capaz de amar outra pessoa. Ou de deixar que te amem.

Minha mandíbula trincou, mas eu estava disposto a tentar relevar o que ela tinha acabado de dizer.

Talvez você seja igual ao seu pai.

Foi um golpe baixo, e Amanda sabia disso. A única coisa na vida que eu nunca quis ser foi uma pessoa igual ao meu pai.

— Boa noite, Amanda.

— Sério? É só isso? Você não vai tentar se defender?

Claro que não. Ela estava preparando uma armadilha na qual eu não queria me enfiar. Amanda estava tentando provocar uma reação em mim, só que eu não tinha nada a oferecer. Eu engoliria minha irritação, porque a verdade era que eu não parecia em nada com meu pai. Nunca permitia que a raiva me dominasse.

Ela saiu da picape sem dizer mais nada e correu para o prédio.

Um suspiro me atravessou enquanto eu sintonizava o rádio na estação de rock de novo.

Quando parei diante da casa da minha família — um terreno com mais de quatrocentos mil metros quadrados, que passou anos praticamente abandonado —, soltei um suspiro de alívio. Eu poderia ter arrumado o quintal, mas sempre que me oferecia para isso, meu pai dizia que era para eu não tocar em porra nenhuma enquanto ele estivesse vivo. Uma vez, ele me disse que tudo seria meu depois que ele morresse, e eu já sabia o que faria. Minha mãe sonhava em concretizar seus projetos para a propriedade. Eu me esforçaria ao máximo para transformar o sonho dela em realidade.

Eu não acreditava em anjos, mas isso não significava que eles não existissem. Se eles fossem reais, minha mãe certamente seria um deles, e, se ela estivesse tomando conta de mim, eu torcia para que ela ficasse orgulhosa quando visse seu sonho realizado.

Assim como eu fazia toda semana, liguei para meu irmão para dar notícias do nosso pai.

Derek morava em Chicago e sempre dizia — nos últimos catorze anos — que faria uma visita. Mas, no fim das contas, era eu quem viajava todo ano para visitá-lo no norte do país.

Ao conversarmos naquela noite, dava para notar que ele não havia ficado chateado com a notícia da piora da saúde de nosso pai.

— Bom, talvez tenha chegado a hora de você se afastar de verdade. Vamos ser sinceros, Jax, você já ajudou aquele homem mais do que ele merece. Você não precisa continuar bancando o pai de um cara que nem cuidou de você do jeito certo.

Sentei na poltrona favorita do meu pai e suspirei.

— É mais fácil falar do que fazer.

— Estou falando sério, Jax. Você já fez o suficiente.

Não respondi, porque, depois do acidente de nossa mãe tantos anos antes, eu achava que seria impossível fazer o suficiente para compensar tudo o que tinha acontecido.

— Tenho muito carma pra limpar, Der. O mínimo que eu posso fazer é cuidar dele no final da vida.

Ele suspirou do outro lado da linha, e o imaginei passando uma das mãos pelos cabelos ondulados que eram iguais aos meus.

— Se você estiver falando do acidente...

— Não estou — menti. Era óbvio que eu estava mentindo.

Tudo na minha vida girava em torno do acidente. Todas as escolhas que fiz para afastar as pessoas foram consequência dos meus erros do passado.

— Jax. — Eu conseguia ouvir a dor de Derek através do telefone. — O que aconteceu não foi culpa sua. Não dá pra ficar guardando essa porra dentro de você pra sempre. Pode acreditar quando eu digo... não foi culpa sua, caralho.

Ele me dizia isso sempre que conversávamos.

Eu nunca acreditava.

Depois que desligamos, fui para a cama e permiti que a escuridão embalasse meu sono.

6

Kennedy

Se você der um muffin para Kennedy, vai descobrir alguma coisa.

Esse parecia ser o lema dos moradores de Havenbarrow.

Acordei com mais vizinhos simpáticos aparecendo com guloseimas para me dar as boas-vindas. A quantidade de vezes que eles me ofereceram comida com a intenção de espiar dentro da minha casa era algo assustador. A parte mais preocupante era que tudo o que eu contava para um visitante já era conhecido pelo próximo, como se todos estivessem juntando as peças para descobrir todos os detalhes da minha vida.

Pelo visto, a fofoca corria solta por Havenbarrow, e as histórias iam piorando conforme se espalhavam. Era como se estivéssemos brincando de telefone sem fio. No momento, eu era uma mulher solteira desempregada que havia invadido a casa da irmã sem ela saber.

Eu nunca havia me considerado uma garota de cidade grande até aquele momento. No lugar de onde vim, ninguém ligava para quem você era, e o único presente que as pessoas ofereciam era uma buzinada se você demorasse mais de dois segundos para atravessar um sinal depois de ele ter ficado verde.

O único ponto positivo da cidadezinha além dos Jefferson, meus vizinhos menos fofoqueiros?

Minha outra vizinha maravilhosa, Joy Jones.

Joy era uma figura. Naquela manhã, quando o sol apareceu, ela foi para a varanda da frente e se sentou em sua cadeira de balanço com um sorriso no rosto e uma grande caneca de café na mão. Alguns dos meus vizinhos fofoqueiros me contaram que isso fazia parte da rotina dela.

Seus cabelos prateados haviam sido presos em um coque bagunçado com duas agulhas de tricô, e seus óculos de armação grossa laranja estavam no topo da cabeça. Ela usava um laçarote colorido no cabelo que combinava com o vestido, e sempre cumprimentava todos que passavam por sua casa, mesmo quando as pessoas não lhe respondiam.

Nos momentos em que a rua ficava vazia, ela se ocupava falando sozinha — ou melhor, falando com o marido, que já havia morrido. Ela também fazia anotações em um papel, escrevendo como se sua vida dependesse da tinta que marcava as páginas pautadas.

A cena era de partir o coração, mas o pior era a maneira como os habitantes da cidade a ignoravam quando ela saía dos seus devaneios. Joy cumprimentava os pedestres com muita gentileza, mas o sentimento não era recíproco. Parecia que as pessoas tinham medo de responder com um aceno, um bom-dia, uma boa-tarde ou boa-noite enquanto seguiam pelo quarteirão.

O que mais me incomodava era a rapidez com que as pessoas zombavam dela. Quando falavam com ela, eram debochados, chamando-a de Joy Maluca, a mulher que nunca saía da varanda. Rezava a lenda que ela não saía da varanda que cercava a casa desde o dia em que o marido morreu. Às vezes, grupos de adolescentes zombavam dela, lhe mostrando o dedo do meio, rindo.

— Oi, Joy Maluca. Você já cozinhou alguém aí dentro da sua casa? — ridicularizavam-na antes que eu pudesse lhes dar uma bronca e expulsá-los dali.

— Tenham um bom dia, queridos — dizia Joy, acenando para eles, sem demonstrar nenhum sinal de incômodo.

Ainda assim, Joy não deixava de cumprimentar cada um que passava, e seu sorriso nunca vacilava. Era como se ela não se deixasse abalar pelo julgamento e pela crueldade das pessoas, como se as opiniões e os pensamentos dos outros não afetassem sua alegria.

O nome fazia jus à pessoa, já que Joy significava alegria em inglês. Eu queria ser como ela — menos influenciada pelo mundo ao meu redor —, porém meus sentimentos eram como o vento, moviam-se na direção do sopro. Esse era um defeito meu, algo que meu marido fazia questão de jogar na minha cara o tempo todo.

"*Se controla, Kennedy. Você não pode se magoar com tudo e levar as coisas tão a sério*", ele sempre dizia. "*Suas emoções vão estragar tudo de bom que a gente tem.*"

Eu estava tentando ao máximo apagar as palavras dele do meu cérebro, só que isso era mais fácil na teoria do que na prática. Quando alguém faz você se sentir insignificante, seus defeitos passam a ser o foco da sua mente.

— Sinto muito por eles terem sido tão maldosos — falei para Joy.

Ela olhou para mim com um sorrisão no rosto e balançou a cabeça.

— Quem foi maldoso, querida?

Sorri pra ela.

Deixa pra lá.

Voltei a ler meu livro na minha varanda enquanto os raios de sol me aqueciam da cabeça aos pés. Era interessante pensar que Joy não saía de casa fazia anos. Para os outros, aquilo provavelmente parecia loucura, mas eu entendia. Fazia mais de um ano que eu não dirigia. Eu tinha meus motivos, e Joy, os dela.

Eu não estava dizendo que fazia sentido, mas eu a entendia. Às vezes, uma pessoa ficava tão consumida pelos próprios medos que fazia tudo que podia para impedi-los de vir à tona, por mais que quisesse lutar contra aquilo. Eu não sabia quais eram os medos de Joy nem o que a impedia de sair de casa; eu só sabia que compreendia.

Viver é difícil. Nós precisávamos fazer o que estivesse ao nosso alcance para manter nosso corpo e nossa mente confortáveis. No meu caso, isso significava não dirigir. Para Joy, era ficar em casa.

Mas fiquei me perguntando como ela conseguia. Fiquei me perguntando como ela vivia sem colocar os pés na rua. Ela não parecia ter um cuidador nem filhos que viessem ajudar.

No fim daquela manhã, minhas dúvidas foram respondidas quando uma picape azul parou em frente à casa. Nem preciso dizer que fiquei de queixo caído quando vi o Sr. Chatonildo saltando do carro. Ele foi direto para a varanda de Joy, carregando um monte de sacolas de compras.

Ela se levantou da cadeira de balanço, ele a cumprimentou e colocou as sacolas no chão. Então deu um abraço nela.

Um abraço!

Eu jamais imaginaria que uma pessoa tão ranzinza quanto o Sr. Chatonildo seria capaz de abraçar alguém. Os dois entraram na casa para guardar as compras, me deixando completamente embasbacada e sem conseguir voltar para o meu livro. Era difícil me desviar de uma leitura — e quando eu digo difícil, quero dizer *difícil* mesmo. Minha casa poderia estar pegando fogo, ou eu poderia ter sido abduzida por alienígenas e continuaria tentando ler só mais uma página. Quando meu relacionamento terminou, recorri aos livros para curar as rachaduras do meu coração partido. Quando meu mundo desmoronou, os livros continuavam apostando no final "felizes para sempre". Os livros me salvaram nos dias em que minha alma enfrentava as piores tempestades.

Mas o Sr. Chatonildo conseguiu desviar minha atenção das palavras no papel. Ele me deixou curiosa quando entrou na casa de Joy. Minha mente começou a girar quando o vi batendo papo com ela. Alguns minutos depois, os dois voltaram para a varanda com copos na mão — um contendo vinho, o outro com um líquido escuro que parecia uísque —, e eu não conseguia parar de encará-los. Joy falava, e o Sr. Chatonildo respondia. Apesar de eu não conseguir ouvir a conversa, Joy parecia encantada com as coisas que escutava, fazendo meu coração perder o compasso.

Nossa, quem diria.

O babaca local me impressionou.

Desviei o olhar antes que ele percebesse que eu o encarava como se ele tivesse acabado de salvar um gatinho de uma árvore. Voltei para o meu livro, mas meu coração continuou acelerado, e desejei ser uma mosquinha na varanda de Joy para ouvir a conversa deles.

Quando ouvi uma risada grave sair da boca do Sr. Chatonildo, me virei na mesma hora e o vi jogando a cabeça para trás, achando graça.

Opa.

Ele conseguia ver graça nas coisas.

Quem diria?

Os dois conversaram mais um pouco, e, quando chegou a hora do Sr. Chatonildo ir embora, ele se levantou e deu outro abraço em Joy.

— A gente se vê amanhã na hora do café — disse ele. — Vou fazer panquecas.

— Tudo bem, querido. Me liga quando chegar em casa — pediu Joy.

— Eu moro aqui na esquina, Joy. Vou chegar bem.

— Me liga quando chegar em casa — repetiu ela em um tom mais firme.

Ele quase sorriu ao se inclinar para a frente e dar um beijo na testa dela.

— Pode deixar, Joy.

Meu coração?

Deu cambalhotas.

Enquanto Joy entrava em casa e o Sr. Chatonildo atravessava o quintal até sua picape, meus olhos permaneceram nele por todo o caminho. Ele não olhou nem uma vez para mim, mas sua boca abriu.

— Se você quiser fazer fofoca, talvez seja melhor colocar uma cadeira na varanda dela da próxima vez, pra não precisar ficar espionando — disse ele para mim, ainda sem olhar na minha direção. — Mas não sei nem por que me surpreendo, levando em conta que você tem o hábito de invadir as coisas. Primeiro foram as minhas terras, e, agora, as minhas conversas.

Eu me empertiguei na cadeira.

— Eu não invadi nada.

Ele abriu a porta da picape.

— Dê uma pesquisada na internet, procura a palavra invadir, e você vai descobrir que está enganada. Então aceite esse fato pelo resto da sua vida.

Depois dessa declaração, ele bateu a porta, girou a chave na ignição e foi embora sem dizer mais nada.

E minhas cambalhotas?

Pararam na mesma hora, enquanto meu coração mostrava o dedo do meio para ele.

Pelo visto, o babaca continuava sendo babaca, apesar de ter bebido com a fofa da Joy.

Naquela noite, procurei a palavra "invadir" no Google.

> **In-va-dir**
>
> Verbo transitivo direto
> Gerúndio: invadindo; Particípio passado: invadido
> 1. Violar os direitos de propriedade.
> 2. Exercer domínio sobre; avassalar, dominar, tomar.

A definição do dicionário de gírias era um pouco diferente da do dicionário tradicional.

> **In-va-dir**
> 1. Quando uma mulher é propriedade de alguém, mas é carcada por dois caras.
> Invadir: Dois homens, uma mulher. (sexo a três)

Tudo bem, tudo bem. Eu invadi as terras dele, mas não aconteceu nenhum tipo de invasão sexual. Além do mais, eu não invadi conversa nenhuma. Só fiquei ouvindo. São coisas completamente diferentes. O dicionário estava me dando razão.

7
Jax

Joy Jones era, de longe, minha pessoa favorita em Havenbarrow, porém a maioria das pessoas da cidade se mantinha afastada dela. Eu e a família de Eddie éramos as únicas exceções. Ela tinha oitenta e muitos anos, e sua mente passava boa parte do dia vivendo em uma época em que o mundo era bem diferente. Depois da morte do marido, havia mais de vinte anos, Joy tinha se isolado por completo.

A maioria das pessoas a chamava de louca, mas eu a achava brilhante. Diminuir as interações com outros seres humanos ao mínimo? Pode contar comigo.

Uma vez, quando eu era mais novo, fugi de casa, depois de meu pai, alcoolizado, ameaçar me bater até me fazer dormir para sempre, e acabei passando alguns dias escondido no quintal da Sra. Jones. Ao me encontrar, ela não me deu bronca nem me mandou voltar para casa ou ir embora. Em vez disso, fez biscoitos para mim. Me deu jantar. Perguntou coisas sobre mim.

Fazia mais de quinze anos que isso tinha acontecido, e nós tomávamos o café da manhã e jantávamos juntos praticamente todos os dias desde então. Para o restante do mundo, ela era a Joy Maluca, mas para mim? Ela era minha amiga, uma das poucas.

— O que você achou da minha vizinha nova? — me perguntou Joy quando cheguei para um dos nossos jantares. — O Eddie e a Marie vieram almoçar mais cedo e disseram tantas coisas legais sobre ela.

— Não acho nada dela — respondi enquanto nos sentávamos à mesa de jantar, que tinha comida o suficiente para alimentar o coral inteiro de uma igreja.

Joy tinha o hábito de sempre preparar comida demais, e eu sabia que fazia isso porque queria que eu levasse as sobras. Eu juro, a mulher achava que eu era incapaz de preparar uma pizza congelada sem queimar tudo.

Nunca recusei a comida extra. A verdade era que eu já tinha queimado pizzas congeladas demais, então a preocupação de Joy era válida.

— Acho que ela é um amor. E bonita também — comentou Joy, se servindo de salada antes de me passar a tigela.

— Ah? — fiz, parecendo desinteressado.

Só um idiota não teria percebido o quanto a mulher que havia se mudado para a casa vizinha era bonita. Bonita era pouco. Ela era de tirar o fôlego. Seus cachos definidos castanho-claros balançavam sempre que ela sorria. E quando ela sorria, nossa...

Aquele sorriso fazia até meu coração frio desejar sentir um pouco de calor. Suas pernas eram tão compridas que pareciam intermináveis, e ela usava roupas coloridas e shorts curtos que envolviam sua bunda nos lugares certos. E aqueles olhos...

Aqueles malditos olhos. Por que eles me pareciam tão familiares, como se fossem o gatilho para uma memória da qual eu não conseguia me lembrar? Aqueles olhos sorriam ainda mais do que seus lábios. Quando ela estava triste ou assustada, eles também ficavam mais expressivos que a boca. Era como se suas íris fossem as janelas para a alma dela, mas eu não havia conseguido compreender o que elas diziam, não decifrara o código. Eu não sabia qual história o olhar dela contava. Não entendia as palavras transmitidas através dele.

Porra, eu não tinha tentado entender.

Nem queria tentar.

— Ela parece uma boa moça — continuou Joy. — Tem um temperamento ótimo. Sabia que todo dia de manhã ela me cumprimenta com um sorrisão no rosto e me pergunta se preciso de alguma coisa? Ela é uma querida. O mundo precisa de mais moças legais.

Para quê? Para destruí-las?

Se havia uma coisa que eu sabia sobre pessoais legais era que o restante do mundo não hesitaria em acabar com qualquer indício de bondade que tivessem. Era como se a bondade fosse uma doença, e todo mundo estivesse determinado a acabar com a raça de qualquer um que exibisse seus sintomas. Eu tinha passado os últimos vinte e oito anos vendo todo e qualquer resquício de benevolência ser tirado de mim, e havia aprendido que o mundo não tinha sido feito para pessoas legais. Ele tinha sido feito para destroçá-las.

Fiquei quieto enquanto Joy continuava falando sobre a vizinha.

— Você devia conversar mais com ela, pra vocês se conhecerem melhor.

Soltei uma risadinha.

— Não estou a fim de fazer amigos, Joy. — Ela sabia disso. Não era segredo. O fato de meu melhor amigo ser a porra do meu terapeuta e minha melhor amiga ter quase noventa anos deveria ser um sinal disso. — Eu já tenho você.

Sempre achei que ter um amigo de verdade já era sorte. E eu? Eu tinha o suficiente para contar nos dedos de uma das mãos — se eu colocasse Connor na lista. Segundo as estatísticas, eu tinha amigos até de sobra.

— Sim, pois é, mas não vou durar pra sempre, e você vai precisar de uma amiga nova. É melhor começar a anunciar a vaga logo. Eu não estou ficando mais nova, rapaz. Além do mais, acho que ela também precisa de um amigo. Ela perdeu alguém, igual a nós.

Levantei a sobrancelha.

— Ela te disse isso?

Joy balançou a cabeça.

— Ninguém precisa contar que está de luto. Dá pra ver nos olhos. As pessoas que perderam alguém se movem de um jeito diferente. Parece ser uma perda recente, como se ela ainda não soubesse como sobreviver a cada dia. Eu entendo. Acho que você entende também, então não descarte a ideia de conhecê-la melhor.

Estreitei os olhos.

— Você não está querendo bancar o cupido porque terminei com a Amanda, né?

— Não, não, não desta vez. Nada de cupido. Só quero que você faça amizade. Ao contrário do que você acredita, todo mundo precisa de um amigo, Jaxson, até o ermitão de uma cidadezinha como Havenbarrow.

— Vou pensar.

— E, aliás, fiquei feliz em saber que você terminou com aquela Amanda. Ela era controladora demais — disse Joy, gesticulando. — Vivia querendo que você fosse alguém diferente, que se transformasse na pessoa que ela achava que você deveria ser... Eu não gostava disso. Além do mais, ela não gostou do meu bolo de limão.

Eu ri.

— Foi só por isso que terminei com ela.

Ela esticou o braço e deu um tapinha na minha mão.

— Você é um homem bom, Jax. Falando na minha vizinha — disse Joy, voltando ao assunto que julgava ser mais importante —, sabe o que eu mais gostei nela até agora?

— O quê?

— Aquele carro inusitado parado na frente da casa. É tão diferente e divertido! Ah, Jax, você precisa dar uma olhada nele quando for embora. É muito interessante.

Por sorte, Joy parou de falar da minha vida amorosa e social quando um novo episódio de *The Bachelor* começou. Como sempre, assisti àquele reality show bizarro com ela. Como sempre, acertei quem não ganharia uma rosa no fim do episódio, e, como sempre, Joy ficou surpresa com a participante que acabou saindo. Durante o programa, ouvi algumas trovoadas e percebi que uma forte tempestade estava se aproximando.

Antes de o solteirão entregar a última rosa, um dilúvio começou, a chuva martelando a casa.

— As árvores vão adorar esse temporal — comentou Joy, sempre vendo o lado bom das coisas.

Ao sair, corri para a picape e, droga, não consegui me conter. Passei devagar pela casa da garota nova e dei uma olhada no carro parado do lado de fora. Senti um aperto no peito quando o veículo diferentão ressurgiu em minhas lembranças e fiquei boquiaberto.

— Impossível — murmurei, olhando para o carro que me era mais do que familiar.

Não podia ser.

Seria impossível...

Merda.

Parei a picape, pulei para fora e fui correndo até o carro. Eu estava invadindo o quintal dela feito um babaca, mas não consegui me controlar. Dei a volta no conversível, estudando todos os desenhos, então parei na traseira, perto do porta-malas. Estava lá, bem acima do pneu — um coração com as iniciais JK + KL no interior. As palavras "amigos para sempre" estavam escritas abaixo dele.

— Impossível — repeti, ofegante, cambaleando para trás.

Passei a mão pelo meu cabelo ensopado enquanto quase morria de susto. Eu devia ter imaginado. Eu devia ter ligado os pontos na mesma hora, mas fazia quase quinze anos desde a última vez em que a vi — a garota que obviamente tinha se transformado em uma mulher e tanto.

Kennedy Lost.

Kennedy Lost era a novata da cidade e estava morando bem entre os Jefferson e Joy. Como? Como aquilo era possível? Não tinha como. Não tinha como mesmo. Como foi que ela havia parado ali? O que a levou até a minha cidade? O que aquilo significava? Que diabos eu deveria fazer com aquela informação? Será que devia fazer alguma coisa?

Não.

Claro que não.

Fazia muito tempo. Nós não passávamos de duas crianças idiotas. Aquilo era só uma parte do meu passado — nada mais, nada menos.

Mesmo assim...

Acho que, no fundo, eu sabia que era ela no momento em que nossos olhares se encontraram na floresta. Senti um aperto no meu coração de pedra no instante em que ela me encarou, mas fiz o possível para me convencer de que tinha sido por causa de uma indigestão, porque não queria que fosse ela. Não depois de tantos anos. Não depois de tudo o que havia se passado na minha vida. Não com o homem que me tornei com o tempo, porque eu não era mais o menino que ela havia conhecido.

Eu não precisava de visitantes do passado para assombrar meu presente. Minha mente já era especialista em me atormentar diariamente com antigos arrependimentos. Eu não queria enfrentar outros fantasmas. Mas, droga...

Kennedy Lost.

Ela não só era aquela mulher linda que tinha curvas em lugares que antes não existiam quando éramos pequenos, como seu cabelo estava mais comprido, e seus cachos dourados caíam sobre o rosto. Sua pele brilhava como se ela tivesse pegado sol, e seus olhos...

Porra, Kennedy e aqueles olhos.

Vai embora, falei para mim mesmo.

Eu precisava sair da casa dela e não a deixar dominar meu cérebro. Eu precisava parar de pensar nela. Não dava para seguir por aquele caminho.

Depois de ver aquele carro amarelo surrado que comprovava sua identidade, meu coração de pedra tentou fazer a coisa mais idiota do mundo — tentou bater, mas a rocha resistente em meu peito não seria capaz disso. Ela não sabia agir assim.

Entrei na picape e fui embora. Eu precisava ir embora. Quando entrei em casa, não fui direto para a cama. Em vez disso, andei na chuva em direção à floresta escura que eu conhecia como a palma da minha mão, seguindo para o campo de flores. Dezenas que plantei ao longo dos anos haviam desabrochado. A mais comum era a margarida.

Fui até o banco no meio do campo e me sentei enquanto a água lavava minha pele. As flores absorviam a água da chuva, fechei os olhos e olhei para o céu. Eu estava ensopado da cabeça aos pés, mas não me importava. A verdade era que eu sempre me sentia renovado quando era atingido por uma chuva forte.

Era como se ela me regenerasse da mesma forma como fazia com as flores.

Respirando fundo algumas vezes, permiti que minha mente se acalmasse, como sempre. Eu estava sozinho naquela floresta abandonada, como sempre. Então voltei para casa e me joguei na cama, como sempre.

A única diferença agora era que Kennedy ficava surgindo na minha mente, não importava o quanto eu tentasse evitar que isso acontecesse. Em um instante, eu não era o homem que havia me tornado. Voltei à época em que eu não passava de um garotinho assustado que só queria fazer uma porcaria de um amigo para esquecer meus dias de merda.

8

Jax

Onze anos
Primeiro ano do acampamento de verão

Eu vivia falando sozinho.

Não alto nem nada, apenas uns murmúrios de vez em quando. Meu pai detestava quando eu murmurava, mas era algo que eu fazia só para mim, para mais ninguém ouvir. Às vezes, eu desejava ter um amigo que murmurasse também, para podermos murmurar juntos, só entre nós, mas, por ora, minha única opção era murmurar comigo mesmo.

No momento, meus resmungos giravam em torno de Kennedy Lost.

— Que garota esquisita — murmurei.

Kennedy estava sentada no meio da lama, construindo o que parecia ser um castelo, enquanto todo mundo fazia artesanato do lado de dentro, durante o tempo livre. A chuva caía sobre ela, fazendo-a parecer um esfregão molhado, e ela cantava uma música qualquer, balançando a cabeça para a frente e para trás.

Aquela garota vivia cantando. Ela provavelmente cantava mais do que falava, e olha que ela falava — e *muito*. E não eram murmúrios; ela era escandalosa e parecia nunca ficar sem palavras. Era como se estivesse sempre falando a frase mais longa do mundo.

Ela falava pelos cotovelos com qualquer pessoa que lhe desse um minuto de atenção. Ela era a definição do Coelhinho da Duracell — tagarelava, tagarelava, tagarelava, e sua pilha nunca acabava. Eu apostaria que ela falava até dormindo, numa velocidade de um milhão de palavras por minuto.

Ela era uma pessoa muito esquisita. Eu nunca tinha visto ninguém tão estranho antes de conhecer Kennedy Lost no acampamento de verão naquele ano. Ela vivia se metendo em confusão, andando por aí fazendo bagunça, ainda que levasse bronca por isso.

Eu sabia que no momento em que a tia Jessie visse Kennedy, ela estaria encrencada.

Mas Kennedy nem se importaria. Seus cabelos cacheados cor de mel, sempre despenteados e embaraçados, combinavam com seus olhos dourados travessos. Eu nunca tinha visto olhos dourados até conhecer Kennedy. Eles tinham detalhes marrons também. Não que eu prestasse muita atenção nos olhos dela, porque, sempre que eu encarava Kennedy por tempo demais, ela olhava para mim e sorria de um jeito que fazia meu estômago se revirar.

Ela me deixava enjoado, mas era um enjoo até que bom... mais ou menos. Eu não sabia que havia enjoos bons até conhecer Kennedy.

Kennedy se levantou e abriu os braços enquanto olhava para as nuvens de chuva. Ela não sabia que podia ser atingida por um raio e morrer? Uma vez, eu tinha assistido a um documentário com a minha mãe sobre a quantidade de pessoas que morriam em tempestades com raios, e, tudo bem, talvez não fosse tanta gente assim, mas era o suficiente para convencer você a nunca ficar parado em uma chuva com clarões de fogo iluminando o céu. Ela também estava perto de uma árvore — uma árvore que com certeza ela abraçou em algum momento do dia.

Kennedy Lost — a esquisitona do acampamento que abraçava árvores e construía castelos de lama.

— A Kennedy está lá fora? — exclamou tia Jessie ao olhar pela janela para a garota que agora dançava na chuva, ao lado do castelo, como uma selvagem.

Como uma selvagem se comporta?, talvez você pergunte. Como Kennedy Lost.

Tia Jessie disparou até a garota esquisitona, e todos nós nos juntamos na janela para assistir enquanto Kennedy levava uma bronca e era levada para se limpar no seu chalé.

— Que garota bizarra — murmurou alguém.

Muita gente a chamava por apelidos maldosos, e eu sabia que Kennedy os escutava às vezes, mas ela não parecia se importar. Eu queria ser assim. Eu queria não ligar para a opinião dos outros, principalmente para a do meu pai, mas, por algum motivo, eu me importava com o que ele pensava sobre mim mais do que qualquer coisa no mundo.

Enquanto tia Jessie levava Kennedy de volta para seu chalé, a garota estranha foi dançando pelo caminho inteiro.

No geral, eu detestava o acampamento. Detestava os esportes, as brincadeiras, as atividades em grupo. Detestava estar longe de casa — bem, mais ou menos. Sentia saudade da minha mãe, porque sabia que ela sentia saudade de mim também. Não sentia falta do meu pai, porque eu nunca era bom o suficiente aos olhos dele, não importava o quanto me esforçasse. Meu pai amava meu irmão mais velho, Derek, bem mais do que a mim. Derek não era nem filho biológico dele, mas mesmo assim era o que recebia mais amor. Os dois gostavam das mesmas coisas — futebol americano, caça, filmes de ação. Eu não era um bom filho igual a Derek, e meu pai vivia jogando isso na minha cara.

Ele me mandou para o acampamento porque achou que eu aprenderia algumas coisas e me transformaria em um homem. Minha mãe me mandou para o acampamento porque queria que eu fizesse amigos.

Eu não estava virando homem nem fazendo amigos, apesar de querer isso mais do que tudo.

As pessoas me chamavam de esquisito — meio que do jeito que eu chamava Kennedy de esquisita, eu imaginava, mas eu não dançava na chuva nem construía castelos de lama. Na verdade, eu era o completo oposto de Kennedy Lost. Ela era barulhenta, e eu, quieto. Ela se vestia com todas as cores do arco-íris, enquanto as minhas roupas eram pretas, brancas ou cinza. Ela vivia tagarelando sem parar sobre histórias inventadas, enquanto eu ficava quieto. Ela deixava os cachos livres, com as pontas pintadas de roxo, enquanto o meu cabelo permanecia castanho, contido, no lugar.

Era engraçado como duas pessoas esquisitas podiam ser o completo oposto.

— Me solta! — gritei enquanto meus colegas de chalé me arrastavam para fora do quarto no meio da madrugada.

James, Ryan e o líder do grupinho, o idiota do Lars Parker, não me deixavam em paz. Lars era da minha cidade e passou o ano inteiro implicando comigo. Eu não devia ter me surpreendido quando sua implicância continuou no acampamento.

Chovia sem parar, e os três garotos estavam irritados comigo por termos perdido no pique bandeira mais cedo. Eu nem queria brincar, e meu time também não queria que eu jogasse, mas o acampamento tinha uma regra ridícula sobre "não excluir ninguém" que me colocava na reta dos valentões.

Meu pai teria gostado daqueles garotos, porque eles eram bons nessas coisas de meninos.

— Cala a boca, seu bebê chorão! — berrou Lars, segurando meus pulsos enquanto Ryan e James pegavam meus tornozelos.

Eu nem queria brincar de pique bandeira. Eu nem queria ter vindo para o acampamento de verão!

Eu odiava aquilo tudo! Eu odiava tanto que queria chorar.

— Me solta, me solta, me solta! — gritei.

— Ah, a gente vai te soltar. Logo depois de te jogar na lixeira como o lixo que você é — disse Lars.

Era nítido que ele era o líder do circo dos babacas. Ryan e James faziam basicamente tudo o que ele mandava. Eu queria saber como as pessoas se tornavam poderosas daquele jeito, como convenciam os outros a fazer tudo o que queriam.

— Vocês não vão jogar ninguém em lugar nenhum — disse uma voz. Olhei por cima do meu ombro e vi Kennedy parada no meio da chuva, segurando um arco e uma flecha. Ela apontava a flecha para a cara de Lars, e, *aimeuDeus*, a esquisita da Kennedy Lost era uma psicopata. — Soltem o Jax, e ninguém vai se machucar.

— Ah, olha, a namoradinha bizarra do Jax veio salvar o dia! — zombou Ryan.

— Ah, olha, o Ryan é tão ridículo que não consegue nem fazer um comentário melhor. Sério, Ryan, você não sabe nem insultar os outros. Falta um pouco de originalidade, assim como em você. Ou é melhor chamar você de Lars número dois? — zombou Kennedy de volta antes de eu conseguir deixar claro que ela não era minha namorada.

Essa era outra diferença entre nós — ela não tinha medo de se defender.

— Dá pra você ir embora, Kennedy? Você não tem nada a ver com isso — disse James.

— Foi mal, Lars número três, não posso deixar vocês fazerem isso. Só coloquem ele no chão, e ninguém vai se machucar. — Ela lançou uma flecha que aterrissou entre os pés de James.

— Você tá maluca? — esbravejou ele, pulando e largando minha perna.

Kennedy não respondeu. Ela apenas enfiou a mão na mochila que carregava, pegou outra flecha e a atirou entre os pés de Ry... hum, do Lars número dois.

Ele pulou e soltou minha outra perna.

Duas pernas livres, agora só faltavam os dois braços.

Lars arqueou uma sobrancelha para Kennedy enquanto seus dois comparsas corriam para se esconder às suas costas. Ele me segurou diante de si e abriu um sorriso arrogante.

— Você não vai atirar com o Jax na minha frente, Kennedy. Então é melhor...

Ela atirou a flecha seguinte, que passou direto por mim e pegou de raspão na orelha de Lars.

Cacete! Ela quase furou a orelha dele! Eu podia apostar que, se quisesse de verdade, ela teria acertado.

— Eu posso fazer o que quiser — rebateu Kennedy, e o mais engraçado era que eu estava começando a acreditar nela. — Agora, larga ele, porque não vou errar na próxima vez.

Eu sabia que Lars não estava deixando transparecer, mas senti seu tremor quando me soltou.

Kennedy enfiou a mão na mochila em busca de outra flecha, mas ficou paralisada ao perceber que não restava nenhuma.

Lars sorriu.

— Parece que as armas da esquisita acabaram. Agora, vou dar uma coça em vocês dois.

Comecei a tremer enquanto corria para o lado de Kennedy. Ela se virou para mim.

— Está tudo bem, Jax, só late.

— O quê? — perguntei, nervoso.

— Late pra eles! As pessoas ficam nervosas quando você começa a latir pra elas e vão embora. Olha só. — Ela se virou de volta para Lars e seus amigos e começou a latir feito um cachorro. — Au! Au! Au! — uivou ela, me deixando chocado e um pouco assustado.

Que garota estranha, muito estranha.

Mas parecia estar dando certo. Os garotos começaram a recuar, então lati também.

— Au! Au! — falei, provavelmente soando mais como um poodle do que como um rottweiler, como Kennedy, mas continuei latindo até que eles desistissem. — *Auuuuu!*

Lars balançou a cabeça enquanto se afastava de nós.

— Que seja, seus idiotas. Vamos, pessoal. Vamos pro quarto. Se você for inteligente, Jax, não vai voltar pra lá esta noite, a menos que queira levar uma surra.

Os três saíram correndo, e eu fiquei parado ali, um pouco atordoado, enquanto Kennedy guardava o arco na mochila e então começava a dançar na chuva.

— Viu? Quando uma pessoa encher o seu saco, late pra ela. Sempre dá certo.

— Sempre?

— É, tipo, metade das vezes.

— Isso não é sempre.

— Ah, então acho que não é.

— O que você estava fazendo aqui fora? — perguntei, ensopado, atordoado e confuso.

Kennedy olhou para mim, seus lábios se curvando em um sorriso torto.

Quem diria que sorrisos tortos podiam ser tão... fofos?

Que seja. Eu nem estava reparando na fofura do sorriso de Kennedy. Porque não era fofo. Quer dizer, era, mas eu não estava me ligando nisso porque não reparava nesse tipo de coisa sobre Kennedy Lost.

Ela levantou uma sobrancelha.

— Ah, eu estava praticando arco e flecha.

— No meio da chuva?

Ela concordou com a cabeça.

— É. A sua mira melhora quando você enfrenta os elementos da natureza. A chuva acrescenta um obstáculo que me obriga a criar soluções alternativas e fazer algo diferente. — Ela puxou o arco e me ofereceu. — Quer tentar?

Balancei a cabeça.

— Não. Quero me secar.

— Tudo bem. Posso ir no seu quarto com você pra pegarmos roupas secas. Depois você pode dormir na minha cama, pros garotos não te perturbarem.

— Não preciso que uma garota cuide de mim — rebati, me sentindo envergonhado.

— Precisa, sim — afirmou ela, mas não de um jeito maldoso, apenas declarando um fato. — Anda, vamos, vou ficar apontando meu arco pra eles enquanto você pega as suas coisas.

Apesar de eu querer discutir, sabia que não adiantaria brigar com uma garota maluca e armada com arco e flecha.

Fomos até meu chalé, e peguei umas roupas para dormir enquanto Kennedy me protegia dos garotos.

Eles não deram um pio.

Quando entrei no chalé dela, suas colegas de quarto já estavam dormindo. Graças a Deus. A última coisa de que eu precisava era que as pessoas achassem que eu estava apaixonado por uma garota como Kennedy Lost.

Troquei de roupa no banheiro, e Kennedy foi depois de mim — colocando um pijama colorido. Só Kennedy mesmo para ter um pijama verde fluorescente.

Ela subiu na cama, e eu a segui com relutância. A última vez que dividi a cama com uma garota tinha sido... ah, é.

Nunca.

Eu nunca tinha dormido com uma garota.

Ela se virou para mim e abriu aquele maldito sorriso torto bonito que fazia meu estômago se revirar.

— Por que você não dançou na chuva, Jax?

— Eu não danço na chuva.

— Então quando você dança?

— Nunca.

Ela franziu a testa, e, cacete, aquilo também era fofo. Ela se virou no colchão, ficando de costas para mim.

— Você devia dançar na chuva. Vai te deixar feliz.

— Eu sou feliz.

— Você seria mais feliz se dançasse na chuva.

Eu não sabia como responder, então fiquei quieto.

— Você não é de falar muito, né? — perguntou ela.

— Não.

— Tudo bem. Eu sou bem tagarela. Eu falo, e falo, e falo, e falo, e — ela respirou fundo — falo, mesmo quando minhas palavras não me levam a lugar nenhum.

Não dava para discordar disso.

Eu me mexi um pouco na cama dela, onde não deveria estar.

— Preciso ir embora antes de alguém acordar. Ninguém pode ver a gente na mesma cama.

Ela bocejou.

— Não se preocupa, eu sempre acordo antes de todo mundo pra ir conversar com os passarinhos que cantam pra mim de manhã.

Eu bocejei porque ela bocejou, e, agora, estávamos bocejando juntos.

— Você é uma garota muito esquisita, Kennedy.

Na minha cabeça, eu conseguia ver o sorriso torto fofo que revirava meu estômago enquanto ela respondia:

— Obrigada, Jax.

9

Kennedy

Hoje

Choveu por três dias sem parar, e eu estava exausta.

Eu odiava tempestades. Eu nunca conseguia dormir enquanto elas caíam e, quando estava sozinha, era impossível desligar meu cérebro. Minha ansiedade ficava a mil. Eu sentia saudade de Penn. Bem, não exatamente dele, mas de ter alguém deitado ao meu lado durante os temporais. O reconforto de receber calor humano em um dos meus piores momentos parecia sempre tornar as coisas mais fáceis.

Agora, eu precisava lidar com minha ansiedade sozinha, e era nítido que aquilo estava me afetando. Eu não sabia o que mais estava cansado, meu corpo ou minha mente.

Tentei me manter o mais ocupada possível. Criei listas de coisas que eu queria fazer para recuperar minha coragem. Fiz um esforço enorme para meditar. E chorei algumas vezes também, porque Yoana dizia que chorar era um ato corajoso.

Então esperei a chuva passar; por sorte eu sabia que não importava a força de uma tempestade, ela sempre passaria, independentemente do que acontecesse. Depois de cada temporal, o sol brilhava outra vez.

Mas o sol demorou alguns dias para voltar, e, quando isso aconteceu, a empresa de paisagismo apareceu. Apesar de estar completamente exaurida, eu queria ver o que eles tinham planejado para a remodelação do quintal. O espaço era lindo, e eu imaginava que Yoana já tivesse decidido tudo sobre o jardim. Eu mal podia esperar para vê-lo sendo transformado em realidade.

Quando duas picapes chegaram com o material, saí para cumprimentar Lars, o dono da empresa. Louise e Kate tinham me contado que ele era o melhor paisagista da cidade — na verdade, o único — e que era supergato e gostoso.

Elas não haviam exagerado sobre a beleza dele. Com o cabelo louro despenteado e uma covinha funda do lado esquerdo do rosto, dava para entender o fascínio das gêmeas.

Lars instruiu três dos seus funcionários, determinando as tarefas de cada um antes de vir falar comigo. Primeiro, seus olhos me cumprimentaram, me analisando de cima a baixo. Quando seu olhar encontrou com o meu, um sorrisinho sinistro surgiu em seus lábios.

— Olha só. Olá. Já ouvi falar muito sobre a garota nova na cidade. Que bom que finalmente nos conhecemos.

— Parece que as notícias correm rápido por aqui. Eu me chamo Kennedy.

— Eu sou o Lars, dono da Lars Paisagismo. É um prazer te conhecer — disse ele, oferecendo uma das mãos para mim.

Achei que fôssemos trocar um aperto, mas ele segurou minha mão na sua e pousou os lábios na minha pele.

Eca.

Puxei a mão no mesmo instante.

Na mesma hora, ele pareceu menos bonito. Lars se comportava de um jeito tão convencido sobre... bem, sobre tudo. Estava na cara que sabia que era bonito, e provavelmente recebia muita atenção das mulheres de Havenbarrow. Mas, para mim, nada era mais brochante do que um homem que tinha consciência da própria beleza e achava que podia fazer o que quisesse só por causa da sua aparência.

Apesar de fazer menos de dois segundos que eu conhecia Lars, a impressão que ele passava era péssima.

Ele continuou sorrindo, parecendo uma raposa ardilosa.

— É legal ter gente nova na cidade. Fico cansado de só ver os mesmos rostos o tempo todo. É só você e o seu... — ele olhou para meu dedo anelar, que estava sem nada — namorado...?

Esfreguei as mãos e balancei a cabeça.

— Não. Só eu.

— Solteira? — perguntou ele, se animando.

Eu sorri, mas senti um enjoo invadir meu estômago. Não gostava do rumo que aquela conversa estava tomando e preferia mudar de assunto, então decidi que faria exatamente isso. Por que aquele homem me deixava desconfortável? Algo nele me parecia tão familiar.

— Sim, estou. Bom, desculpa incomodar. Eu só queria dar oi. Não vou atrapalhar. Se você precisar de alguma coisa, estou lá dentro. A casa é da minha irmã e do meu cunhado, como você sabe, então são eles quem decidem sobre qualquer mudança, mas consigo entrar em contato com os dois bem rápido, se precisar.

— Você não precisa se esconder dentro de casa. Se quiser, pode ficar aqui fora e colocar a mão na massa comigo — disse Lars. Então piscou.

Ele piscou, e eu quis vomitar no mesmo instante.

Em vez disso, forcei meu sorriso sulista charmoso, concordei com a cabeça, dei as costas para ele e segui na direção da casa. Eu tinha quase certeza de que aquele cara estava olhando para a minha bunda, e fiquei enojada só de pensar nisso.

Quase tive um treco quando Lars segurou meu ombro de repente, e me encolhi toda.

Virei para encará-lo com o pânico estampado nos olhos.

Ele jogou as mãos para cima em rendição.

— Calma, calma. Foi mal. Eu não queria assustar você.

Meu coração batia disparado no peito enquanto eu dava um passo para trás e me abraçava.

— Não, está tudo bem. Desculpa. Eu me assusto fácil.

— Eu só queria dizer que você está linda hoje — declarou Lars, se permitindo analisar meu corpo todo mais uma vez.

O enjoo foi subindo pelo meu estômago e ficou preso na minha garganta.

— Obrigada — falei, apesar de desejar ter sido bem mais ríspida sobre aquele comentário descabido. Em vez disso, me virei para ir embora.

Antes de subir os degraus da varanda, notei que o Sr. Chatonildo estava sentado na varanda vizinha, tomando uma xícara de café com Joy. Seus olhos se focaram em mim, e a intensidade de seu olhar fez um calafrio subir pela minha espinha. Inclinei a cabeça em sua direção, completamente confusa. Sua expressão indicava que ele estava pensando em alguma coisa, mas eu não conseguia decifrar se era algo bom ou ruim. Eu tinha a impressão de que aquela não seria a única vez que os olhares distantes e frios dele me deixariam atordoada.

Era bem provável que eu e o Sr. Chatonildo ainda iríamos trocar muitos olhares confusos.

Talvez um dia eu fosse capaz de desviar mais rápido, mas, por enquanto, meus olhos tinham dificuldade em se afastar dele. Havia algo diferente nele hoje. Algo que prendia seu olhar ao meu. Pela primeira vez desde que cheguei à cidade, o Sr. Chatonildo não se apressou em virar a cara para mim. Ele permaneceu focado, inclinou a cabeça e — por um instante — pareceu preocupado.

Então ele se virou, e entrei em casa para tomar banho e me limpar do desconforto causado por Lars.

Antes do fim da tarde, Lars deu em cima de mim outras três vezes, me deixando bem incomodada. Eu não sabia como seriam as próximas semanas, com ele trabalhando na casa. Eu já tinha passado cinco anos me sentindo mal em um casamento infeliz. A última coisa que eu queria era me sentir mal na companhia de um completo desconhecido.

Eu não só precisava lidar com as investidas de Lars, como também continuava recebendo várias visitas "amigáveis" dos habitantes da cidade.

As pessoas ainda apareciam na porta da minha casa para se apresentar, e, para ser sincera, eu já estava ficando de saco cheio. Quanto mais elas apareciam, mais invasivas se tornavam — fazendo perguntas sobre minha vida amorosa, querendo saber se eu me interessaria em sair com o primo Bernie, que nunca teve uma namorada, pedindo doações para a apresentação de outono de Macbeth da escola que oferecia ensino fundamental. Parecia uma peça meio pesada para crianças, mas quem era eu para dizer alguma coisa?

Não sei como, mas acabei assinando um cheque — aquelas mulheres sabiam ser insistentes.

Se você achava que as mães de Havenbarrow eram persuasivas, era porque não tinha visto suas filhas vendendo biscoitos para angariar fundos para o grupo de escotismo. De algum jeito, acabei encomendando biscoitos suficientes para alimentar um exército — ou uma pessoa na fossa em uma sexta à noite.

As piores continuavam sendo Louise e Kate, que estavam cada vez mais curiosas sobre quem eu era e cada vez mais determinadas a descobrir algum podre do meu passado.

— Oi, querida — cantarolaram as duas diante da minha porta em uma tarde de sábado. — Viemos ver como você está se adaptando à vida na velha Havenbarrow. Deve ser uma mudança e tanto pra uma garota da cidade grande.

Fato: Nunca contei a elas que eu era uma garota da cidade grande. Eu contei para a fofoqueira da Nancy, quando ela apareceu com muffins em outro dia.

Outro fato: Não confie na fofoqueira da Nancy, por mais que seus muffins sejam gostosos.

— Estou bem, meninas.

— Ah, sim. Isso é muito legal e tal — disse Kate, apertando os lábios —, mas, sem querer ser enxerida, o que você pretende fazer aqui?

— Como assim?

— Sem querer ofender, Kennedy — começou ela, o que significava que algo ofensivo estava prestes a sair de sua boca. — Mas não dá pra você ficar à toa aqui, sem emprego. Você não tem metas de vida? Quer dizer, quantos anos você tem, vinte e nove, trinta? — perguntou ela.

Seu tom era obviamente tão ofensivo que não sei como consegui me controlar para não bater a porta na cara delas.

— Tenho vinte e oito — respondi.

As duas franziram a testa.

— Puxa vida — disse Louise. — Você é velha demais pra não fazer nada. Talvez devesse começar a frequentar as noites de manicure que organizo com algumas outras garotas. Marcamos uma pra semana que vem. Talvez uma delas arrume um emprego pra você. Sabe como é, né, nada é mais importante do que fazer contatos! E, meu bem, tenho certeza de que as suas unhas vão agradecer pelo cuidado. Além do mais, e os namorados? O Bernie, primo da Mary, está solteiro. Ele também é meio esquisito. Excêntrico seria uma palavra melhor. Como você. Acho que vocês dois fariam um par e tanto!

Bernie de novo, não.

— Obrigada pela sugestão, mas acho que vou ter que recusar.

Parte de mim queria contar a elas sobre os meus livros. Que eu tive uma carreira bem-sucedida. Mas uma parte maior sabia que eu não devia nada àquelas duas.

— Você devia considerar sair com o Bernie. Na sua idade, já está na hora de encontrar alguém, não acha? Aposto que você vai querer ter filhos em algum momento, né? O tempo está passando, e, quanto mais se espera, mais complicado fica.

Nossa.

Elas tinham passado do limite e não pareciam se importar com isso. Eu estava cada vez mais convencida de que não conseguiria permanecer naquela casa com aquelas duas mulheres morando do meu lado.

— Olha, me desculpa, mas essa pergunta é meio pessoal, e...

Louise me interrompeu:

— Sabia que você pode congelar seus óvulos? Li uma matéria sobre isso. — Antes que eu conseguisse responder, Louise começou a acenar para Lars, que estava recolhendo umas plantas mortas. — Oi, Lars. Que bom te ver — cantarolou ela, encarando-o de cima a baixo como se ele fosse um pedaço de carne que ela estava prestes a devorar. — Já vi que você está trabalhando duro, como sempre.

Ele secou a testa com as costas da mão e abriu um sorriso maldoso.

— Você sabe que eu estou sempre com as mãos ocupadas, Louise.

Então ele piscou para mim, e meu estômago se revirou cinquenta e sete vezes.

Louise se abanou e corou como se não fosse uma mulher casada, enquanto Lars voltava ao trabalho.

— Meu Deus do céu, o que foi isso? Se eu ainda fosse solteira, estaria louca pra deixar as mãos daquele homem ocupadas.

— Pois é — cantarolou Kate para a irmã. — Enfim, avisa a gente sobre as unhas, Kennedy! E sobre o Bernie. Vocês dois se dariam super bem. Tenho certeza.

As duas foram embora, e eu estaria mentindo se dissesse que fiquei triste com a saída delas.

No fim do dia, Lars bateu à porta para me avisar que a equipe dele tinha ido embora.

— Deixa eu te mostrar o que fizemos hoje — disse ele, gesticulando para o quintal da frente.

Com um sorriso hesitante, fui atrás dele. Andamos pelo terreno enquanto ele apontava para uma coisa ou outra, explicando como tudo ficaria dali a alguns meses. Ele falou sobre o jardim que plantaria no quintal dos fundos, tagarelou sobre as luzes que seriam instaladas. Ele se vangloriava de seu talento e de sua inteligência — e do fato de ser solteiro —, mencionando o sucesso de sua empresa em Havenbarrow algumas vezes. Então, enquanto olhávamos o canto onde o arbusto de lilases — as flores favoritas da minha mãe — seria plantado, ele colocou a mão na parte inferior das minhas costas, e eu dei um pulo para a frente.

— O que você está fazendo? — exclamei, sentindo uma onda de nervosismo percorrer meu corpo.

Ele arqueou uma sobrancelha, parecendo chocado.

— Como é? Eu só estava...

— Colocando a mão nas minhas costas sem permissão — rebati. — Francamente, isso não foi nada profissional da sua parte.

Em vez de pedir desculpas pelo comportamento, Lars revirou os olhos.

— Ah, moça, fala sério. Até parece que você não passou o dia inteiro dando em cima de mim desde que eu cheguei com a minha equipe. Suas insinuações foram claras.

— Eu não insinuei nada. Não dei em cima de você em momento nenhum.

— Não precisa mentir — insistiu ele, passando a mão pelos cabelos como se fosse o homem mais confiante do mundo. — Eu entendo. Você é uma garota bonita. Eu sou um cara bonito. Faz sentido — ele tocou meu ombro, lançando um calafrio pela minha espinha — a gente se interessar um pelo outro.

— Eu não estou interessada — rebati, aumentando o tom de voz enquanto afastava sua mão de mim. — E, se você encostar em mim de novo, vai se arrepender.

— Não precisa ser uma vaca — bufou ele. — Pra ser sincero, você nem faz meu tipo.

Por que alguns homens não conseguiam aceitar o fato de que uma mulher não estava interessada neles?

— Você é gorda em uns lugares esquisitos — disse ele, me analisando de cima a baixo.

— É melhor você ir embora — ordenei com uma voz séria, apesar de eu estar tremendo por dentro.

Pelo menos quando era casada, eu conhecia o monstro que vinha para casa toda noite. Mas com Lars? Um completo desconhecido? Eu não sabia como ele agia quando estava com raiva.

— Tanto faz. Amanhã eu volto pro trabalho.

— Prefiro que você não volte — falei, sabendo que Yoana não se sentiria confortável em ter alguém como ele trabalhando no terreno. Ela jamais iria querer que eu me sentisse incomodada. E Lars era a definição de incômodo.

Ele deu uma risadinha, balançando a cabeça.

— Você não pode me demitir. Como você disse, a minha cliente é a sua irmã, não você.

— Vou ligar pra ela no instante em que você sair daqui. Agora, vai embora.

— Escuta aqui, moça... — disse ele, dando um passo na minha direção, me fazendo recuar.

Nossa, como eu detestava isso. Como eu detestava saber que ele reparou na minha reação involuntária. Como eu detestava o brilho confiante que meu medo deu a ele. Como eu detestava parecer fraca diante de homens. Como eu detestava me sentir encurralada.

Ele inflou o peito, se agigantando.

— É melhor você não se meter nos meus negócios. Podemos chegar a um acordo.

— Ou que tal a gente fazer assim: você pode acatar o que ela disse e ir embora — disse uma voz, fazendo com que eu e Lars olhássemos na direção da casa de Joy.

Lá estava ele, o Sr. Chatonildo, diante da cerca baixa que separava o quintal de Joy do meu. Seus olhos estavam sérios e cheios de... raiva? Era raiva? Só que, desta vez, o olhar perturbador estava focado em Lars.

— Que tal você cuidar da porra da sua vida, meu camarada?

O Sr. Chatonildo deu a volta na cerca e entrou no meu quintal. Ele ficou cara a cara com Lars, e, em questão de segundos, Lars parecia um peixinho prestes a ser devorado por um tubarão. Sim, Lars era mais largo, alto, um pouco malhado, mas o Sr. Chatonildo era forte. Do tipo forte *de verdade*. Do tipo que consegue levantar um carro com o dedo mindinho sem nem suar.

Os dois ficaram se encarando por alguns segundos até Lars dar um passo para trás e se render.

— Que seja, cara. Não tenho tempo pra isso. — Lars se virou para mim, e seus olhos azuis pareciam um pouco mais frios. — Quero ver você encontrar outro paisagista pra acabar essa merda. Sou o único da cidade, então meus parabéns. Você acabou de foder o quintal da sua irmã.

— Fora — chiou o Sr. Chatonildo, mantendo seu olhar fulminante em Lars.

— Tá bom, tá bom, seu babaca. — Com uma risada sinistra, Lars jogou as mãos para cima. — Não precisa atirar.

As palavras saíram da sua boca de um jeito perturbador, e agora foi a vez do Sr. Chatonildo cambalear ligeiramente para trás. Seus olhos brilharam com certa emoção antes de ele piscar para afastá-la. O que foi aquilo? Qual era a história por trás daquele vislumbre de sentimento?

Lars tratou de ir embora, e observei um suspiro longo e cansado escapar dos lábios do Sr. Chatonildo enquanto seus ombros relaxavam. A fera diante de mim saiu da defensiva.

Fui tomada pelo alívio enquanto abria um sorriso para o Sr. Chatonildo.

— Obrigada pela ajuda. Eu estava prestes a...

— Que diabos você está fazendo? — bradou ele, sua rispidez me pegando de surpresa.

— O quê?

— Por que deixou esse cara passar o dia inteiro te assediando daquele jeito? E você continua deixando esse povo enxerido vir à sua casa pra zombar da sua cara.

Eu me empertiguei um pouco.

— Do que você está falando?

— Todo dia, essa gente aparece trazendo alguma merda e aproveita pra atacar você com um monte de indiretas. As pessoas basicamente te ofendem na sua cara, e você deixa, feito uma trouxa.

Nossa. Tudo bem. Pelo visto, o cara rude e mal-educado que conheci na floresta estava de volta.

— Isso realmente não é da sua conta.

— Se você não cortar isso agora, eles nunca vão deixar de ser enxeridos e não vão parar de se meter na sua vida.

— E que diferença faz pra você a forma como os outros me tratam?

Os olhos dele demonstraram ternura, e juro que vi alguém que havia conhecido em outros tempos. Ele enfiou as mãos nos bolsos da calça jeans e deu de ombros.

— Só estou avisando. O pessoal desta cidade vive pra atormentar os outros. Se você tiver que ser a vilã da história, que seja. Mas não se intimide. Eles adoram destruir os mais fracos. Eles vão te deixar maluca, te encurralar, te pressionar e atacar você até sua paciência se esgotar. E vai por mim, ela vai se esgotar. Aí eles vão questionar por que você perdeu a calma.

— Você ainda não me respondeu. Que diferença faz pra você a forma como as pessoas me tratam? — perguntei.

— Nenhuma — resmungou ele com rispidez, passando as costas da mão pela testa. — E, pelo visto, também não faz diferença pra você. Talvez o problema seja esse.

Eu queria rebater. Queria dizer que ele estava errado, que eu estava pouco me lixando para o que as pessoas da cidade achavam, mas a verdade era que eu me importava, sim. Eu queria que gostassem de mim, porque eu tinha mais medo de não ser amada do que de ser intimidada pelos outros.

Meu marido tinha feito questão de colocar esse medo em mim — de que ninguém me amaria. Eu só queria ser amada, mesmo que precisasse ter meu coração partido para que as pessoas gostassem de mim. Isso era algo bem deprimente.

— Quer um conselho do babaca da cidade? — ofereceu ele.

— Fique à vontade.

— Vista uma armadura. Aprenda a se impor. Quando as pessoas forem cruéis, revide.

— Não sei se seguir os conselhos do babaca da cidade seria uma boa ideia. Não quero me isolar de todo mundo como você fez. Quero ter amigos.

Os olhos dele desviaram de mim por um milésimo de segundo. Quando ele voltou a me encarar, juro que vi... mágoa? Será que eu o magoei com as minhas palavras?

— Eu tenho amigos — disse ele com sua firmeza de sempre. — Pessoas que são importantes pra cacete pra mim. Pessoas que me entendem quando o restante do mundo tenta acabar comigo.

Meu estômago se embrulhou.

— Desculpa. Eu não quis dizer que...

— Quis, sim, e não tem problema, mas antes de você ficar aí me julgando, é melhor focar na própria vida. Decide se você realmente quer ser amiga dessa gente. Hoje em dia, as pessoas não pensam antes de confiar nos outros, porque preferem ser amadas a respeitadas. Essa gente vai te matar.

Eu ri.

— Duvido que a Louise e a Kate tirem a minha vida.

— Não estou falando da sua vida. Estou falando de algo muito mais importante.

— Do quê?

— Da sua alma.

Eu não sabia o que dizer, não sabia o que fazer. Só fiquei ali parada feito um poste enquanto ele se aproximava de mim e falava baixinho.

— Late pra eles, Kennedy. Late.

Ele deu um passo para trás, levando meu fôlego junto. Meu peito ficou apertado ao vê-lo ir embora. Suas palavras lançaram calafrios pelo meu corpo enquanto se repetiam sem parar na minha cabeça, como se tentassem resgatar algo nas minhas lembranças.

Late pra eles, Kennedy. Late.

10

Kennedy

— Ai, minha nossa, sinto muito por ele ter tratado você assim, Kennedy. Que cara escroto — disse Yoana ao telefone enquanto eu bocejava e me esticava na cama.

Minhas costas estavam acabadas graças à ideia idiota que tive de ficar dormindo no carro nas últimas noites, então me mudei para uma cama de verdade, como uma mulher adulta. Os móveis finalmente tinham chegado, e eu estava muito feliz em ver a casa ficando mais parecida com um lar.

— Pois é — concordei, me referindo à forma como Lars havia me tratado no dia anterior. — Só fico triste por você ter perdido seu paisagista.

— Que seja. Isso é bobagem. Com certeza, vamos encontrar outra pessoa. O mais importante é que você esteja bem. Quer que eu volte pra casa? Posso voltar se você estiver precisando de mim.

— Tenho certeza absoluta de que você não precisa voltar. — Eu ri.

— Mesmo? Porque Bora Bora é um tédio. A gente passa o dia inteiro pegando sol e tomando batidas de frutas.

— Nossa, que vida difícil.

— Nem me fala. Além disso, tem um cara que fica me seguindo por todo canto, dizendo que me ama, fazendo todas as minhas vontades.

Levantei uma sobrancelha como se ela pudesse me ver.

— Tipo... o seu marido?

— Marido. — Ela suspirou. — Que palavra esquisita. Eu tenho um marido. — Yoana deu uma risadinha, parecendo completamente encantada.

— Tem mesmo. E um dos bons. Saiba que você deu sorte... porque tem um monte de idiotas dando sopa por aí.

— Falando em idiotas... você teve alguma notícia do seu idiota?

Meu peito apertou, então enrolei o cabelo em um coque bagunçado.

— Não.

— Isso é bom, né? Não ter notícias dele é uma coisa boa.

Talvez. Mesmo assim, uma parte de mim ainda achava esquisito não ter notícia nenhuma. Eu me esforçava para não pensar no assunto. Quanto mais eu pensava nele, mais eu me lembrava do passado, e isso era doloroso para mim. Eu não sabia como lidar com o passado. Era difícil demais encarar tudo o que tinha acontecido.

— Sim, é bom. Só uma coisinha — falei, mudando de assunto —, pra sua informação, meus vizinhos são as pessoas mais enxeridas do mundo.

— Ah, nossa, que bom saber. Aposto que estão fazendo a festa com você.

— Ô, e como. Estou até achando estranho ninguém ter aparecido aqui hoje com uma torta ou um pão.

— Ainda é cedo. Eles devem estar chegando — brincou ela. — E como é a cidade? É a Stars Hollow sulista dos nossos sonhos? — perguntou Yoana, a voz cheia de esperança. — As pessoas fazem feiras pra vender tortas ou desfiles pela cidade porque é terça-feira? Tem lanchonete do Luke? Ah, meu Deus, por favor, me diz que tem lanchonete do Luke.

Eu ri.

— Na verdade, ainda não dei uma volta na cidade, mas você tem a vizinha esquisita mais fofa do mundo. Ah, e já vou avisando, o babaca da cidade é o dono da floresta atrás da sua casa. Se eu fosse você, nem pensaria em passear por lá. Ele não é nada sociável.

— Ahhh, que interessante. Ele é antissocial tipo o Luke ou tipo o Jess?

Se havia um assunto em que eu e Yoana éramos especialistas, eram referências a *Gilmore Girls*.

— Jess. Com certeza tipo o Jess.

— Ele é gato? Ah, por favor, diz que ele é gato.

Ah, o Sr. Chatonildo era um babaca muito bem-apessoado. Se ter uma quedinha por rabugentos matasse, eu já teria morrido umas dez vezes. Era como se alguém tivesse pegado Damon, de *Vampire Diaries*, jogado uma pitada de Hook, de *Once Upon a Time*, e pronto! Nasceu o Sr. Chatonildo. Se ser emburrado fosse um esporte olímpico, ele ganharia a medalha de ouro.

— Isso não vem ao caso — respondi, me esforçando ao máximo para reprimir minha atração óbvia por ele, porque continuava determinada a odiá-lo. Mesmo que ele passasse seu tempo livre com idosos e me salvasse de pessoas como Lars, isso não anulava o fato de que foi ríspido comigo nem sua personalidade temperamental.

— Claro que vem ao caso. Você pode achar o babaca da cidade sexy.

E eu achava. Mas Yoana não precisava saber disso — nem ninguém —, porque não tinha nada a ver. O Sr. Chatonildo era lindo de morrer, com seus cachos castanhos que caíam sobre seu rosto do jeito mais sexy do mundo? Era. Seus olhos cheios de mistério tinham me hipnotizado por um instante? Claro que sim. Que seja. O tempo pareceu congelar, blá-blá-blá. Isso não mudava o fato de que lhe faltavam habilidades sociais. Não havia lábios carnudos nem maxilares definidos que pudessem mudar isso.

Sua beleza e seu ar misterioso só tornavam mais difícil desviar o olhar.

— Se você continuar insistindo, vou desligar — brinquei, me levantando para ir ao banheiro.

— Tá, tá, mas como assim você ainda não deu uma volta pela cidade? Não venha me dizer que está trancada em casa. Você precisa sair! Explorar o lugar. Conhecer gente nova.

— Acredita em mim, eu não preciso sair pra conhecer gente nova. As pessoas daqui aparecem na minha porta.

— Você precisa sair de casa, Kennedy. Vai te fazer bem.

— Mas aqui é tão espaçoso e confortável — brinquei, tentando mudar o rumo da conversa.

Só pelo suspiro de Yoana, dava para perceber que ela estava preocupada. Eu sabia que ela ficava aflita com a minha saúde mental, que só vinha piorando nos últimos meses. Ela queria que eu ficasse bem, e eu entendia a minha irmã. Eu também queria. Mas esse tipo de coisa demorava. Eu precisava ir no meu ritmo — mesmo quando o restante do mundo desejava que eu superasse tudo o mais rápido possível.

Só que isso não parecia justo comigo. Afinal, o trauma era meu, não dos outros.

Porém, meu marido já havia me abandonado devido à minha incapacidade de seguir em frente com a vida, então eu não podia perder minha irmã pelo mesmo motivo.

— Só fico preocupada com você, Kenny — disse ela, usando o apelido pelo qual minha mãe costumava me chamar. Meu estômago borbulhou de nervosismo quando ouvi aquilo. — Você passou por tanta coisa. Depois de perder a mamãe, o papai e a Da...

— Vou passear hoje — cedi, interrompendo-a antes que ela trouxesse à tona o acidente, torturando minha alma. — Ver o que tem de bom por aqui — falei, tentando parecer esperançosa e tranquilizar Yoana.

O suspiro que veio do outro lado da linha pareceu mais tranquilo desta vez.

— Ah, Kennedy, você vai adorar! O Nathan me convenceu a reformar a casa depois que me contou várias coisas legais sobre Havenbarrow. Tem um cinema drive-in antigo que só passa filmes em preto e branco e exibe romances sexta sim, sexta não — explicou ela, me deixando mais curiosa.

— Ah, é? Conta mais.

— Tem um café que é frequentado por um gato de rua chamado Marshmallow.

Tudo bem, agora ela estava me provocando.

— Tem mais, tem mais! — exclamou ela, sua animação transparecendo em alto e bom som. — A biblioteca tem uma porta secreta! Pelo menos, é o que reza a lenda. Tem uma estante que leva a uma sala de leitura escondida, mas você precisa encontrar a estante certa pra abrir a porta. Dizem que ninguém nunca a encontrou, mas ela existe.

Desafio aceito.

— Você pode até sair com o carro da mamãe e do papai — disse Yoana com um pingo de esperança.

Aí já seria forçar a barra. Ela sabia sobre a minha dificuldade em dirigir. Ainda não me sentia pronta para me aventurar tanto.

— Uma coisa de cada vez, irmã.

Quase dava para imaginar a expressão arrependida dela.

— Não custava tentar.

Depois de me despedir de Yoana, em uma tentativa de fugir das pessoas invasivas que traziam tortas e de sair da minha zona de conforto, fui andando até o centro da cidade para tomar o café da manhã.

O café lembrava a lanchonete do Luke, com mesas idênticas dispostas pelo salão e espaços reservados com mesas de couro vermelho. Os bancos diante do balcão estavam ocupados por clientes conversando, usando suas vozes de verdade em vez de estarem encarando o celular. Havia uma placa na parede da frente da cafeteira que dizia: *Proibido celulares. Converse e se desconecte, ou caia fora.*

Bom, se essa não era uma frase digna da lanchonete do Luke, eu não sabia o que mais seria. Achei melhor nem perguntar a senha do wi-fi. Guardei meu telefone na bolsa e me sentei em um reservado. Não demorou muito para trazerem meu bife com ovos, então me virei para a janela para me distrair enquanto comia. Um cachorrinho fofo estava preso em uma coleira do outro lado da rua.

Não faça isso, cachorrinho.

A dona do cachorro berrava com alguém no celular, balançando os braços feito uma doida. A coleira estava presa em um bicicletário, e, de segundo em segundo, ele se impulsionava para a frente, soltando o nó cada vez mais. Ele estava tentando alcançar o gato que estava do lado oposto da rua movimentada, lambendo as patas para limpá-las.

A dona estava tão distraída com a gritaria no celular que não percebeu o estresse do cachorro, nem se deu conta de que ele estava prestes a correr na direção dos carros.

Meu coração começou a bater em um ritmo descompassado. A coleira estava quase solta. Ele já estava quase livre do nó que o mantinha em segurança.

— Não — murmurei, minhas mãos tremendo, torcendo para que o cachorro ficasse quieto onde estava.

O gato se espreguiçou, deixando o cachorro ainda mais inquieto. A agitação dele e seus latidos altos deviam ter chamado a atenção da dona, mas ela não deu a mínima.

Imagine ser assim tão desligado do ambiente ao seu redor.

— Não! — berrei, minha voz falhando enquanto o grito saía da minha boca.

As pessoas olharam para mim, mas não me importei.

Dei um pulo do reservado e um arrepio percorreu meu corpo; dois segundos depois, a coleira estava solta, o cachorro corria pela rua. Meu coração entalou na garganta.

Antes que o cachorro se jogasse na frente de um carro, antes que uma cena horrível acontecesse bem na minha frente, o Sr. Chatonildo pulou na frente de um carro em movimento e pegou o cachorro no colo.

Logo.

O maldito.

Do.

Sr.

Chatonildo.

Aquilo era sacanagem.

Um homem adulto, forte, segurando um cachorrinho minúsculo e indefeso contra o peito?

Tesão instantâneo.

O motorista do carro afundou a mão na buzina e começou a gesticular, com uma expressão irritada, e depois acelerou.

A dona do filhotinho se virou para ver o homem segurando seu cão, e pareceu horrorizada — não pelo fato de que seu cachorro quase morreu, e sim pelo homem que o segurava.

Ela arrancou o cachorro das mãos dele e voltou a gesticular, parecendo xingá-lo por ter salvado o animal.

Qual era o problema dela?

Tudo bem, ele era conhecido como o babaca da cidade, mas, naquele momento, foi um baita de um super-herói! Ela devia estar agradecendo ao idiota pelo seu ato heroico. Em vez disso, o xingava como se ele tivesse causado toda aquela bagunça. O Sr. Chatonildo permaneceu onde estava e não gritou. Na verdade, ele ficou quieto. Seus lábios carnudos permaneceram firmemente fechados, e ele não parecia estar incomodado com nada do que a mulher falava. Não levantou uma sobrancelha nem sorriu.

Ele apenas ficou... inexpressivo.

Completamente alheio àquela agressão destinada a ele.

Naquele momento, ele era uma pessoa melhor do que eu, sem dúvida. Se fosse comigo, eu teria inventado xingamentos usando todas as letras do alfabeto.

Enquanto ela continuava berrando, o Sr. Chatonildo deu as costas e foi embora, deixando a mulher dando escândalo sozinha e aparentando ser uma péssima mãe de pet.

O sininho sobre a porta tocou quando ele entrou no café. Ele se sentou em um reservado no canto, abriu o cardápio, ajeitou o boné e baixou a cabeça, curvando os ombros largos para a frente enquanto analisava as inúmeras opções que tinha.

Por que ele fez aquilo?

Por que ele precisava salvar um cachorrinho da porcaria do trânsito?

Por que ele estava fazendo com que fosse mais difícil para mim desgostar dele?

O Sr. Chatonildo era como um super-herói. Desde seu maxilar definido até os bíceps, que eram puro músculo, aquele homem provavelmente poderia parar um trem em alta velocidade com seu peito de homem de aço. Pena que ele não era tão simpático quanto disposto a ir à academia. Por outro lado, se fosse assim, ele seria bom demais para ser verdade.

— Se você queria um prato de sal junto com o bife e os ovos, podia ter pedido — ofereceu uma voz amigável, fazendo com que eu parasse de encarar o Sr. Chatonildo e olhasse para o saleiro que eu, sem querer, estava agitando sobre a comida fazia cinco minutos.

— Desculpa — murmurei, colocando de volta o saleiro na mesa.

Olhei outra vez pela janela e assisti à mulher berrando com o cachorro por ter sido desobediente.

Eu me sentia mal pelo cão. Sua dona parecia ser uma pessoa muito desrespeitosa.

— Não precisa se desculpar. Todo mundo tem suas manias — confortou a voz simpática.

Meus olhos se viraram para o rapaz que falava. Ele tinha lábios finos cor-de-rosa e olhos verdes escondidos atrás de um par de óculos. Seus olhos pareciam ter o talento de sorrir sozinhos. Suas bochechas eram cobertas com sardas vermelhas que combinavam com seu cabelo espetado ruivo-alaranjado. Olhei para seu crachá e sorri ao lê-lo em voz alta.

— *Marty*.

Ele tinha mesmo o semblante que eu esperaria que um Marty teria. Meio magro, mas muito alto. Meio nerd, mas com uma beleza singular.

— Eu mesmo — disse ele, seus lábios se curvando para cima, combinando com o olhar sorridente. — Quer outro prato de bife e ovos?

Hesitei, avaliando se queria gastar mais dinheiro. Apesar de Yoana ter se oferecido para me bancar, recusei a proposta. Eu ainda tinha minhas economias dos direitos autorais, mas, do jeito que eu estava escrevendo — ou que *não* estava —, não dava para saber quando voltaria a ganhar dinheiro. Cada centavo fazia diferença.

Marty deve ter lido meus pensamentos, pois acrescentou que seria por conta da casa.

— Você não teria problema por causa disso? — perguntei, meu estômago roncando mais alto do que eu gostaria. Fui tomada pela vergonha ao encarar meu prato coberto de sal para evitar o olhar preocupado dele.

— Ah, não tem problema. Meu pai é o dono. — Ele pigarreou e se inclinou para a frente e murmurou: — Vou descolar uma torrada extra também.

Marty finalmente recolheu meu prato depois de pegá-lo e devolvê-lo ao mesmo lugar por um total de quatro vezes. Não mencionei aquele comportamento estranho, mas lhe dei um sorriso.

Ele parecia ter mais ou menos a minha idade, talvez fosse um ano mais novo.

Vi um conflito estranho refletido nos olhos de Marty enquanto ele pegava o saleiro e o devolvia para a mesa. Ele o pegou de novo, e o baixou mais uma vez. Então repetiu o movimento outras duas vezes, totalizando quatro. Levantei uma sobrancelha e vi suas bochechas corando de vergonha.

— Desculpa. — Ele soltou uma risada nervosa. — Eu tenho um TOC meio grave.

Ele se retraiu ao dizer as palavras, e meus lábios se curvaram para baixo. Era perceptível que seu transtorno obsessivo-compulsivo era algo que ele tentava esconder a todo custo, mas não conseguia.

Pelo visto, era assim que as coisas funcionavam — todo mundo tinha um segredo que se esforçava ao máximo para esconder.

Eu me inclinei para perto dele.

— Não se preocupa. Todo mundo tem suas manias.

Pisquei para ele e vi seu olhar se tranquilizar.

— Algum problema aí? — perguntou uma voz firme.

Eu me virei e vi um homem com o dobro do seu tamanho. O pai de Marty, ao que parecia. O crachá dizia que seu nome era Gary.

Gary olhou para o filho e suspirou, com uma expressão decepcionada em seus olhos cansados.

— Você está assustando os clientes de novo?

Antes que Marty pudesse responder — ou deixar cair o prato que tremia em sua mão —, segurei suas mãos trêmulas e me virei para Gary com um sorriso enorme.

— Eu só estava admirando o bolo red velvet ali na vitrine, e seu filho Marty me disse que é o melhor da cidade.

O olhar de Gary se suavizou. Seus lábios se curvaram em um sorrisinho enquanto ele cruzava os braços e estufava o peito.

— É verdade. A melhor fatia de bolo que você vai encontrar em Havenbarrow, e no Kentucky inteiro, na verdade. Faço tudo do zero. É uma torta de verdade. Não é como essas versões chinfrins, como a daquela rede de restaurantes que abriu do outro lado da rua, que está roubando nossos clientes. Eles usam aquelas porcarias congeladas que fazem mal pro corpo. Nós temos muito orgulho de dizer que vendemos comida de verdade. Meu bolo é de lamber os beiços. — Era incrível como Gary conseguia falar de bolo de um jeito bem machão.

— Bom, com certeza vou precisar voltar pra provar.

Gary esfregou as sobrancelhas com a palma da mão.

— Volta, sim. Bom, é melhor eu ir pra cozinha. Marty — o olhar irritado de Gary havia voltado —, vai limpar as outras mesas antes que os clientes do fim da manhã apareçam.

Gary desapareceu na cozinha movimentada, de onde era possível ouvir o som de frigideiras e panelas batendo. Marty me agradeceu por distrair seu pai e foi providenciar meu novo pedido.

Enquanto esperava, tirei uma caneta e um caderno da bolsa e comecei a acrescentar itens à minha lista de coisas para fazer em Havenbarrow.

- Aprender a preparar um bolo do zero.

De vez em quando, eu olhava para a mesa ocupada pelo Sr. Chatonildo, e uma onda de nervosismo me atingia em uma velocidade impressionante. Não conseguia tirar os olhos dele, por mais que tentasse. Era como se eu fosse uma maluca que não parava de encará-lo, mas algo nele chamava minha atenção e fazia com que fosse quase impossível focar em qualquer outra coisa.

Ele deve ter sentido meu olhar intenso porque, quando acabou de olhar o cardápio, seus olhos logo encontraram os meus. Agi como uma psicopata.

Não virei a cabeça.

Não fingi que estava olhando para algo atrás dele.

Não saí correndo.

Não, não, não.

Eu apenas sorri e abri a boca.

— Oi — falei ao soltar um suspiro, em alto e bom som, enquanto ele estreitava os olhos.

Ele piscou três vezes.

Voltando a encarar o cardápio, ele ajeitou de novo o boné e curvou os ombros ainda mais para a frente, fazendo com que eu me sentisse uma doida varrida apenas por tê-lo cumprimentado. Mesmo assim, continuei encarando.

Qual era o meu problema?

Recentemente, eu tinha maratonado a série *You*, da Netflix, e me dei conta de que estava me comportando igual a Joe, obcecada por um completo desconhecido. Se eu fosse Joe, minha linha de raciocínio de perseguição seria assim:

Você encara o cardápio sem ter a menor ideia do que vai pedir. Será o suco verde? As panquecas? O mingau? Não. Você parece o tipo de cara que pediria uma omelete. Você usa um boné para esconder o rosto, mas não entendo por que, já que tem um maxilar tão bonito, definido. Apesar de serem frios e pouco convidativos, seus olhos merecem ser vistos, e — cacete, olhe pra outra coisa, Kennedy.

O que deu em mim?

Observei enquanto ele tirava o boné, colocava-o em cima da mesa e passava as mãos pelo cabelo.

Marty voltou à mesa, fez sua sequência estranha de movimentos e serviu minha comida. Inalei os aromas deliciosos que vinham da minha refeição. Não esperei Marty ir embora para começar a enfiar comida na minha boca de um jeito nada educado.

— O que você veio fazer na cidade? — perguntou ele com um olhar meio admirado, provavelmente estranhando a rapidez com que eu me empanturrava.

— Aluguei a casa da minha irmã e do meu cunhado pelos próximos meses — falei, pegando uma garfada de ovos.

— Ah, com o seu... namorado? Marido? — perguntou Marty.

Meu estômago se embrulhou quando olhei para o meu dedo sem aliança. Fazia algumas horas que eu não pensava no meu passado. Uma pena o adorável Marty ter feito aquelas emoções voltarem correndo.

— Não. Só eu.

— Você está solteira? — perguntou ele, sua voz cheia de esperança.

Sorri, tentando afastar os pensamentos que ele despertava sobre meu relacionamento anterior.

— Sim, estou solteira e feliz assim. Acabei de sair de um relacionamento de muitos anos, e estou focada em mim agora.

Ele sorriu, compreensivo.

— Bom, se precisar de um amigo na cidade, estou mais do que disposto a não dar em cima de você, já que você não faz muito o meu tipo. — Ele apontou com a cabeça para o homem sentado na mesa em frente à minha. — Eu me interesso mais pelos Kens do que pelas Kennedys.

Eu ri.

— Bom, seria ótimo ter um amigo aqui, sem dúvida.

Meus olhos voltaram para a mesa do Sr. Chatonildo. Ele olhou para mim de novo — e adivinha quem não desviou o olhar? A esquisitona aqui. Ele piscou algumas vezes antes de voltar a encarar o cardápio.

Senti minhas bochechas esquentarem na mesma hora ao levar meu copo de suco de laranja até a boca.

Marty seguiu meu olhar e deu uma risada.

— A maioria das pessoas olha assim pro Jax Kilter — disse ele, fazendo com que eu cuspisse o suco no mesmo instante, estragando meu novo prato de comida.

— Espera, o quê? — exclamei, chocada com as palavras de Marty.

Ele olhou para mim como se eu fosse uma doida de pedra — e, tudo bem, era uma reação compreensível —, mas não consegui disfarçar meu nervosismo.

— Você disse Jax Kilter? — perguntei.

— Aham.

Impossível.

Não podia ser ele.

Fazia anos desde a última vez que havíamos nos visto, e o homem diante de mim não lembrava em nada o garoto que eu havia conhecido — a não ser pelos olhos. Aqueles olhos profundos, escuros, ainda prendiam minha atenção da mesma forma que faziam quando éramos crianças.

Marty coçou a barba inexistente.

— Você o conhece?

— Conheço. Quer dizer, conhecia, acho... há muito tempo. Nossa, faz anos.

Meus olhos se voltaram para Jax outra vez, e meu coração se apertou no peito enquanto meus olhos se enchiam de lágrimas. Será que era ele mesmo? Devia fazer mais de quinze anos desde a última vez que nos falamos. Não passávamos de crianças na época, mas vê-lo ali naquele momento e saber que era o mesmo Jax da minha infância fez minha cabeça rodopiar. Por um intervalo brevíssimo de tempo, ele tinha sido a minha pessoa. Meu companheiro de acampamento de verão. Meu melhor amigo. Havíamos passado dois verões juntos, construindo uma forte conexão, até ele desaparecer da minha vida sem nenhuma explicação.

— Você o conhece? — perguntei a Marty antes de fincar os dentes no meu lábio inferior.

— Ah, sim. Moramos em uma cidade pequena, então todo mundo acaba se conhecendo. Pra ser sincero, eu já sabia tudo sobre você antes mesmo de se sentar aqui. Só faltava o número do seu CPF — brincou ele.

— Ele é... legal? — perguntei, ignorando o fato de que Marty disse saber tudo sobre mim.

Eu estava mais preocupada em saber tudo sobre Jax. Minha pergunta parecia idiota, porque, pelas nossas interações, eu sabia a resposta: Não, ele não era legal. Bem, ele era quase legal? Seria isso? Um pouco, talvez? Pelo que eu tinha observado, seus atos não condiziam com suas palavras, e eu queria saber a opinião de Marty sobre a pessoa que Jax havia se tornado.

— O Jax é... ele é... bom, não gosto de fazer fofoca. As pessoas falam tanta besteira por aqui que daria pra escrever o roteiro de uma novela, mas o Jax é um cara interessante. Ele é meio solitário, a não ser por uns relacionamentos nada a ver. Ele acabou de terminar um namoro de dois anos com a Amanda Gates. Não que os dois parecessem apaixonados. Ele é meio EI.

— EI?

— Emocionalmente inacessível. Fiquei surpreso pela Amanda ter aguentado tanto tempo. A aparência dele também ajuda. Tenho certeza de que sua beleza e o que quer que acontecia entre quatro paredes foram o suficiente pra prender a atenção dela. Se eu tivesse o menor indício de que ele também se interessa pelos Kens, e não pelas Kennedys, faria igual a ela, porque aqueles olhos são capazes de devorar qualquer ser humano. Mas, infelizmente, ele não joga no meu time.

Sorri. Quanto mais Marty falava, quanto mais confortável se sentia em relação a mim, mais eu gostava dele. Sua personalidade começava a aparecer em meio às nuvens de seu nervosismo.

— Fiquei sabendo que ele é o babaca da cidade — comentei.

— É mesmo... mas de um jeito bom.

Eu ri.

— Como assim? Um babaca bonzinho? As duas coisas não combinam.

— Combinam, sim. Sabe... ele é babaca com quem merece. No começo, ele aparenta ser frio, mas é só porque não te conhece. Ele vive na defensiva porque já sofreu muito. Dá pra entender, depois de tanta merda que as pessoas nesta cidade fizeram pra ele. Eu também trataria as pessoas como se elas fossem culpadas, até que se provasse o contrário, se tivesse passado por metade das coisas que o Jax passou, e olha que sou o gay assumido daqui, além de ter TOC. Eu já tive meus momentos ruins, pode acreditar, mas jamais trocaria a minha vida pela do Jax.

Meu peito apertou quando ouvi as palavras de Marty. Jax realmente não parecia ser o vilão malvado da história da cidade. Estava mais para um herói injustiçado, que preferiu fugir da luz e se esconder nas sombras depois de tantas batalhas perdidas.

Basicamente o que eu fiz depois da minha tragédia.

— A vida dele foi tão ruim assim? — perguntei, torcendo para Marty balançar a cabeça e dizer que não.

Infelizmente, ele fez que sim.

— O Jax tem um passado meio sombrio. Ele ficou muito tempo sem interagir com os outros, cuidando do escroto do pai, até interná-lo em uma casa de repouso há algumas semanas. Agora, se você quiser falar sobre os babacas da cidade, o Cole Kilter era o maior C-U-Z-Ã-O de todos. Mas o Jax? Ele não tem nada a ver com pai, nada, apesar de ter a genética babaca paterna.

— E a mãe dele?

Marty franziu a testa.

— É como eu disse, ele tem um passado sombrio.

Essas palavras bastaram para partir meu coração. Eu sabia o quanto ele amava a mãe, e saber que ela não estava mais aqui me deixou arrasada.

Marty cruzou os braços.

— Cá entre nós, acho que o Jax é o cara mais legal desta cidade inteira. — Ele puxou uma das mangas da camisa para cima e me mostrou uma cicatriz. — Há uns anos, fui atacado pelo Lars Parker e seus amigos idiotas. Eles estavam bêbados, saindo de um bar, e eu estava terminando de arrumar o café pro dia seguinte. Eles começaram a me encher o saco pra comer de graça, e, bom, resumindo, acabaram me agredindo.

"A notícia correu rápido, e, uns dias depois, o Lars e seus amigos apareceram machucados também, com olhos roxos e tudo mais. Voltei a trabalhar depois disso, e lá estava o Jax, sentado no reservado de sempre, lendo o jornal com as duas mãos enfaixadas. Ele disse que tinha se machucado cortando madeira no quintal. Até hoje, ele jura que não teve nada a ver com a surra que o Lars levou, mas tenho a sensação de que ele teve tudo a ver com aquilo. Mais tarde, ele me disse pra avisá-lo se alguém viesse me incomodar. Ainda vivo lhe agradecendo por isso, e ele sempre manda eu ir embora e trazer logo sua comida."

Lars Parker.

O mesmo idiota de quando éramos crianças. É claro que era o mesmo monstro que havia mexido comigo. Eu sabia que ele tinha me causado uma sensação estranha. Não me surpreendia ver que ele havia se transformado no tipo exato de babaca que anunciava desde a infância.

Marty voltou para o trabalho, e continuei a encarar Jax. Ele se remexeu no assento do reservado e, quando levantou a cabeça, se virou na minha direção. Nossos olhos se encontraram, e meu coração disparou no peito.

Antes que eu pudesse dizer qualquer coisa, Marty entregou uma sacola com comida para Jax, e ele se levantou para ir embora, deixando o boné em cima da mesa.

Apressei-me em deixar o dinheiro da minha conta na mesa e, em seguida, corri para pegar o boné.

Disparei para fora do café atrás de Jax, para devolver o boné e... sei lá... dar um abraço nele? Chorar? Perguntar onde ele esteve durante todos esses anos? Mas, antes que eu tivesse a oportunidade de fazer qualquer uma dessas coisas, meus pés empacaram quando levantei o olhar e vi uma garotinha com a mãe em frente à sorveteria. Ela segurava uma casquinha com duas bolas de sorvete de menta com chocolate, sem conseguir lambê-lo rápido o suficiente para impedi-lo de derreter. A mãe vasculhava a bolsa em busca de guardanapos para limpar a sujeira.

Eu não consegui afastar o olhar.

A garota parecia ter uns cinco anos, talvez seis.

Eu só sabia que ela era jovem, adorável, e viva.

Tão viva.

Não posso ficar aqui, pensei comigo mesma ao sentir meu peito começar a apertar. Eu queria me virar e seguir na direção oposta. Queria sair correndo. Eu queria sair correndo para longe, queria voltar para casa e me esconder em um lugar onde a lembrança da minha perda não estivesse estampada de todas as formas e tamanhos.

O sorvete favorito dela era menta com chocolate.

Ela estaria tagarelando tanto que o sorvete derreteria pelos seus dedos e sujaria tudo, não importava o quanto eu tentasse limpar. Eu sempre carregava guardanapos na bolsa, porque era sua mãe, e mães sempre carregam guardanapos, e...

Para, Kennedy. Vai pra casa.

Mas eu não conseguia me mexer. Estava congelada, e um ataque de pânico começava a dominar minha alma. Eu não conseguia afastar o olhar da menina e da mãe que limpava seu queixo todo sujo de sorvete. Eu não conseguia me virar. Eu não conseguia respirar.

— Qual é o seu problema? — perguntou uma voz, me arrancando dos meus pensamentos.

Eu me virei e vi Jax parado ali, me encarando, perplexo. Meu corpo tremia todo, o boné dele balançava em minhas mãos, então abri a boca para falar, mas nenhuma palavra saiu.

E vi nos seus olhos também — ele me encarava como se eu fosse maluca, do mesmo jeito que Penn fez no último ano. Ele estava me julgando. Ele estava confuso com meu instante de medo irracional. Ele estava...

Me ajudando?

— Anda — ordenou ele, acenando com a cabeça.

— Eu... eu... eu não consigo — finalmente disse, ainda tremendo.

A menininha e a mãe já tinham desaparecido, mas as sombras daquele momento amoroso entre elas se misturavam na minha mente às sombras do meu próprio passado. Eu estava pensando demais, sentindo demais, sofrendo com cada emoção que martelava meu coração.

Mas eu não conseguia parar. Era por isso que eu tinha tentado me isolar do mundo. Ele guardava inúmeras recordações de toda a alegria que eu havia perdido.

— Consegue — discordou ele. — Você consegue andar.

Ele não entendia.

Ninguém entendia.

Ele passou um braço sob o meu e os entrelaçou.

— O... o que você está fa-fazendo? — gaguejei com a voz rouca.

— Isto — explicou ele, dando um passo para a frente, me conduzindo junto. — Agora você consegue.

— Por favor, não, eu nã...

— Para. Para de dizer que não consegue quando você sabe que é capaz. Concentre-se. Vem, Sol... — Sua voz soava baixa, porém não estava mais carregada da frieza de antes. O apelido que eu não ouvia fazia anos me acertou em cheio. Ele sabia. Ele sabia que era eu. Ele lembrava. — Anda comigo — implorou ele.

Um passo.

Depois outro.

Eu estava saindo do lugar. Se não fosse isso, então ele estava me carregando e me fazendo flutuar pela calçada. De toda forma, ele me acompanhou até minha casa, sem falar nada, enquanto as batidas do meu coração diminuíam para um ritmo mais calmo. Senti que todo mundo ficou olhando para nós enquanto andávamos, e detestei aquilo. Eu detestava a vergonha que acompanhava os ataques de pânico, a maneira que as pessoas me encaravam, como se eu fosse doida.

Lembrei-me do meu primeiro ataque de pânico em um lugar público. Foi na festa de Natal da imobiliária de Penn. Perdi completamente o controle quando as caixas de som começaram a tocar a música de Natal favorita da minha menina, "This Christmas", de Donny Hathaway. Eu estava conversando com o chefe dele quando meus joelhos cederam e me espatifei no chão, tomada pelo pânico.

Ele passou a ter vergonha de me chamar de esposa depois disso.

Eu nem imaginava como Jax se sentia ao me levar para casa naquele momento. O pior era que nós nem éramos casados. Ele era um completo desconhecido que teve de aturar os olhares da cidade inteira. No entanto, ele não parecia incomodado. Apenas continuava andando com o braço entrelaçado ao meu.

Quando chegamos à minha casa, eu lhe agradeci, mas ele me pediu que ficasse quieta e que me sentasse na escada da varanda.

— De verdade, estou bem — falei, ainda me sentindo um pouco trêmula e desnorteada.

Ele respirou fundo e fechou os olhos antes de soltar o ar.

— *Por favor* — insistiu ele. — Senta.

Apesar de eu querer recusar, resolvi que não valia a pena discutir. Sentei, e, para minha surpresa, ele se acomodou ao meu lado. Eu não sabia o que dizer. Ainda bem que Jax não esperava uma conversa. Ele apenas se acomodou ao meu lado, em silêncio total, de um jeito... reconfortante? Sim. Eu me sentia tão mais confortável agora do que durante meu trajeto até o centro da cidade, só porque Jax estava sentado naquela escada.

No fim das contas, palavras não eram necessárias para trazer conforto. Às vezes, você só precisa que alguém se sente ao seu lado no meio das suas tempestades de pânico.

Quando chegou a hora de ir embora, ele se levantou e olhou para mim.

— Você está bem?

— Estou, sim. Obrigada por me ajudar. — Fiz uma pausa. — Há quanto tempo? Há quanto tempo você sabia que eu sou... eu?

O canto da boca dele se contraiu.

— Faz alguns dias. Vi o carro da sua família parado na frente da casa.

— Eu... Isso... é loucura, né? Depois de tantos anos, a gente se encontrar assim... Só estou tentando entender o que tudo isso significa, como foi que...

— Nada. Isso não precisa significar nada.

Coloquei uma das mãos sobre o peito e respirei fundo.

— Mas podia, né? Podia significar alguma coisa. Quer dizer, quase parece destino, não acha? Eu poderia ter ido pra qualquer cidade, mas acabei vindo pra cá. Você também sente, não é? Você sente que... sei lá. É só uma sensação no meu peito. E se...

— Para.

— Para com o quê?

— Para de tentar transformar isso em algo que não é. A verdade é que a gente devia manter distância. Deixar o passado no passado.

Fiquei quieta, porque eu não sabia o que dizer. Para ser sincera, aquilo parecia loucura. Minha mente ainda girava devido ao ataque de pânico, e meu coração batia rápido demais para eu decidir se queria abraçar Jax ou gritar com ele por ter desaparecido tantos anos antes. Mas antes que eu pudesse fazer qualquer coisa, ele já estava indo embora, me deixando sozinha com todos os pensamentos e as perguntas que dominavam meu cérebro.

Depois que Jax foi embora, entrei depressa na casa. Corri até o quarto, fui direto pegar uma caixa que ainda permanecia lacrada. Arranquei a fita, tirando tudo dela até encontrar um bauzinho do tesouro dourado. Era ali que eu guardava meus objetos mais preciosos. As joias da mamãe. As gravatas favoritas do papai. Os desenhos de Daisy. Fotos antigas. E as cartas de Jax.

Cartas que ele tinha escrito fazia muito tempo. Cartas que guardei em segurança ao longo dos anos. Fazia uma eternidade que eu não lia nada daquilo, mas meu coração agora batia disparado no peito enquanto eu enfiava a mão na caixinha e desdobrava os papéis para reler as mensagens que um Jax de onze anos escrevera para mim.

Suas palavras haviam sido escritas em caneta preta, e sorri ao perceber que ele sempre escrevia dentro das linhas — o completo oposto do que eu fazia. Enquanto minha letra era um garrancho, a de Jax sempre foi certinha.

Juntei os pedaços de papel e segui para o conversível, para ler as palavras do homem que um dia fora meu melhor amigo sentada sob o sol.

Não imaginei que fosse ficar tão emocionada ao ler tudo aquilo. Não achei que lágrimas se formariam enquanto meu olhar corria de um lado para o outro das páginas. Passamos três anos trocando cartas sem parar durante os meses em que não estávamos no acampamento de verão. Mantivemos contato do nosso jeito. Eu me lembrava de passar três anos correndo até a caixa do correio, torcendo para ver a letra perfeita de Jax em um envelope.

Naquela época, eu devia ter lido todas as cartas um milhão de vezes. As bordas dos papéis estavam gastas e rasgadas, mas isso não impedia que aquele frio esquisito na barriga me dominasse. Eram os detalhes que provavelmente pareciam tão bobos na época.

Palavras como:

Estou com saudade.

Se você precisar de qualquer coisa, me avisa.

Até logo.

Eram palavras tão simples, sem nenhum grande significado, mas tinham a maior importância do mundo para mim — especialmente o até logo. Houve um momento em que acreditei que jamais reencontraria Jax, mas estávamos aqui agora. O "logo" finalmente tinha chegado para nós dois.

Meu dedo percorreu o envelope com o endereço de Jax. Meus olhos focaram na palavra Havenbarrow, e senti um calafrio. Eu não passava de uma criança, então não sabia como encontrá-lo, mas ele sempre esteve aqui, a quarenta e cinco minutos de distância. Acho que nunca memorizei o nome da cidade porque não sabia onde ela ficava, então não o reconheci quando Yoana me surpreendeu com a casa. Para minha versão mais jovem, ele parecia morar do outro lado do mundo.

Li uma das últimas cartas que ele havia escrito para mim, e um parágrafo chamou minha atenção.

> Sei que não tenho motivo pra dizer essas coisas, porque seus pais são bem legais, mas você me diz isso toda vez que fala sobre o meu pai, então acho que devo dizer também, só pro caso de você precisar um dia.
>
> Se você precisar fugir, foge pra mim.
>
> — Jax

As lágrimas que eu estava segurando finalmente começaram a escorrer dos meus olhos. Apesar de todo o meu sofrimento, eu ainda acreditava em muitas coisas, e confiar no destino estava no topo da lista. Devia haver um motivo para eu ter vindo para a cidade onde meu antigo melhor amigo morava. Não era só o fato de ele morar em Havenbarrow, mas como também de termos nos encontrado na floresta. Isso devia ser um sinal. Devia ter algum tipo de sentido.

Talvez eu estivesse tentando dar significado a algo aleatório. Talvez minha alma precisasse de um pouco de magia depois de um ano tão sombrio.

Pedi por um milagre, e Jax Kilter surgiu.

Mesmo assim, eu não sabia o que aquilo significava. Eu só precisava que significasse alguma coisa. Qualquer coisa, na verdade. Precisava de um motivo para ter esperança depois de um ano sentindo exatamente o oposto.

Foi nesse instante que meu celular apitou e uma mensagem apareceu.

Penn: Vai ter uma festa de gala no fim de semana, e não quero ter que explicar por que minha esposa não foi. Você pode voltar pra casa agora. Eu exagerei. Vamos dar um jeito nas coisas.

Penn: Porra, Kennedy. Por favor. Preciso de você. Estou com saudade.

Estou com saudade.

Essas palavras não causavam o mesmo frio na barriga que senti quando as li na carta de Jax.

Elas pareciam forçadas — quase controladoras, como se ele só as tivesse dito para conseguir o que queria. Eu sabia que ele só tinha escrito aquilo porque estava sentindo a pressão de ter de explicar para os amigos e colegas de trabalho por que eu não havia comparecido a mais nenhum evento. Ele se esforçava muito para passar a impressão de que nossa vida era perfeita, de que havíamos chegado ao felizes para sempre com o qual todos sonhavam. Eu podia apostar que agora era ele quem tinha ataques de pânico, tentando ignorar o fato de que a esposa tinha ido embora.

Ótimo.

Já estava na hora de ele saber como era ter um ataque de pânico.

Mesmo assim, suas mensagens carinhosas, bondosas, não apagavam as coisas horríveis que ele me disse na noite em que me expulsou de sua vida. Eu sabia que não devia cair na mentira das falsas emoções que ele jogava em mensagens ocasionais.

Voltei a ler as cartas de Jax. Elas eram muito mais autênticas.

Minha mente não conseguia parar de se perguntar sobre Jax e a pessoa que ele havia se tornado com o passar dos anos. Eu não conseguia parar de me perguntar quantas partes do menino que eu tinha amado ainda permaneciam vivas no coração dele.

11

Kennedy

Onze anos
Primeiro ano do acampamento de verão

Jax Kilter era tão bonito.

Ele era bonito de um jeito esquisito, que muita gente não acharia bonito, mas eu achava, porque tudo que era diferente era belo e lindo na minha opinião. Eu gostava dos seus olhos castanho-escuros que me lembravam da minha barra de chocolate favorita, das orelhas grandes que ainda pareciam desproporcionais à sua cabeça. Eu gostava do fato de que seu nariz era um pouquinho inclinado para a esquerda, como se tivesse sido forçado a isso. Gostava de seus óculos grandes. Ele parecia imperfeito de várias formas, e eu adorava isso.

Mamãe dizia que as melhores pessoas são imperfeitas, porque as melhores aventuras da vida não vêm da perfeição.

Eu também gostava da sombra da barba de Jax, apesar de ele ainda não ter barba nenhuma. Eu sabia que, um dia, se ele tivesse barba, eu iria gostar. Eu podia apostar que ele se tornaria um homem bonito, porque já era um garoto bonito.

Eu gostava muito de Jax Kilter por muitas razões, mas a maior delas era porque ele não se parecia com ninguém do acampamento, e eu não me parecia com ninguém do acampamento, porque falava demais e era meio diferente e *aimeudeus* talvez nós pudéssemos ser amigos!

Eu ainda não o tinha acordado, porque sabia que, assim que fizesse isso, ele poderia sair correndo e nunca mais falar comigo. Tive muitos amigos que pararam de falar comigo depois da primeira vez que passamos um tempo juntos, porque acabaram achando que eu era estranha demais.

Mas mamãe e papai me diziam que ser estranha era algo bom. Se uma pessoa era esquisita, isso significava que ela possuía algo diferente, e eu não queria que a minha vida fosse idêntica à dos outros. Eu tinha muitos sonhos grandes e coloridos e não pretendia deixá-los para trás só para parecer menos esquisita para os outros.

Minha melhor qualidade — além da minha habilidade: arrotar o alfabeto — era o fato de que eu me sentia muito confortável em ser estranha.

Engoli em seco enquanto observava o sol nascer lá fora, então cutuquei o braço de Jax.

— Ei — sussurrei. — Está na hora de acordar.

Jax se espreguiçou, resmungou, se espreguiçou de novo.

— Mais cinco minutos, mãe.

Sorri, porque era engraçado vê-lo sonhando. Dei outra cutucada.

— Não sou a sua mãe, Jax Kilter. Levanta logo antes que alguém te pegue na cama com a Kennedy Lost.

Isso fez com que ele abrisse os olhos — e os arregalasse. Aqueles olhos grandes, deliciosos, cor de chocolate.

Ele olhou para mim, depois para minhas colegas de quarto adormecidas, e se sentou rapidamente.

— Preciso sair daqui antes que alguém me veja.

— É, foi por isso que acordei você. Dã.

Ele se levantou e esfregou uma mão sob o nariz torto enquanto pegava as roupas molhadas da noite anterior.

Eu também me levantei e abri um sorrisão para ele. Mamãe sempre dizia que sorrir fazia as outras pessoas quererem sorrir também. "*Sorrisos são contagiantes, Kennedy. Espalhe o seu por todos os cantos*", dizia ela. Então, lá estava eu, na frente de Jax, sorrindo como nunca.

Ele levantou uma sobrancelha e passou a mão pelo cabelo bagunçado.

— O que você está fazendo?

— Sorrindo.

— Por quê?

— Pra você sorrir também.

Ele piscou.

— Ah.

Vesti meu moletom cor-de-rosa e calcei meus tênis.

— Se você quiser, pode vir conversar com os passarinhos comigo.

— Passarinhos não conversam com você.

— Conversam, sim. Você é que nunca parou pra prestar atenção.

— Você é tão estranha, Kennedy.

Meu sorriso ficou ainda maior.

— Obrigada, Jax. — Franzi o nariz. — Ei, o seu nome é só Jax ou isso é apelido?

— É Jaxson, mas só minha mãe me chama assim.

— Jaxson — cantarolei. — Ah, gostei mais assim. Gosto de chamar as pessoas pelo nome completo. Tipo Matthew, ou Nicholas, ou Samantha. O nome do meu pai é Tim, mas minha mãe o chama de Timothy. Ela diz que nomes grandes são sostificados.

— Você quis dizer sofisticados — corrigiu ele.

Estreitei os olhos.

— Repete, mas devagar.

— So-fis-ti-ca-dos — falou ele.

— So-fis-ti-ca-dos — repeti, sorrindo. — Obrigada. Às vezes, falo tão rápido que enrolo a língua, e as palavras saem errado. E tem vezes que nem sei como é a palavra certa, e é legal ter alguém por perto para me ensinar como se fala, então obrigada. — Respirei fundo. — Ei, posso te chamar de Jaxson?

— Não! — esbravejou ele, franzindo a testa. — Já disse. Só a minha mãe me chama assim.

— Nossa. — Balancei a cabeça. — Sua mãe é muito sortuda. E aí, você quer?

— Quero o quê?

— Conversar com os passarinhos.

— Sua cabeça sempre faz isso?

— Faz o quê?

— Pensa em um milhão de coisas ao mesmo tempo?

— Ah. — Franzi o nariz e mexi os lábios de um lado para o outro. — É, acho que sim. Bom, tudo bem. Queria poder ficar aqui conversando com você, mas, se eu não for agora, vou perder os passarinhos, e acho que eles vão ficar tristes se não conversarem comigo pela manhã. Tchau, Jax! A gente se vê por aí, parceiro!

Peguei a mochila, que estava abastecida com itens para quaisquer aventuras que eu pudesse encontrar durante o dia. Eu tinha barras de cereal, bolinhas de sabão e uma garrafa de água. Quando eu saía em uma aventura com meus pais e minha irmã, minha mãe sempre levava barras de cereal, e meu pai carregava garrafas grandes de água para bebermos.

Deixei Jax no chalé e fui cantar com os passarinhos. Eu adorava ir para o acampamento, porque ele ficava bem no meio da floresta. O chalé das meninas estava localizado numa clareira bonita, com arbustos de lilases plantados perto da porta. Quando o vento soprava, dava para sentir o aroma das flores, e essa era a minha parte preferida. O lilás era a flor favorita da mamãe, e sentir seu cheiro todas as manhãs quando saía para caminhar aliviava minha saudade de casa. O ar ainda cheirava a chuva, e fiz questão de pular em todas as poças que encontrei enquanto assobiava, perambulando pela mata.

Todo dia, eu dividia com os pássaros um pãozinho que roubava do jantar da noite anterior e, caramba, eles adoravam. Eles se aproximavam e mergulhavam lá do alto para pegar as migalhas enquanto eu me sentava em um tronco e escutava suas lindas canções.

Eu me acomodei no meu tronco e revirei a mochila, já falando com os passarinhos, mas logo fui interrompida ao ouvir um garoto pigarreando.

Ao me virar, dei de cara com Jax parado ali, de pijama, com as roupas de ontem perfeitamente dobradas em seus braços.

Sorri, e, desta vez, meu sorriso o convenceu a fazer o mesmo. Voltei a revirar a mochila e peguei uma barrinha de cereal de morango. Era a última desse sabor e a minha favorita, mas a ofereci para Jax.

— Quer?

Ele hesitou por um instante e olhou ao redor do acampamento, como se estivesse com medo de ser visto conversando com uma garota esquisita como eu. Em seguida, ele respirou fundo e se aproximou de mim. Pegou a barra de cereal da minha mão e olhou para as árvores, observando os pássaros.

— Quais espécies vivem aqui? — perguntou ele, abrindo a barrinha e dando uma mordida minúscula nela.

— Ah… Tem o canário de olho vermelho, o jaspe acinzentado e o cacatu — respondi, séria.

Jax me encarou com uma sobrancelha arqueada e um olhar confuso.

— Você acabou de inventar isso, não foi?

— Aham.

— É claro que sim.

Começamos a comer nossas barras de cereal e a conversar com os passarinhos. Bem, eu conversava e Jax meio que ficava murmurando para si. Com o sol subindo no céu, Jaxson tomou um gole da garrafa da água que lhe passei.

— Seu nome é Kennedy?

— Aham. Significa "chefe de elmo". Meu pai diz que isso quer dizer que serei uma líder protegida de coisas ruins. O nome da minha irmã mais velha é Yoana, que significa "Deus é generoso". Acho que combina, porque ela é muito maneira. — Inclinei a cabeça. — Qual é o significado do seu nome?

— Ah, é idiota.

— Duvido. Nenhum nome tem um significado idiota.

— O meu tem, pode acreditar.

— Só fala logo.

Ele resmungou e suspirou.

— Jaxson significa filho de Jack.

— Ah. — Concordei com a cabeça. — O seu pai se chama Jack?

— Não. O nome dele é Cole.

— Hum. É, você tem razão, é um significado idiota. Vamos inventar outro. Que tal... Jaxson significa herói. Assim você pode ser forte e sempre salvar as pessoas de qualquer situação.

— Você não pode inventar significados pros nomes, Kennedy.

— Claro que posso. Foi isso que as pessoas mais velhas fizeram quando resolveram que o seu significava filho de Jack.

Ele cruzou os braços por um instante, refletindo, então deu de ombros.

— Tá, Jaxson significa herói, apesar de eu achar que nunca vou conseguir salvar ninguém.

— Nunca se sabe. Meu pai sempre diz que a gente precisa fazer jus ao nosso nome. Levanta a cabeça, você vai chegar lá.

— É, tá bom. — Ele coçou a nuca. — Aliás, valeu por ter me ajudado ontem à noite.

— Sem problemas. — Enfiei o último pedaço da minha barra de cereal na boca e limpei as mãos na calça do pijama. — Então, me conta uma coisa legal sobre você.

Ele levantou uma sobrancelha.

— Como assim?

— Alguma coisa maneira sobre você, sabe?

— Ah. Não tem nada maneiro sobre mim.

Comecei a rir e empurrei seu ombro.

— Você é tão engraçado, Jax.

— Não era uma piada. Eu não sou maneiro.

— Todo mundo é maneiro. Até quem não é.

— Kennedy, isso não faz o menor sentido.

— Nem sempre a gente precisa fazer sentido. Me conta alguma coisa. Do que você gosta?

Ele pigarreou e passou o dedão pelo nariz, depois empurrou os óculos para cima.

— Acho que gosto de palavras grandes com significados diferentes. Eu e minha mãe sempre procuramos palavras grandes pra mostrar um pro outro e aprender o significado delas. A gente até criou uma pasta no Pinterest pra salvar nossas palavras grandes favoritas. — Ele franziu o nariz. — É meio idiota.

Arfei e juntei as mãos.

— Isso não é idiota! De jeito nenhum! Palavras grandes são muito maneiras! Não conheço muitas além de so-fis-ti-ca-dos, mas talvez você possa me ensinar.

Por um instante, os olhos dele se iluminaram.

— Sério?

Concordei com a cabeça.

— Aham.

— Bom... que tipo de palavra você quer aprender?

— Não sei, porque não conheço nenhuma, seu bobo. Como eu vou saber o que quero saber se não sei nada?

Ele soltou uma risada nervosa e, naquele momento, ficou ainda mais bonito.

— Ah, é.

— Só me diz qual é a sua favorita.

— Ah, nossa, são tantas. — Ele estava ficando cada vez mais falante, e gostei disso. Gostei do fato de que ele estava começando a se abrir comigo. — Tipo, clinomania!

Arfei e bati palmas.

— Ah! Adorei!

— Você não sabe o que significa, sabe?

— Nem imagino!

Ele riu de novo.

— Significa uma vontade muito grande de ficar na cama. Minha mãe tem clinomania todo fim de semana, quando exagera no vinho.

— Acho que a sua mãe e a minha seriam melhores amigas. Conta outra?

— Tem soliloquista.

— Ah, sim, sim. Soliloquista. Muito legal. Virou uma das minhas palavras favoritas também.

Ele sorriu.

— Significa alguém que fala sozinho. Tipo eu. Não tenho muito com quem falar.

— Eu também não. A maioria das pessoas me acha esquisita demais pra fazer amizade comigo, então, pelo visto, também sou soliloquista. — Franzi ligeiramente a testa, ao me dar conta de que às vezes eu me sentia sozinha sem a minha família por perto.

— Mas não agora — disse ele, me cutucando. — Porque você não está falando sozinha. Está falando comigo.

Meus lábios se abriram em um sorriso.

— É. Estou falando com você.

Ele continuou me ensinando palavras diferentes e eu continuei prestando atenção. Seus resmungos estavam se tornando um pouco mais altos, até deixarem de ser resmungos e, quando ele ria alto, juro que todos os passarinhos dançavam ao som de sua voz.

— Ei, Jax?

— Que foi, Kennedy?

— Você quer ser meu melhor amigo?

Ele franziu o nariz.

— Ninguém pede pra ser melhor amigo de outra pessoa. Não é assim que funciona.

— Ah. — Franzi a testa e cocei minha cabeça. — Bom, como as pessoas arrumam melhores amigos?

— Sei lá. Só meio que acontece.

— Ah. — Peguei meu pãozinho e comecei a alimentar os pássaros enquanto eles vinham mergulhando do céu feito viciados. — Ei, Jax?

— Que foi, Kennedy?

— Você meio que quer deixar acontecer de você virar meu melhor amigo?

Ele suspirou.

— Tá bom, Kennedy.

Minhas bochechas esquentaram e eu abaixei o olhar para os passarinhos que bicavam as migalhas do pão.

— Eu sempre quis ter um melhor amigo.

Não consegui ouvir direito, porque Jax Kilter gostava de resmungar, mas acho que ele falou:

— Eu também.

— Agora nós podemos ser soliloquistas juntos — falei.

— Ahn, isso meio que anula a ideia de ser soliloquista.

— Shh, Jax. Só deixa acontecer.

Ele sorriu e murmurou:

— Tá bem.

12

Kennedy

Hoje

Chuva, chuva, por favor, vá embora e leve a ansiedade da Kennedy sem demora.

Choveu por mais dois dias, e meu corpo doía pela falta de sono. Quando tentava fechar os olhos, tinha vislumbres do meu passado. Se eu conseguia dormir, tinha pesadelos.

Nada estava funcionando. Tentei todos os soníferos do mundo. Fiz quase todas as meditações para dormir que encontrei na internet, acendi incensos de sálvia, tomei banhos de banheira, assisti a episódios de *The Office* umas dez vezes, e nada.

As pancadas da chuva sobre a casa ficavam cada vez mais intensas com o passar dos dias. Eu estava oficialmente vivendo à base de delivery de comida chinesa e pizza. Aqueles não estavam sendo meus momentos mais gloriosos, porém faziam parte da jornada. Além da chuva, eu não havia saído de casa desde o ataque de pânico. Para ser sincera, meu corpo vinha sofrendo ondas de exaustão emocional. Quando eu acordava dos meus pesadelos, ficava aprisionada nos meus próprios pensamentos infernais.

Eu não sabia que nossa mente era capaz de ficar tão sobrecarregada, se concentrando em um milhão de coisas ao mesmo tempo, e a minha era especialista nisso. No momento, meus pensamentos consistiam em:

Vou ter que arrumar um emprego de verdade? Vou ficar em Havenbarrow ou voltar pra cidade grande? Por onde anda o Penn? Será que ele está mesmo com saudade ou só se sente sozinho? Se ele sente a minha falta, por que não veio me procurar?

Porque ele não sabe onde você está, Kennedy.

Se ele realmente se importasse, não tentaria me encontrar? Não ligaria em vez de apenas mandar mensagens?

Eu também me perguntava o que Jax estaria fazendo durante as tempestades. Ele realmente havia falado sério quando disse que não queria se reaproximar? Era difícil acreditar nisso. Eu tinha tantas perguntas, tipo como foi que aquele garoto magrela se transformou naquele homem musculoso? Por que tinha parado de escrever para mim? E, mais importante, o que havia acontecido com a mãe dele?

Sempre que eu falava com Yoana, sua voz soava mais preocupada. Às vezes, queria que ela não conseguisse ler meus sentimentos tão bem — mesmo pelo celular —, mas minha irmã sabia que o peso na minha alma era difícil demais de suportar em certos dias.

Eu sempre jurava para ela que estava bem. Eu me sentia mal por mentir, mas ela estava do outro lado do mundo — não havia nada que pudesse fazer para melhorar as coisas. Ninguém além de mim podia lidar com a minha tristeza e a minha ansiedade. Ninguém além de mim seria capaz de me salvar.

Bem, ninguém a não ser, talvez, Joy Jones.

Um dia, quando estava presa em casa, andando de um lado para o outro na sala de jantar, prevendo outra noite sem dormir, ouvi uma batida à janela. Levantei o olhar e vi Joy parada ali, jogando algo na minha direção. Ela estava esticada para fora de sua janela aberta e jogava coisas para chamar minha atenção. O braço dela já estava ensopado.

Sem entender o que estava acontecendo, fui abrir a janela.

— Oi — falei, hesitante, levantando uma sobrancelha. — Está tudo bem?

Eu sabia que ela tinha uns oitenta e muitos anos e, se houvesse alguma emergência, queria poder ajudá-la da melhor maneira possível. Eu não era a pessoa mais equilibrada do mundo, mas seria capaz de reunir coragem para socorrer alguém.

— Oi, querida. Está. Eu só queria saber se você gostaria de vir tomar um chá — respondeu ela, toda fofa.

— Hum, já são mais de dez da noite, Joy.

Seu sorriso se tornou mais largo, e ela assentiu uma vez com a cabeça.

— Um vinho, então?

Eu ri e concordei. O que mais eu faria? Ficaria sentada ali pelo resto da noite, pensando demais em tudo? Coloquei uma capa de chuva e botas. Quando abri a porta da frente e vi o temporal que caía, com os raios iluminando o céu, meu peito se apertou de nervosismo.

É só até ali, Kennedy. Você vai aqui do lado.

Mas não consigo me mexer.

Quanto mais o céu chorava, mais apertado meu peito ficava, e a sensação de pânico começava a crescer. Eu precisava ser melhor nisso. Eu tinha de ser capaz de andar sem me preocupar. Mas vislumbres da noite do acidente rodopiavam em minha mente, e não conseguia afastá-los.

Não dá, pensei, fechando os olhos constrangida, envergonhada.

— Dá, sim — chamou uma voz. Eu me virei para a esquerda e vi Joy sorrindo para mim, com um olhar repleto de sinceridade. — Vamos lá, você não está sozinha. São só alguns passos. Sua taça de vinho está esperando.

— Eu... minha... — Fechei os olhos e respirei fundo. Minhas mãos começavam a tremer pelo medo que me tomava.

— Não tem problema sentir medo, querida — disse Joy. — Você pode sentir medo e ser corajosa ao mesmo tempo. Agora, venha. O vinho está gelado, e a companhia é boa. Você pode até prender a respiração e vir correndo, mas venha. Assim, podemos respirar juntas.

Fiz o que ela sugeriu. Prendi a respiração e sai em disparada pelo quintal, contornando a calçada e acelerando pelo caminho até a casa dela. Assim que cheguei à varanda, entrei correndo na casa sem ser convidada, feito uma louca descontrolada.

Fiquei tremendo no hall de entrada, tentando me secar da chuva, e Joy me acompanhou até lá dentro, me entregando uma toalha que já havia separado para mim.

— Prontinho. — Ela sorriu. — Não foi tão ruim assim.

Ah, se ela soubesse como meu coração estava acelerado. Tinha sido bem pior do que parecia.

— Branco ou tinto? — perguntou ela.

— Hum, branco, se tiver.

— Ah, querida. Eu tenho de tudo. Agora, venha, senta aqui no sofá e fica à vontade. Montei uma tábua de frios pra nós beliscarmos enquanto conversamos. Está bem ali na mesa, se você quiser.

— Obrigada, Joy.

Eu me acomodei no sofá e tentei acalmar meu coração ainda disparado. A casa dela era mesmo um lar, onde tudo parecia autêntico e importante. As paredes eram cobertas com molduras que não combinavam nada uma com a outra e exibiam fotos em preto e branco de todos os momentos lindos da vida dela. Além disso, os móveis eram vibrantes, e não havia um canto escuro, porque luminárias de diferentes alturas estavam espalhadas por todo lado.

Havia uma parede cheia de obras de arte, realçadas pela iluminação, que era linda. Havia pinturas e esculturas que emanavam boas energias. Era como se eu estivesse em um museu, observando obras-primas. Tudo simplesmente de tirar o fôlego.

Joy voltou com as maiores taças de vinho que eu já tinha visto e, em um piscar de olhos, ela se tornou oficialmente minha nova melhor amiga. Cada taça devia conter pelo menos metade de uma garrafa.

Sorri, satisfeita.

— Que taça enorme.

Ela me entregou a minha.

— Algumas noites pedem taças maiores.

Pois é.

— Como você sabia que eu precisava de um vinho? — brinquei, bebericando o que provavelmente era o melhor vinho branco que tomei na vida.

— Notei que você estava andando de um lado para o outro nas últimas noites. Não que eu estivesse bisbilhotando nem nada, é que meu cantinho de leitura fica virado pra sua sala de jantar. Imaginei que você não conseguisse dormir durante tempestades.

— Fico um pouco nervosa — confessei, ao não ver motivos para mentir. — Então, obrigada. É muito bom ter companhia. Eu estava mesmo meio inquieta e quase perdendo a cabeça.

— Hum. — Ela assentiu, compreensiva. — As coisas são assim às vezes. Algumas tempestades parecem que vão durar pra sempre, mas eu aprendi, por experiência própria, que elas passam, não importa o que aconteça.

Essa era uma boa reflexão, que eu faria questão de lembrar.

— Sabe o que é bom manter em mente? — perguntou ela.

— O quê?

— Mesmo com nuvens de chuva no céu, o sol está sempre lá.

— É bom pensar assim — concordei. — Mas às vezes é difícil lembrar disso.

Ela deu um tapinha no meu joelho.

— Pode acreditar, eu sei. Tenho quase noventa anos, mas também me esqueço disso de vez em quando. Por outro lado, é pra isso que o vinho existe. — Ela se remexeu sobre a almofada. — Então, o Jax parece estar interessado em você.

Bufei uma risada.

— Interessado em mim? Nada disso. Na verdade, ele deixou bem claro que quer manter distância.

— Ah, querida — ela fez um aceno com a mão —, o Jax não estava falando sério. Ele é só cabeça-dura, igual ao meu Stanley. Demonstrar emoções é difícil pro Jax. E ele também não se permite senti-las com frequência. Faz muitos anos que aquele garoto vem até aqui beber comigo, e é raro ele se abrir. Ele se faz de durão, como se fosse uma muralha, mas é um molenga, uma manteiga derretida. E já reparei na forma que ele olha pra você desde que você chegou na cidade.

Fui tomada pelo nervosismo.

— Como ele olha pra mim?

— Como se quisesse saber mais sobre você.

Baixei a cabeça e me concentrei nos meus dedos.

— Há muitos anos, ele era meu melhor amigo. Nós passamos dois anos indo pro mesmo acampamento de verão, e trocamos cartas por uns três. E aí, um dia, as cartas pararam de chegar. Ele simplesmente.. sumiu.

Os olhos de Joy se arregalaram de surpresa.

— Vocês se conheceram quando eram pequenos?

— Sim. Ele era... — Sorri, pensando na versão criança de Jax. — Ele era o menino mais meigo que um dia conheci. O mais quieto e também o mais meigo.

— Sim. Essas coisas não mudaram com o passar dos anos. E ele sabe? Que você é... você?

— Sabe, mas falou que seria melhor a gente não ficar relembrando o passado.

— Ah, que baboseira de merda — resmungou Joy, arrancando uma gargalhada de mim. — Você não pode levar em conta porcaria nenhuma do que o Jax diz. Sabe por quê?

— Por quê?

— O coração dele está programado pra se autodestruir. Ele afasta as coisas boas porque acha que não as merece, mas eu conheço aquele garoto, talvez melhor do que ele mesmo se conheça, e ele precisa de um ombro amigo. Acho que ele precisa de você mais do que seria capaz de admitir.

Balancei a cabeça e tomei um gole de vinho.

— Duvido que ele queira que eu seja essa amiga. Além do mais, é como você disse, ele é uma muralha. Não tenho como passar por cima disso.

— Claro que tem. — Ela baixou a taça de vinho e foi até a lareira, onde havia algumas velas. Então pegou um isqueiro e acendeu cada uma. — Você perdeu alguém, não foi?

Eu me empertiguei. Mesmo com toda aquela fofoca rolando, não tinha contado a ninguém sobre minha filha.

— Co-como? Do que você está falando? Como você...?

Ela me fitou por um instante e sorriu.

— Eu vejo nos seus olhos, vejo a aura da perda ao seu redor.

Senti um calafrio percorrer meu corpo com as palavras que saíam da boca de Joy.

— Eu... é...

Minha boca ficou seca enquanto eu tentava formar as palavras, e ela balançou a cabeça.

— Não, não, querida. Você não precisa falar sobre isso se for muito difícil. Eu entendo, mas quero que você saiba que não precisa ficar sozinha com a sua perda. Poucas coisas neste mundo unem todos nós: a vida e a morte, o dia e a noite. O Jax também passou por uma tragédia, e, como vocês dois têm um passado juntos, acho que talvez consigam se reconectar de alguma maneira.

— Acho que ele não me quer na vida dele. Não muito, pelo menos.

— Aposto que quer. O pai do Jax também está no fim da vida, e sei que isso está acabando com ele, apesar de não tocar no assunto. Veja bem, não estou contando essas coisas pra você forçar a barra com ele. Só acho que a cura vem com o tempo, com paciência e com amigos. E vocês dois parecem precisar de um ombro amigo agora — explicou Joy.

— Como vou convencê-lo a ser meu amigo? Como faço pra ele se abrir comigo?

— Apenas seja você mesma. Tenho certeza de que isso basta. Se nada der certo, dê um empurrãozinho nele. Às vezes, na vida, precisamos de um empurrãozinho pra lembrar que ainda conseguimos nos mover.

Eu me lembrei do que aconteceu alguns dias antes, quando meu ataque de pânico veio com tudo, e eu não conseguia andar. Lá estava

Jax, me dando força, me guiando de volta para casa. Se ele era capaz de me ajudar, o mínimo que eu podia fazer era tentar retribuir o favor. O que poderia acontecer?

Eu e Joy terminamos nosso vinho e ficamos conversando sobre a vida. Ela me fez rir, me tirou de casa, onde enfrentava meus próprios pensamentos e sofrimentos. Fiquei muito grata pelo seu carinho. Ela foi uma das primeiras pessoas na cidade que parecia querer ser minha amiga de verdade.

Quando perguntei por que fazia tanto tempo que ela não saía de casa, sua resposta foi muito simples:

— Eu vou aonde encontro amor. O coração das pessoas que eu amo está aqui. Quando o amor for para outro lugar, com certeza irei atrás. Aqui é o meu refúgio até Deus me dizer que não é mais.

Levantei-me para ir embora, mas parei no corredor repleto de fotografias. Observei os rostos sorridentes, que me fizeram sorrir também.

— Esse é o seu marido? — perguntei.

— Sim, esse é o meu querido Stanley cabeça-dura.

— E a menina?

— A minha Bethany. Ela faleceu cedo. Passamos dezoito anos maravilhosos juntas antes de o câncer levá-la embora.

Meu peito se apertou.

— Sinto muito.

Eu queria abraçá-la, e queria chorar, mas só fiquei ali parada.

— Também sinto muito, Kennedy. De verdade.

Eu não tinha contado a ela, mas, de alguma maneira, Joy sabia da minha perda. Coloquei o casaco e as botas, então saí para a varanda. Nós nos despedimos, mas, antes de ir embora, me virei de novo para ela, fazendo a pergunta que eu vinha tentando responder havia algum tempo.

— Como se supera a perda de uma filha?

Ela se aproximou de mim e cruzou os braços.

— Você não supera. Você só segue em frente e agradece pelo tempo que tiveram juntas. No meu caso? Gosto de acreditar que, quando a

Bethany se foi, ela se transformou no vento. Então sinto sua presença em todo lugar. — Ela esticou a mão, fechou os olhos e respirou fundo. — Até durante as tempestades.

Sorri para ela antes de puxá-la para um abraço apertado. Agradeci por tudo que ela havia me dado naquela noite e voltei correndo para minha varanda. Porém, desta vez, antes de entrar, fechei os olhos e senti o vento dançando em minha alma.

13

Jax

— Ele estava mais lúcido hoje — disse Amanda quando passei na recepção para anunciar minha visita. — Lembrou meu nome.

— Ele tratou você mal? — perguntei.

— Ele seria o Cole Kilter se não tratasse?

Justo.

— Ele disse alguma coisa sobre mim? — resmunguei.

— Meio que chamou você de babaca.

Justo também.

Eu não estava muito a fim de fazer uma visita depois de um dia de merda no trabalho, mas sabia que me sentiria culpado se não lesse alguns capítulos do livro para ele. Mesmo assim, isso não mudava o fato de que eu estava esgotado. Fazia dias que não me sentia bem. A verdade era que aquela chuvarada toda tinha me desanimado, meu trabalho era um saco, e eu não conseguia parar de pensar em Kennedy. A partir do momento em que descobri quem ela era, foi como se eu tivesse destravado um redemoinho de memórias com as quais não sabia lidar. Eu estava me afogando nas lembranças.

Uma parte de mim queria conversar com ela. Esbarrar com ela na cidade e perguntar como estavam as coisas. Essa parte era idiota. Quase tudo em que eu tocava se transformava em merda, e a ideia de me reaproximar de Kennedy e tudo dar errado era um risco que eu não estava disposto a correr.

Nós tínhamos nosso passado. Tínhamos nossa história.

Eu só me perguntava por que diabos ela havia parado de responder às minhas cartas.

— Como você está? — perguntou Amanda, me arrancando dos pensamentos a respeito de uma mulher que não era ela.

Também me sentia culpado por causa disso. Na última semana, havia pensado em Kennedy um milhão de vezes mais do que em Amanda, apesar do nosso término ser muito recente.

— Estou bem — respondi, seco. — Boa noite.

— Jax, espera. — Ela esticou a mão e agarrou meu braço, mas eu não queria ter de lidar com ela hoje. Droga, eu não queria ter de lidar com nada. — Não precisa bancar o forte sobre a situação do seu pai. Sei que ele é um demônio, mas não tem problema se você estiver triste. Se precisar, pode conversar comigo.

— Não tenho nada pra conversar. Estou bem.

— Mentira.

Engoli em seco e olhei para baixo.

— Amanda?

— Sim?

— Me larga. — Eu me referia ao meu braço e a mim também.

Ela me soltou.

— Tudo bem, seu teimoso. Não sei por que você cisma em passar por tudo sozinho. Mesmo que não queira conversar comigo, espero que fale com alguém.

— É pra isso que serve a terapia — murmurei.

Pena que eu não estava indo.

Tirei o livro do bolso do casaco, torcendo para que meu pai não estivesse lúcido demais quando eu entrasse no quarto. Isso não era muito escroto? Eu pedia para um Deus em quem não acreditava que a memória do meu pai estivesse tão deteriorada a ponto de ele não se lembrar de mim.

Entrei no quarto e o encontrei sentado em uma cadeira de rodas, encarando a janela. Já havia escurecido, então ele não devia estar vendo nada muito interessante. Pigarreei e me aproximei dele, sem saber o que aconteceria. Ele me fitou com seus olhos azuis da cor do mar e piscou. O lado direito do seu corpo estava paralisado, e a boca ficou aberta enquanto ele me encarava. O olhar inexpressivo que recebi deixava claro que ele não me reconhecia.

Pigarreei.

— Oi, Sr. Kilter. Vim ver se o senhor gostaria que eu lesse uns capítulos deste livro.

Ele concordou de leve com a cabeça, então virei sua cadeira para mim antes de me sentar à sua frente. Ele parecia bem acabado, e, de vez em quando, eu precisava limpar seu rosto. Era difícil vê-lo naquele estado, sabendo que sua aparência nem se comparava ao que acontecia no interior do seu corpo.

Ninguém quer ver o corpo do próprio pai ir parando de funcionar com o passar dos anos. Essa parecia ser a maldição da vida — observar aqueles que nos trouxeram ao mundo sucumbirem, um simples lembrete de que a vida é muito mais curta do que qualquer um de nós imagina.

Enquanto eu lia, ele olhava para a frente. Não era como se ele me encarasse, e sim como se observasse algo atrás de mim. Na metade do terceiro capítulo, percebi que seus lábios estavam se mexendo.

— Bo-oo-om — resmungou ele, me fazendo levantar uma sobrancelha.

Vê-lo murmurar agora, após anos me batendo por causa dos meus murmúrios, era um tanto irônico. A vida era uma piada idiota.

— Bom? — perguntei.

Ele concordou com a cabeça, quase sem se mexer.

Meu coração de pedra tentou bater pelo pobre coitado.

Então notei uma pequena poça de líquido se formando no chão, embaixo dele. Eu me levantei no mesmo instante ao me dar conta de que ele tinha urinado na calça. Saí em busca de alguém para ajudar. Duas enfermeiras vieram limpá-lo e colocá-lo de volta na cama. Fiquei apertando o livro com força.

Logo depois de ser colocado na cama, ele caiu no sono, então fui embora, passando direto por Amanda, que ficou me encarando.

Entrei na picape e joguei o livro no banco do carona. Virei a chave na ignição e parei. Minhas mãos apertavam tanto o volante que as juntas dos dedos estavam brancas. Continuei sentado ali por alguns instantes, absorvendo todo o silêncio que me cercava.

Peguei o celular e liguei para meu irmão. A conversa foi como o esperado. *Ele não é sua responsabilidade, Jax. Você devia sair dessa cidade e começar uma vida nova. Você não é o culpado pela morte da nossa mãe.* Era sempre a mesma coisa.

No caminho para casa, pensei no meu pai, no homem que ele fora, no homem que havia se tornado. Pareciam duas criaturas completamente diferentes. Uma me apavorava; a outra me dava pena. Ninguém merecia passar por uma situação dessas, se sujando daquele jeito sem conseguir fazer porra nenhuma.

Meu coração não tinha pena do homem que meu pai fora. Que se danem aquele cara e as feridas físicas e emocionais que ele tinha me causado. Que se fodam os anos de terapia que não ajudaram em quase nada. Que se fodam aquelas mãos que me batiam, me machucavam, me diminuíam.

Que se foda a pessoa que meu pai foi.

E que se foda a pessoa que ele era naquela noite.

Que se foda o homem que fez meu coração de pedra tentar se partir. Meu coração não podia mais se partir, porque já estava despedaçado.

~

Quando entrei em casa, decidi dar uma volta na floresta para tentar colocar a cabeça no lugar. Minha mente estava a mil. Eu estava cansado, mas sabia que não havia a menor possibilidade de dormir.

Conforme fui me aproximando do meu lugar de sempre, parei, pois vi uma mulher sentada no meu banco. Quando cheguei mais perto, vi quem era.

— O que você está fazendo aqui? — bradei, inclinando a cabeça, sem acreditar no que estava vendo.

Kennedy levantou o olhar e abriu um meio sorriso. Ela escrevia em um caderno quando foi interrompida por mim.

— Oi — arfou ela. — Eu, hum, só precisava de um pouco de ar fresco.

— Tem ar fresco em outros lugares.

— Sim, mas este lugar é o mais bonito que encontrei.

— Você está invadindo a minha propriedade de novo — resmunguei, irritado com a necessidade dela de quebrar as regras. Porém, secretamente aliviado por vê-la.

A verdade era que eu não sabia o que estava sentindo. Depois daquela visita horrorosa ao meu pai, minhas emoções estavam um pouco mexidas.

— Acho que nós dois vamos ter que nos conformar com o fato de que sou a garota que invade a sua propriedade.

Fiz uma careta e passei a mão pelo cabelo. Como eu podia querer que ela estivesse ali e que fosse embora ao mesmo tempo?

Ela deslizou para o lado no banco e indicou o espaço vazio.

— Você pode se sentar comigo.

— Não quero conversar — esbravejei.

— Tudo bem. Você nunca gostou muito de falar.

— Também não quero que você fale — insisti.

Ela franziu a testa.

— Bom, nós dois sabemos que eu costumo ser meio tagarela, mas posso ficar quieta hoje.

Eu deveria tê-la mandado embora e voltado para a minha casa. Eu deveria ter dito para ela não aparecer mais ali. Eu deveria ter dito que nunca mais queria vê-la de novo, porque minha vida estava ótima sem sua presença.

Em vez disso, me sentei, porque ficar triste sozinho às vezes era insuportável.

Ficamos em silêncio por um bom tempo. Kennedy continuava escrevendo no caderno, e eu espiava suas anotações de vez em quando. Era uma lista de tarefas. Coisas para ver e fazer em Havenbarrow.

- Conhecer o gato Marshmallow.
- Noites de cinema em preto e branco.
- Biblioteca escondida.
- Me reaproximar de um velho amigo.
- Dizer pro Jax que não me incomodo de ele estar lendo minha lista.
- Perguntar ao Jax se ele está bem.
- Pedir ao Jax que pare de ficar bufando pelo nariz porque sabe que estou escrevendo mensagens pra ele.

Soltei um gemido, afastando o olhar do caderno.

— Você é estranha.

— Acho que essa era uma das minhas qualidades de que você mais gostava.

Fiquei quieto.

Ela continuou insistindo:

— Você está bem? — perguntou ela.

— O que aconteceu com a regra do silêncio?

— Você sabe que eu tenho dificuldade com isso.

Balancei a cabeça.

— Não sei quase nada sobre você agora. Nós éramos crianças naquela época. Muita coisa mudou.

— Tipo o quê? — questionou ela.

Fitei seus olhos cor de mel e, por um instante, não quis desviar deles. Eu queria abraçá-la também. Queria contar tudo o que aconteceu durante esses anos. Queria compartilhar o peso das minhas dores. Queria uma amiga.

Eu queria uma amiga, mas não merecia.

— Não importa o que mudou — respondi. — O que importa é que as coisas mudaram.

— Você está bem, Jax? — repetiu ela, e agora sua voz estava tomada pelo tom mais sincero e gentil que eu tinha ouvido em muito tempo.

— Não é da sua conta.

— Mas eu quero que seja. — Ela tocou meu braço, e foi como se um relâmpago tivesse atingido a minha alma. Aquele simples contato disparou uma corrente elétrica pelo meu corpo todo, direto para o meu coração, tentando reanimá-lo. — Se você precisar conversar, Jax — ofereceu ela de novo, e deixei sua mão permanecer onde estava por um momento, porque seu calor parecia me curar.

Por que o toque de Amanda não causava a mesma sensação?

Afastei meu braço de Kennedy, e o frio retornou. Juntei as mãos e baixei a cabeça enquanto as juntas dos meus dedos ficavam brancas. Mais palavras não ditas. Então, o murmúrio lentamente saiu dos meus lábios.

— Meu pai está morrendo — confessei.

— Eu sei. A Joy me contou. Sinto muito, Jax.

— Ele é um babaca. Ou pelo menos era antes de tudo isso.

— E agora?

— Agora ele simplesmente está lá, sem nada.

— Ele tem você.

— Nunca fui suficiente pra ele antes, então duvido que seja agora.

O que eu estava fazendo? Por que estava falando sobre aquilo? Antes que ela me tocasse de novo e disparasse outro choque pelo meu corpo, eu me levantei. Franzi a testa, enfiei as mãos nos bolsos da calça jeans e comecei a recuar mentalmente para minha solidão.

— Você não pode entrar no meu terreno — avisei. — Se continuar vindo pra cá, vou chamar a polícia.

Ela também se levantou.

— Lua, eu...

— Não me chame de Lua — rebati, irritado. — Vá embora, Kennedy.

Os ombros dela murcharam, e tentei não olhar na sua direção. Eu não podia olhar para ela, porque, se olhasse, imploraria para que não partisse.

— Desculpa. Achei que você estava precisando de uma amiga — disse ela.

— Não preciso de amiga nenhuma — rebati, suspirando de leve. — Não preciso de ninguém. Lembra? Eu sou o babaca da cidade. Não quero ficar trocando confidências com você.

14

Kennedy

— Não — gritei quando Jax começava a se afastar.

Ele se virou para mim e inclinou a cabeça.

— O quê?

— Eu disse que não. Você não vai embora agora.

— Você perdeu o juízo? — bradou ele, sua voz cheia de raiva. Ou era dor? Seus olhos transmitiam sofrimento, mas sua voz exalava irritação.

— Perdi, há muito tempo, mas isso não vem ao caso. A questão é que você precisa se sentar e conversar comigo.

— Não vou fazer isso — declarou ele. — E se você não sair do meu terreno agora...

— Você vai chamar a polícia, sim, eu sei, blá-blá-blá... Já entendi, Jax. Esse é o seu papel na cidade. Você é o lobo mau. O homem frio e durão que não deixa ninguém se aproximar, mas eu conheço você. Conheço você de verdade. Aquele menino meigo, sensível continua aí. Sei que você não é um babaca completo.

— Será que você não pode simplesmente voltar pra casa e fingir que a gente não se conhece?

— Não, não posso, porque dá pra perceber que você vem carregando peso demais nas suas costas há muito tempo.

Ele me encarou com um olhar pesaroso. Um olhar que nunca o abandonava de verdade, que estava ali desde o dia em que nos encontramos na floresta. Eu nem imaginava há quanto tempo aquele sofrimento vivia dentro dele.

— Eu entendo — disse ele. — Você acha que existe alguma conexão idiota de almas entre nós porque a gente ia pro mesmo acampamento de verão há uma eternidade, mas isso não faz sentido, porque agora sou completamente diferente do garoto que eu era naquela época.

— E eu sou completamente diferente da garota que eu era — concordei.

— Essas suas roupas coloridas pra caralho e a sua incapacidade de entender quando uma conversa chegou ao fim mostram o contrário.

Abri um sorrisinho e alisei meu vestido amarelo fluorescente com a mão.

— Tá, acho que algumas coisas não mudaram tanto.

— O que não é o meu caso. Sem querer ofender, mas não estou a fim de retomar contato com você e ficar trocando histórias do acampamento enquanto assamos marshmallows. Não tenho tempo pra esse tipo de coisa, sou ocupado demais. Então, se você puder...

— Predestinação — falei, me empertigando. — Você me ensinou essa palavra. Lembra? E mais um milhão de outras. Mas predestinação era a minha favorita. Significa...

— Eu sei o que significa — sibilou ele —, mas nós não somos predestinados. Não é coisa do destino.

— Talvez seja — argumentei. — Só estou dizendo... isso tem que significar alguma coisa. O universo fez a gente se reencontrar por um motivo.

— O universo não controla ninguém. Já estou de saco cheio dessa filosofia millennial. Essa história de destino não existe. Se você precisa de um motivo pro nosso caminho ter se cruzado depois de todos esses anos, aqui vai: nós dois morávamos a uma hora de distância do acampamento, o mundo é pequeno pra caralho, e as pessoas mudam de cidade.

Por um acaso, você veio morar na minha. Sua teoria sobre o universo e coincidências divinas ainda faz algum sentido?

— Nem tanto, admito.

Ele olhou para mim e contorceu a boca, como se tivesse algo a dizer, mas não quisesse dividir comigo. Então balançou a cabeça e se virou de volta para a direção de sua casa, e eu engoli em seco, pensando nas coisas que Joy havia me contado sobre o passado de Jax.

Comecei a segui-lo e disse as oito palavras que jamais deveria ter dito.

— Fiquei sabendo do que aconteceu com sua mãe.

Jax estava de costas para mim quando parou. Seus ombros se curvaram para a frente, e juro que senti o tempo parar. Eu não sabia mais o que dizer. Não sabia como continuar, mas, como tinha jogado as palavras no ar, não podia deixá-las pairando.

Dei alguns passos na direção dele, minha respiração parecia estar presa na garganta.

— Jax, sinto muito sobre...

— Não — interrompeu-me ele, fazendo minhas palavras se perderem. Sua cabeça balançava enquanto ele continuava de costas para mim. — Não fale sobre a minha mãe.

Apesar de as palavras parecerem ríspidas, ouvi sua voz falhar. Suas palavras não estavam carregadas de raiva — e sim de dor. Uma dor que eu conhecia muito bem.

— Foi um acidente, Jax. Não foi culpa sua.

— Você não tem a menor ideia do que foi minha culpa.

— Desculpa. Não queria chatear você. Só queria dizer que eu entendo o que você passou.

— Você não tem como entender o que eu passei, Sol — resmungou ele, e o apelido me acertou como um soco. Para ser sincera, a maioria dos meus dias ultimamente era mais parecida com as sombras da lua do que com raios do sol.

— Tenho, sim — falei, me esforçando ao máximo para mostrar que ele não era o único que estava sofrendo.

Ele se virou para mim, e seus olhos me atravessaram com sua tristeza. Naquele momento, senti o peso do mundo que ele carregava nas costas.

— Como? Como você entende?

— Foi por minha causa que meus pais e minha filha morreram — disparei.

Aquelas eram as minhas onze palavras. As onze palavras que ardiam ao sair da minha boca. As onze palavras que eu não falava em voz alta desde... nunca. Eu nunca tinha dito aquelas palavras. Yoana havia me proibido, mas eu sentia o peso delas todos os dias. O fato de que as palavras não eram ditas não significava que não fossem sentidas, e aquelas me sufocavam diariamente.

Os olhos de Jax se suavizaram enquanto ele permanecia parado ali, chocado com a minha declaração. Meu nervosismo chegou ao auge, alcançando níveis jamais vistos, me lembrando de como as feridas de uma pessoa podem se abrir em um instante.

Baixei a cabeça e me concentrei nos meus dedos, porque encarar aqueles olhos castanhos confusos fazia meu coração doer de um jeito insuportável.

— Chovia forte, e eu estava levando minha família pra jantar fora. Foi logo depois de uma briga com o meu marido. Ele estava me traindo com uma colega do trabalho, e eu descobri. Ele me chamou de paranoica, dramática, instável. Ele era o mestre da manipulação, fazia tudo parecer culpa minha, mesmo quando a responsabilidade não era minha. Ele negou minhas acusações sem nem me dar uma chance de conversar sobre o assunto. Era sempre assim, ele se afastava de mim quando eu mais precisava de apoio. Estava chovendo, e ele me mandou uma mensagem dizendo que queria o divórcio. Olhei pro celular quando a mensagem chegou, e isso bastou. Um milésimo de segundo. Uma mensagem de texto no momento em que eu passava por uma parte escorregadia da rua. O carro girou, e minha vida inteira mudou. Já faz mais de um ano, mas tem dias que parece ter sido há poucos minutos.

Ele não disse nada, mas também não saiu correndo. Quando o silêncio se tornou insuportável, levantei e o vi me encarando, e, por tudo que é mais sagrado, era impossível saber o que ele estava pensando. Fiquei me perguntando se Jax permitia que alguém se aproximasse dele a ponto de conseguir ler seus pensamentos.

Seus lábios se abriram, mas era como se ele não conseguisse encontrar as palavras certas para dizer. Será que havia palavras certas para uma situação como aquela?

Ele pigarreou. Suas sobrancelhas se franziram.

Abri a boca para pedir desculpas. Era óbvio que eu tinha falado demais. Era óbvio que eu estava interpretando aquela situação do jeito errado. Era óbvio que ele ia me abraçar.

Espera.

O quê?

Ele estava me abraçando.

O corpo de Jax envolveu o meu enquanto ele me puxava para perto de si e me apertava como se pretendesse ficar daquele jeito pelo resto da vida. Seus braços grandes e fortes me cercaram completamente, e eu me derreti. Eu me derreti contra seu corpo e sua alma. Eu me derreti na história do nosso passado.

Ele cheirava a cedro e às minhas memórias favoritas.

Eu queria ficar ali pelo máximo de tempo possível. Eu queria inalar seu aroma ainda mais e sentir seu conforto até cair no sono. Eu queria lhe agradecer por me ceder um momento para desabar em seus braços, apesar de eu ter certeza de que era ele quem devia estar sendo consolado, não eu.

Quando chegou o momento de nos afastarmos, ele deu um passo para trás, parecendo um pouco envergonhado pelo abraço repentino. Sequei meus olhos e soltei uma risada nervosa.

— Por essa eu não esperava.

— É. — Ele sorriu, ou pelo menos foi o que imaginei. — Nem eu.

— Vou deixar você em paz. Eu só queria que você soubesse que, se um dia precisar conversar com alguém, estou aqui.

Eu me virei para ir embora, mas então ele me chamou.

— Kennedy.

Girei outra vez e esperei pelas próximas palavras. Ele parecia ter dificuldade em conversar. Aquilo não era novidade — isso nunca tinha sido fácil para ele. Jax pigarreou de novo enquanto gesticulava para o espaço ao redor.

— Pode vir pra cá quando precisar de um tempo.

Meu peito se apertou ao ouvir aquelas palavras. Para algumas pessoas, elas pareceriam bobas e frias depois de tudo o que eu havia compartilhado sobre meus pais e minha filha, mas, vindas de alguém como Jax, elas iam muito além disso.

Ele estava me convidando para visitar seu paraíso, seu porto seguro, e era um convite que eu ia aceitar.

— Obrigada, Jax.

Ele ficou quieto, mas, antes de ir embora, o lado esquerdo de sua boca se curvou em algo que quase parecia um sorriso compadecido. Ele passou a mão pelo cabelo bagunçado e suspirou.

— Sou péssimo nisso.

— Péssimo em quê?

— Em lidar com gente.

Sorri.

— Jura? — perguntei, sendo irônica.

Os lábios dele se curvaram em um sorriso de verdade, e meu estômago deu uma cambalhota.

Lá estava ele.

O menino que eu conhecia ainda vivia dentro do homem de aço.

Eu só queria que ele aparecesse mais vezes para brincar comigo.

15

Jax

Doze anos
Segundo ano do acampamento de verão

— E você sabia que existem, tipo, quatrocentos bilhões de pássaros no mundo? Mas, quando a Kennedy me contou sobre eles no verão passado, não sabia o nome de nenhum. Foi por isso que fiz isto pra ela, pra ajudá-la a aprender sobre pássaros, porque acho que...

— Eita, vai devagar, Jaxson. Juro que nunca ouvi você falar tanto. — Minha mãe riu enquanto me ajudava a fazer as malas para meu segundo ano no acampamento de verão. — Fico feliz em ver você tão empolgado.

Eu estava empolgado. Eu estava muito, muito, muito empolgado.

Eu e Kennedy passamos o ano inteiro trocando cartas, e sempre que chegava uma em minha casa, eu a lia cinco milhões de vezes. Eu mal podia esperar para encontrar com ela pessoalmente. Não conseguia parar de pensar nela. Será que ela estaria diferente? Será que tinha crescido? Será que continuava falando sem parar? Eu torcia para que ela continuasse falando muito, porque, apesar de eu ter achado que ela falava demais, no começo, adorava quando ela não calava a boca, porque eu não precisava falar tanto.

Eu achava que ela estaria igual, só que melhor. Fiquei me perguntando se ela acharia que eu estava igual também. Eu tinha trocado de óculos e crescido três centímetros, com base nas marcações que minha mãe fazia na parede da sala de estar, mas, fora isso, eu era o mesmo Jax de antes. Bem, meu cabelo também estava maior. Devia ter cortado.

Fiquei me perguntando se ela notaria que algo havia mudado em mim.

— Estou animado pra encontrar com ela. Ela é minha melhor amiga — falei para minha mãe.

— Ei! — disse ela, me cutucando.

Dei uma risadinha.

— Você entendeu. Ela é minha melhor amiga. Você é minha melhor mãe-amiga.

Ela se inclinou e beijou minha testa antes de dobrar outra blusa e colocá-la na mala.

— Assim está melhor. Aceito o papel de melhor mãe-amiga com prazer. Agora, que tal você colocar na mala o presente que compramos pra ela?

Corri até a minha cômoda, onde havia dois presentes embalados perfeitamente — e quero dizer per-fei-ta-men-te. Eu fiz vários embrulhos até cada dobra do papel estar bem esticada. Levei mais de duas horas para conseguir, mas não me importava. Queria que eles estivessem perfeitos para Kennedy.

Eu estava torcendo para ela gostar da fita verde fluorescente. Eu jamais usaria uma fita verde fluorescente por opção, mas sabia que essa era a cor favorita dela, porque ela era minha melhor amiga, e eu sabia esse tipo de coisa sobre minha melhor amiga.

— Você acha que ela vai gostar dos presentes? — perguntei, sentindo meu coração entalado na minha maldita garganta. Eu havia levado meses pra preparar um dos presentes, e estava com medo de Kennedy não gostar dele.

Minha mãe abriu um sorriso que as mães davam para fazer seus filhos se sentirem melhor.

— Ela vai adorar, Jaxson. Confie em mim. Afinal, eu sou a sua melhor mãe-amiga. Eu não enganaria você.

O sorriso de mãe funcionou. Eu me senti melhor na mesma hora.

— Amanhã antes de ir, você quer passar na loja pra me ajudar a organizar os projetos que estou preparando para os quintais das casas que fiquei de fazer? — perguntou minha mãe, fechando minha mala.

Ela estava tentando abrir a própria empresa de paisagismo, chamada Recanto da Millie. Ela era apaixonada pelo trabalho, e eu mal podia esperar pelo dia em que inaugurasse sua loja. Eu adorava ajudar com o planejamento dos projetos. Apesar de ainda não ter uma empresa oficial, ela já cuidava do quintal de muita gente na cidade. Além do mais, estava bolando projetos para o terreno onde morávamos. "Flores por todo canto", ela vivia dizendo. "Flores silvestres brotando o ano inteiro. Esse é o meu sonho."

Eu não gostava muito de mexer na terra, mas adorava ser seu ajudante. Ela dizia que, um dia, talvez eu pudesse até herdar a empresa, mas eu dizia que seria terra demais para o meu gosto.

Eu não gostava de bagunça.

Eu gostava de tudo perfeitamente organizado.

— Ou ele poderia vir pescar comigo e com o Derek — disse meu pai, entrando no quarto. — Fazer uma atividade de macho pelo menos uma vez na vida.

Eu detestava pescar.

Eu detestava imaginar as minhocas.

Eu detestava imaginar os peixes se debatendo.

Eu detestava ver meu pai tirando as entranhas deles depois.

E mais do que tudo, eu detestava o fato de que meu pai sempre parecia decepcionado comigo por eu não querer fazer as coisas das quais ele gostava, como pescar, caçar ou praticar esportes.

Eu gostava de livros, de concursos de soletração, de escrever e de Kennedy.

Meu pai não entendia nada disso, então também tinha dificuldade em me entender.

— Paisagismo não é coisa de mulher, Cole. O mercado é dominado por homens, e é desrespeitoso fazer o Jaxson se sentir culpado pelos gostos dele — disse minha mãe, me defendendo, como sempre fazia quando meu pai se mostrava decepcionado por eu não ser mais parecido com ele.

Acho que era por isso que ela era minha melhor mãe-amiga. Ela sempre me apoiava.

— É, mas ele não bota a mão na massa. Ele não levanta peso nem trabalha de verdade — argumentou meu pai.

Sempre que ele fazia isso — me desmerecia —, meu estômago se revirava.

No mês passado, minha mãe disse que iria embora se ele não parasse com aquilo, mas acho que foi da boca para fora. Ela conseguia amá-lo mesmo quando ele não merecia ser tão amado assim.

— Chega, Cole — ordenou minha mãe.

Ele resmungou baixinho e passou a mão pelos cabelos pretos, que estavam começando a ficar grisalhos. Seus olhos se fixaram em mim por um instante antes de ele sair do quarto.

Eu me empertiguei ligeiramente, sentindo um nó na garganta.

— Talvez seja melhor eu ir pescar, pra ele não ficar bravo comigo.

— Não. Você tem sua personalidade, Jaxson, e o seu pai não pode transformar você em algo que você não quer ser. Se você não gosta de pescar, fim de papo.

Baixei a cabeça.

— Eu queria que ele fosse legal como você.

Ela me deu um beijo na testa e um abraço apertado.

— Você é perfeito do jeito que é, filho. Nunca se esqueça disso.

No dia seguinte, minha mãe colocou a mala no carro, e seguimos para o acampamento.

Guardei minhas coisas, e minha mãe chorou porque sentiria minha falta nas semanas seguintes, então nós nos despedimos. Peguei o presente de Kennedy e saí correndo para a entrada do salão principal, para esperar a chegada dela. Fiquei sentado no topo de uma pedra pelo que pareceu ser uma eternidade. Quando o carro amarelo todo desenhado estacionou, meu coração quase saiu do peito e correu direto para os braços de Kennedy.

Quando ela me viu, veio em disparada até mim, berrando meu nome tão alto que os alienígenas de Marte provavelmente a escutaram.

— Jax! Jax! Jaaaaaaaaaaaax! — gritou ela, correndo de modo entusiasmado na minha direção, balançando os braços.

Ela estava passando vergonha, e as pessoas nos encaravam como se fôssemos loucos, mas eu não me importava. Kennedy me ensinou isso. Ela me incentivou a não me importar tanto com o que os outros pensam.

Ela se jogou em meus braços, e nós rimos enquanto rolávamos pelo chão feito dois idiotas. Quanto mais Kennedy ria, mais eu ria também, porque ela tinha o tipo de risada que fazia todo mundo rir junto.

Ela me segurou, e ajeitou meus óculos tortos.

— Você trocou de óculos! — exclamou ela.

Suspirei.

Ela percebeu.

— Seu cabelo está roxo.

Ela suspirou.

— Você percebeu. — Ela me abraçou de novo.

— Eu estava com saudade, Sol — falei, abraçando-a ainda mais apertado.

Ela abriu um sorriso enorme, fazendo com que eu sorrisse mais ainda.

— Eu também estava com saudade, Lua. Estava com tanta saudade que trouxe um presente pra você!

— Eu também trouxe um pra você.

Nós nos levantamos, e lhe entreguei meu presente impecavelmente embrulhado. Ela revirou a mochila e tirou um presente perfeitamente imperfeito, embrulhado em uma folha de jornal, com fita adesiva demais.

— Você primeiro! — Ela apontou com a cabeça, dando pulinhos de empolgação.

Arranquei o papel e abri um sorriso enorme quando vi o que ela havia feito para mim. Era uma pulseira da amizade, com um pingente de lua.

Ela, então, esticou o braço para exibir uma pulseira igual, com um sol.

— Assim todo mundo vai saber que somos melhores amigos.

Eu a coloquei na mesma hora e não conseguia parar de sorrir.

— Você gostou? — perguntou ela, mordendo o lábio inferior.

— Adorei! Não vou tirar nunca mais. Agora, abre o seu.

Ela rasgou o papel de presente, e seus olhos se arregalaram ao ver o caderno.

— Um livro sobre pássaros? — perguntou ela, lendo a capa.

— É. Pesquisei várias espécies diferentes e escrevi sobre elas. Tem mais de trinta! Até desenhei algumas, pra gente ver quais vamos conseguir encontrar quando fizermos trilha. E eu trouxe dois binóculos na mala, caso você queira ver os pássaros de perto, e...

Antes que eu pudesse dizer mais alguma coisa, Kennedy estava se jogando em cima de mim, colando os lábios nos meus, e ela estava...?

Espera.

Este é o meu...?

Ela acabou de me...?

Aimeudeuselaestámebeijando!

A gente estava se beijando!

Beijaaaando!

Jax e Kennedy estão namorando!

Tudo bem, a gente não estava namorando, foi só um beijo, mas tudo bem, porque eu tinha acabado de dar meu primeiro beijo. Meu primeiro beijo com minha melhor amiga, Kennedy Lost.

Eu adoro o acampamento de verão!

Eu não sabia o que fazer, então só fiquei ali parado, com os braços ao lado do corpo, me perguntando se devia me sentir mesmo daquele jeito. Parecia que meu coração ia saltar do peito e começar a dar cambalhotas pela calçada, como se eu fosse capaz de dar um milhão de voltas correndo pelo acampamento sem perder o fôlego, como se eu estivesse voando. *Estou voando?*

Estou beijando Kennedy também?

Eu não tinha ideia do que fazer. Não sabia beijar. Meu irmão mais velho sempre dizia que eu só teria que me preocupar em beijar alguém quando tivesse uns quarenta e nove anos, e eu não tinha nem perto disso.

Ela parou de me beijar.

Droga.

Faz de novo.

Fiquei parado ali feito um bobo, sem saber o que fazer. Kennedy deu um passo para trás, e suas bochechas bonitas ficaram coradas. Eu não me lembrava das bochechas dela serem assim tão bonitas no verão passado, mas acho que Kennedy Lost era assim mesmo — ela ficava melhor a cada ano.

— Basorexia — murmurou ela.

Ela murmurou! Igual a mim. Meu coração ainda estava tentando fugir do peito.

Estreitei os olhos.

— Não sei o que isso significa.

Ela sorriu.

— Pesquisei várias palavras neste ano, e basorexia foi uma delas. Significa vontade de beijar.

Ah.

Minha nova palavra favorita.

Eu não conseguia falar nada, porque estava ocupado demais olhando para as bochechas perfeitas de Kennedy. Ela passou os dedos pelos seus cachos soltos e levantou as bochechas ao sorrir.

— Gostei muito do presente, Jax, então senti basorexia. Obrigada.

Ela se aproximou de novo, mas desta vez me deu um abraço.

Droga de novo.

— Desculpa se eu te deixei chateado — disse Kennedy, parecendo nervosa, o que era esquisito, porque eu não imaginava que uma pessoa como Kennedy seria capaz de ficar nervosa. — Mas foi o meu primeiro beijo, e minha irmã Yoana me disse que o primeiro beijo deve ser com alguém de que você goste, e, bom, você é meu melhor amigo e tal, e pensei que...

Ela parou de falar, porque eu a beijei. Desta vez, eu sabia que a estava beijando, que não fiquei só imóvel, isso porque senti uma basorexia enorme.

16

Kennedy

Hoje

Fui ao campo de flores todos os dias naquela semana. Eu me sentava em meio à beleza e praticava técnicas de respiração. *Inspira, expira, o coração continua batendo, ainda estou aqui.*

Ficava no campo pelo máximo de tempo possível, sentindo que estava retornando às minhas raízes, voltando a ser a pessoa que eu era. Certa vez, tarde da noite, quando estava no meio das margaridas, Jax surgiu, parecendo um pouco abalado. No instante em que notou minha presença, deu um passo para trás, como se fosse bater em retirada, porém notei um peso em seu olhar enquanto me encarava.

Fiquei me perguntando se ele via o peso no meu olhar também.

Bati no espaço ao meu lado para que ele se juntasse a mim, mas eu duvidava que meu convite fosse aceito.

O ar ficou preso na minha garganta quando ele deu um passo para a frente e veio na minha direção.

Na calmaria da noite, Jax se sentou ao meu lado.

Depois daquele dia, descobri os horários em que ele ia ao campo, e ele descobriu quais eram os meus momentos de meditação. Eu não consegui me conter e comecei a ir nos horários que sabia que ele estaria lá, e ele passou a aparecer sempre que eu estava sentada naquele banco.

Nesses momentos que passávamos juntos, o tempo parecia acelerar e, de alguma forma, congelar também. Nos dias em que nada no mundo parecia fazer sentido, sentar naquele campo me acalmava. A gente não conversava. Era como se palavras não fossem necessárias para encontrarmos nossa paz interior compartilhada. A quietude dele era muito reconfortante, como se seu silêncio fosse um cobertor quentinho no qual ele me envolvia.

Nunca na minha vida o silêncio tinha causado uma sensação tão boa até eu me sentar ao lado de Jax.

Foi só no fim de uma tarde, após quase uma hora sentados ali, que tomei coragem para finalmente quebrar o nosso silêncio. As palavras saíram baixinho, quase em um sussurro. Se a natureza não estivesse tão imóvel, ele não teria me escutado.

— Daisy — falei, encarando o campo florido. — Minha filha se chamava Daisy, que significa margarida em inglês. Dei a ela o nome da minha flor favorita.

Jax se virou para mim com um olhar perplexo.

— Então quando você encontrou este campo...

Funguei e passei a mão embaixo do nariz, antes de concordar com a cabeça.

— Fiquei meio atordoada. No dia anterior, eu tinha pedido aos meus pais um sinal, um sinal de que tudo ficaria bem, de que eu conseguiria me recuperar de alguma forma. Então saí pra dar uma volta na floresta e encontrei um campo de margaridas. Imaginei que fosse o sinal que os meus pais tinham me enviado.

Os cotovelos dele estavam apoiados nos joelhos, suas mãos unidas enquanto olhava para a frente.

— Não acredito em sinais.

— No que você acredita?

Ele franziu as sobrancelhas, e uma veia em seu pescoço começou a pulsar enquanto ele pensava.

Nada.

Ele não acreditava em nada.

Isso parecia doloroso. Se eu não tivesse minhas crenças, meus momentos breves de fé no universo, acho que teria morrido há muito tempo, junto com as pessoas que eu amava.

— Deve ser difícil... não acreditar em nada.

— Eu cheguei até aqui.

— Isso não quer dizer que foi fácil.

— Você tem razão, não foi. Que bom que você acredita em sinais. Eu queria conseguir acreditar, às vezes.

Sorri.

— Nunca é tarde demais pra começar a acreditar em alguma coisa.

— Pra mim, acho que é. Papagaio velho não aprende a falar... — Ele coçou a barba por fazer no queixo e pigarreou. — Então a tatuagem no seu pulso foi pra ela? — perguntou ele. — Pra sua filha?

Olhei para a margarida com o D invertido no interior e concordei com a cabeça. Minha mente voltou para minha última noite com Penn, quando Marybeth me perguntou sobre a tatuagem — a maneira como ele me repreendeu por eu não conseguir controlar minhas emoções, a maneira como me humilhou por eu ter chorado...

— É, sim.

— Por que o D está ao contrário?

— É... eu... — Meu peito apertou, e senti que começava a perder a batalha contra minha mente.

Jax deve ter percebido.

— Você não precisa falar sobre isso se não quiser — disse ele.

Mas a questão não era essa. Eu queria falar. Eu precisava falar sobre minha menininha. Era assim que eu a mantinha viva em meus pensamentos, mas Penn era sempre contra qualquer conversa relacionada a ela. Ele dizia que assim era mais difícil seguir em frente. Talvez este tenha sido nosso maior problema: ele queria seguir em frente, enquanto eu queria me agarrar ao passado. Nós puxávamos um ao outro em direções opostas. É claro que não daria certo. Era só uma questão de tempo até a corda arrebentar.

— Não, eu quero, mas sempre fico sensível ao falar sobre isso. Meu marido detestava que eu me emocionasse sempre que falava da nossa filha. Ele odiava quando eu mencionava o nome dela.

— Sem querer ofender, Kennedy, mas o seu marido parece ser um babaca.

Eu ri.

— Ele teve seus bons momentos. Eu com certeza não fui a melhor esposa do mundo. Não facilitei a vida dele.

— É, bom, mas eu posso odiá-lo mesmo assim. Continua — disse ele, dando um tapinha na minha perna. — Fala sobre ela.

Inspirei fundo e depois soltei o ar.

— Ela ficou comigo por seis lindos anos. Quando começou a escrever seu nome, ela fazia os Ds ao contrário, toda vez. Eu vivia corrigindo isso. Um dia, quando eu estava explicando que ela continuava escrevendo errado, ela colocou as mãos na cintura e disse: "Não tem problema, mamãe. Não leva a vida tão a sério. Os Ds também podem ser invertidos." — Eu ri, secando as lágrimas que escorriam dos meus olhos. — Fiz a tatuagem pra me lembrar disso, que eu não devia levar a vida tão a sério. Ainda estou tentando absorver a mensagem.

— O que mais? — perguntou ele.

Arqueei uma sobrancelha.

— Você quer saber mais sobre ela?

— Quero, se você quiser contar.

Meu coração partido começou a se recompor. Eu me remexi ligeiramente e me ajeitei no banco.

— Bom, então tá. Ela adorava bolinhas de sabão. Adorava mesmo. Sempre que estávamos chateadas com alguma coisa, nós soprávamos um milhão de bolhas no ar, e não parávamos até que estivéssemos rindo. A gente acabou aceitando que era impossível ficar triste quando estava cercada por um milhão de bolinhas de sabão.

Ele sorriu.

Jax sorriu.

Nossa, eu não sabia que precisava do sorriso dele até vê-lo.

— O que mais? — perguntou ele.

— Como assim?

— O que mais você quer me contar sobre ela?

Arqueei a sobrancelha.

— Você quer saber mais sobre ela?

— Se você quiser contar…

Então contei mais. Contei todos os detalhes sobre o meu anjinho querido e como ela mudou minha vida para melhor. Desde seus programas de televisão prediletos até sua cor favorita. Contei que ela adorava borboletas e bolo de chocolate. Então, ele me deixou falar sobre meus pais. Falei que minha mãe parecia um anjo quando cantava, que meu pai contava as piores piadas do mundo, mas elas eram engraçadas assim mesmo. Contei que minha mãe roncava quando ria e que meu pai gargalhava feito uma hiena. E que Daisy adorava dançar na chuva.

Assim que as palavras começaram a jorrar da minha boca, as lágrimas que escorriam se transformaram em risadas. Risadas. Eu estava rindo daquelas lembranças. Quando os risos pararam, nós dois ficamos sentados ali, com o céu ficando cada vez mais escuro.

Ele pigarreou.

— Tenho que ir visitar meu pai na clínica.

— Ah, tudo bem. Você precisa de alguma coisa? Posso ajudar de alguma forma? Se você quiser conversar sobre...

— Sol.

— Oi?

Ele abriu um sorriso triste.

— Ainda não cheguei nesse ponto.

Eu respeitava isso.

Ele se levantou e me ofereceu a mão.

— Posso te levar pra casa pelo caminho da floresta?

Segurei a mão dele. Aquela faísca continuava lá — ela nunca desapareceu.

Andamos em silêncio, e, quando chegamos à minha casa, agradeci a ele.

Com as mãos nos bolsos, ele se balançou para a frente e para trás como se estivesse pensando em algo que queria compartilhar.

— O que foi?

— Margaridas eram as flores favoritas da minha mãe. Eu as plantei em homenagem a ela, e escutar que esse era o nome da sua filha parece... — Ele deu uma risadinha para si mesmo e balançou a cabeça. — Predestinação.

Sorri de orelha a orelha.

— O quê? Jax Kilter passou a acreditar em destino?

— Não se empolga. Foi só um comentário. — Ele se remexeu meio sem jeito ao olhar para o meu quintal. — Posso ajudar aqui, se você quiser. Deve ser difícil encontrar alguém pra fazer isso, agora que você mandou o Lars embora. Minha mãe era paisagista. Eu ajudava bastante quando era mais novo, e fiz o campo na floresta. Se você precisar de uma mãozinha, posso cuidar disso.

Minha mãe era paisagista.

A palavra "era" se destacou mais do que eu desejava.

Ah, Jax.

Deixa eu te dar um abraço.

Meus lábios se afastaram em choque com a oferta.

— Sério?

— Não precisa me pagar. O Connor vai me ajudar com as coisas.

— Eu... isso... — Controlei minha vontade de jogar os braços em seu pescoço e inalar seu cheiro. — Sim. Por favor. Isso seria maravilhoso.

— Vou comprar o material pra começar ainda esta semana. Se você tiver um projeto, é só avisar. Se não tiver, posso tentar pensar em alguma coisa pra gente debater. Só preciso de uma lista das suas flores favoritas e das de que não gosta, das ideias que você gostaria incluir, e partimos daí.

— Está ótimo.

— Então tá. Preciso ir.

— Obrigada de novo, Jax. Por ouvir as histórias sobre os meus pais e a minha filha.

— Sempre que quiser contar uma história sobre eles, eu estarei aqui pra escutar.

Ele desapareceu pela floresta, e o frio que deixou na minha barriga continuou ali.

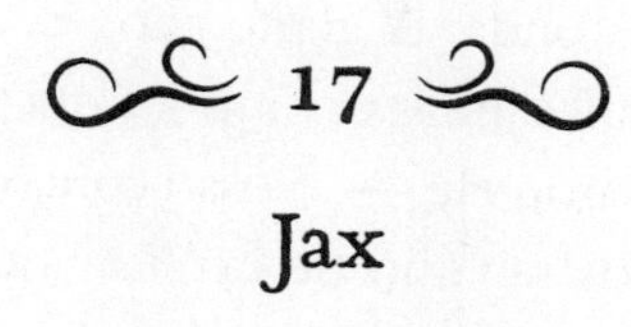

17

Jax

— Calma aí, me explica de novo. Vamos respirar fundo. Você está me dizendo que a gente vai se aventurar pelo mundo do paisagismo? — perguntou Connor, sentado à minha mesa, comendo a pizza que eu havia comprado para nós.

Ele ainda não sabia que a pizza era um suborno. Normalmente, eu lhe daria chips de couve-de-folhas e um shake proteico.

Ele enfiou a pizza na boca, sem desconfiar do rumo que a conversa estava prestes a tomar.

— Puta merda...

— Olha a boca — eu o repreendi.

— Que foda!

— Não melhorou nada.

— Não, você não percebe, Jax? Isso é ótimo! Todo mundo sabe que três é o meu número de sorte, e esse empreendimento novo será exatamente o meu terceiro! Vou ter três empresas antes mesmo de fazer dezoito anos. Quantas empresas o Bill Gates tinha aos dezessete? Aposto que não eram três.

— Levando em consideração que você só tem uma empresa funcionando, é melhor a gente não colocar o carro na frente dos bois.

— Aham, tá bom, sócio. Pode se fazer de desentendido — disse ele, batendo em meu ombro. — Você quer que eu invente um nome pra empresa? Posso fazer uns cartões de visita, pensar num slogan. Que tal assim? "Aparamos suas moitas e fertilizamos seu solo"? Ah! Ah! Ou "Dois Homens & Uma Poda"?

— Connor. Segura a onda. A gente não vai abrir uma empresa de paisagismo. Nós só vamos ajudar uma moça que demitiu o Lars.

— O Lars — resmungou ele. — Nosso concorrente.

Eu não ia me dar ao trabalho de explicar que Lars não era nosso concorrente, já que não tínhamos uma empresa de paisagismo. Nem valia a pena entrar nesse assunto.

— É só um único trabalho e acabou, entendeu? Eu te chamei para dar uma olhada nos projetos que fiz. Peguei a planta da casa, e temos liberdade pra fazer praticamente o que quisermos.

O único pedido de Kennedy? Margaridas e flores azuis.

A ideia das flores azuis me fez sorrir — elas com certeza levariam as vizinhas fofoqueiras, que julgavam tudo e todos, à loucura. Isso era algo típico da Kennedy que eu conhecia. Ela estava pouco se lixando para a opinião dos outros.

Connor esfregou as mãos.

— Vamos usar os materiais mais caros pra aumentar o preço. E, falando em preço, quanto a gente vai cobrar? Porque eu te conheço, sei que deve estar cobrando uma mixaria. Você precisa aumentar o preço dos serviços hidráulicos pra ontem. Você é um artista dos canos, Jax, e ninguém vai valorizar o seu trabalho se você não fizer isso primeiro.

Revirei os olhos até não poder mais.

— Não vamos cobrar nada.

Ele arregalou os olhos e inclinou a cabeça, sem acreditar.

— Hum... como é?

— É um favor.

Ele soltou uma gargalhada. Connor riu tanto que se inclinou para a frente, se segurando para não cair da cadeira, enquanto tinha uma crise de riso.

— Ai, nossa, minha mãe sempre diz que preciso limpar a cera dos ouvidos. Desculpa, acho que entendi errado, você pode repetir quanto eu vou ganhar pelo trabalho?

— Nada. Zero. Neca de pitibiriba. Vai ser só pela diversão.

— Minha diversão, Jax, é ganhar dinheiro.

Suspirei e apertei o nariz.

— Não vou conseguir fazer tudo sozinho, Connor. Preciso da sua ajuda.

— E eu preciso de renda. Desde quando você faz favores pra alguém além da Joy? De quem é o quintal?

— Da Kennedy Lost. A vizinha nova.

— Ai, meu Deus. — Connor abriu um sorriso sinistro e começou a cutucar meu braço. — Então é tipo uma amizade colorida? Vocês estão fazendo nheco-nheco?

— Nunca mais diga nheco-nheco... tipo... nunca mais mesmo.

— Olha, se vocês dois estão fazendo nheco-nheco, então eu apoio. Quero mais é que meu parça transe, e, se você precisar que eu plante umas sementes pra ajudar, pode contar comigo. Você vai arrumar o quintal pra entrar no jardim dela? Você quer plantar uns pepinos perto da florzinha dela? Tem uma berinjela gigante pra...

— Connor! — explodi. — Cala a boca.

Ele não conseguia parar de rir. Eu não estava vendo graça, mas ele estava se divertindo horrores.

— Eu não estou dormindo com ela — falei, torcendo para que ele esquecesse essa ideia.

Ele levantou uma sobrancelha.

— Nada de sexo?

— Nada de sexo.

— Nem umas preliminares?

— Não.

— Nem uma troquinha de saliva?

— Nem isso.

Eu nunca tinha visto Connor ficar tão decepcionado com alguma coisa antes. Ele se apoiou na beirada da bancada e balançou a cabeça, completamente incrédulo.

— Beleza, tô fora.

— Connor, para com isso. — Fiz uma careta e suspirei. — Por favor.

Ele se virou na minha direção como se uma segunda cabeça tivesse brotado em mim.

— Você... você acabou de dizer por favor? — perguntou ele, levando as mãos ao peito, em choque. — Nunca na vida ouvi você me pedir por favor pra nada!

— Para de drama.

— Não é drama. Você nunca falou por favor pra mim. Nunca.

— Isso é muito importante pra mim.

Eu não acreditava que estava implorando para um garoto de dezessete anos me ajudar com aquele trabalho. Desesperado era pouco para aquilo.

— Tudo bem, mas tenho exigências.

— Manda bala.

— Três vezes na semana, vamos almoçar besteira.

Estreitei os olhos e cruzei os braços.

— Duas vezes na semana.

— Quatro vezes, e não se fala mais nisso.

— De jeito ne... — Ele se virou para ir embora, e eu gemi. — Tá, três vezes na semana.

— Tudo bem, beleza. Tem mais! Você precisa ir na minha festa de aniversário fodarástica que você perdeu no ano passado porque disse que estava ocupado. E, inclusive, eu sei muito bem que isso era mentira, porque você não tem amigos, então não tinha como estar ocupado. Vou fazer o famoso dezoitão, então vai ter muita gente, Jax! Minha mãe vai dar a maior festa de todos os tempos, e tenho a maior notícia de todas pra anunciar na comemoração, então preciso do meu sócio lá. Você tem que ir.

— Tá. Combinado.

— A entrada vai custar vinte e cinco dólares, mas, pra você, faço por cem.

Aquele moleque estava abusando da sorte.

Arqueei uma sobrancelha.

— Tudo bem. Mais alguma coisa?

Ele esticou a mão para mim.

— Temos um acordo, sócio.

— Chefe — corrigi enquanto apertava sua mão.

— Que seja. Até onde eu sei, somos sócios igualitários a partir de agora. — Ele fechou a caixa da pizza e a pegou, como se fosse toda dele. — Preciso ir pra casa e pesquisar como me tornar um paisagista, pra parecer que entendo do assunto amanhã. Me manda um e-mail com os projetos que eu vou fazer uns acertos.

— Obrigado, Con.

Ele arregalou os olhos.

— Por favor e obrigado na mesma conversa? Vou falar pra minha mãe jogar na loteria hoje, porque acho que estou com sorte. Aliás, se a gente não usar "Dois Homens & Uma Poda" pra empresa de paisagismo, acho que podemos pensar em "Dois Homens & Um Cano" pros serviços hidráulicos. Acho que soa bem.

— Boa noite, Connor.

— Boa noite, Jax.

~

Connor não estava brincando quando falou que ia para casa pesquisar sobre paisagismo. Quando nos encontramos para comprar o material, ele já sabia tudo sobre ferramentas, plantas e solo.

Ninguém podia negar que ele era um trabalhador dedicado. Ele se dedicava a todos os projetos dos quais participava. Quando chegamos à casa de Kennedy para começar a cavar, Connor ficou com os fundos, enquanto eu cuidava do quintal da frente.

Kennedy nos ofereceu água e voltou para a varanda, retomando sua leitura. Eu não conseguia não olhar em sua direção toda vez que ela soltava uma gargalhada. Sua risada era um dos sons mais bonitos que eu já havia escutado. Para falar a verdade, eu continuava olhando mesmo quando ela não estava rindo.

Às vezes, eu era pego no flagra e desviava na mesma hora. Em outros momentos, abria um meio sorriso para ela antes de voltar ao trabalho. Quando uma garotinha passou em frente ao quintal dela de bicicleta, com o pai segurando a parte de trás para equilibrá-la, os olhos de Kennedy se afastaram do livro e se concentraram nos dois.

Vi o brilho em seu olhar desaparecer enquanto ela observava as interações entre os dois. A mesma coisa tinha acontecido no dia em que ela viu a menininha tomando sorvete. Será que isso sempre acontecia? Bastava ver uma criança para sua mente congelar em uma onda de confusão e tristeza?

— Sol — chamei, tirando Kennedy dos próprios pensamentos.

Ela se virou para mim e inclinou a cabeça.

— Oi?

— Com quem você conversa?

— Como assim?

— Com quem você conversa sobre tudo o que aconteceu?

Ela abriu um sorriso triste e deu de ombros.

— Com ninguém. Mas não tem problema. Estou bem.

— Você devia conversar com um terapeuta ou algo do tipo. Isso pode te ajudar.

Tudo bem que eu não estava cem por cento curado, mas gostava de pensar que nenhum ser humano na Terra superava totalmente tragédias passadas. Ainda assim, eu acreditava que conversar com Eddie ao longo dos anos tinha ajudado. Às vezes, era bom ter um profissional a quem recorrer.

— Eu estou bem, Jax. — Ela abriu um sorriso falso. — Não precisa se preocupar comigo.

Ela voltou para o livro, enquanto eu fiz o completo oposto do que ela pediu: estava bastante preocupado. Enquanto ela lia, continuei cavando e pensando.

— Hum… oi? Está ouvindo, Jax? — chamou Connor, se enfiando na minha frente e balançando as mãos. — Cara, você ficou surdo? Faz dois minutos que estou te chamando, e você está nessa hipnose esquisita, encarando a Kennedy feito um psicopata.

Balancei a cabeça.

— O quê? Eu não estava olhando pra ela.

— Estava, sim. — Ele estreitou os olhos ao mesmo tempo em que Kennedy se levantou para entrar na casa. Ele tirou a pá das minhas mãos. — Você disse que não estava transando com ela.

— Não estou.

— Então por que você está comendo ela com os olhos?

— Não fala em comer ninguém com os olhos — gemi.

— E não foge da pergunta.

— Você não entende. Eu e a Kennedy temos... um passado.

Ele levantou as sobrancelhas, contente.

— Não esse tipo de passado, palhaço. Não se anima — falei. — Nós éramos melhores amigos na infância. Faz muito tempo, mas ela foi uma parte importante da minha vida.

— Espera aí. A gostosa da Kennedy era sua melhor amiga?

— Era.

— O que vocês são agora?

— Nada. Só duas pessoas que moram no mesmo bairro.

Connor riu.

— Mas você quer mais do que isso. E ela? Ela quer ser sua amiga ou coisa parecida?

— Não. Quer dizer, sei lá. — Nossa, estava mesmo fazendo aquele calor todo? Eu estava suando? Por que Connor resolveu me encher de perguntas? — Quer dizer, ela disse que queria ser minha amiga um dia desses na floresta, mas achei que tivesse sido só por pena.

— Oouu — disse ele, arrastando a palavra. — Ela quer ser sua amiga.

Parei.

Pensei.

Neguei.

— Não. Acho que não.

Connor riu e revirou os olhos.

— Pra um cara fortão que é dono do próprio negócio, você consegue ser bem burro às vezes. É óbvio que essa história daria um roteiro de filme da Disney. Você é a Elsa, ela é a Anna, e você precisa passar tempo com ela. Não espera ela implorar pra vocês brincarem na neve. Toma a iniciativa.

Estreitei os olhos.

— Você sempre faz referência a *Frozen* quando quer animar os outros?

— Você parece ter entendido direitinho a minha analogia, então deu certo. Quer dizer, caramba, Jax. Olha, tem uma mulher, uma mulher linda de morrer, pedindo pra ser sua amiga e passar tempo com você, e você não quer? Tá maluco?

— Eu me ofereci pra dar um jeito no quintal dela.

— O que isso tem a ver com passar tempo com ela? Cara. Eu sei que sou meio irritante e dramático, mas você devia ser amigo dela. Você precisa de outros amigos além de mim.

— Desde quando nós somos amigos? — zombei.

— Não brinca com os meus sentimentos, Jax. Você sabe que eu sou sensível. Sério. Só passa um tempo com ela. Qual é a pior coisa que poderia acontecer?

Dei de ombros. Ela poderia perceber que não valia a pena ser minha amiga. Mas não falei isso. Soaria emo demais, até para mim.

— Você só precisa achar algo que ela goste de fazer e combinar de fazerem isso juntos. Aí as coisas podem ficar ainda melhor, porque sabe qual seria o resultado ideal? — perguntou Connor.

— Qual?

— Amizade co-lo-ri-da. — Ele começou a gesticular no ar, fazendo um gesto de cunho sexual.

— E chega de conversa.

— Chama ela pra sair, Jax.

— Não.

— Chama ela pra sair como amiga.

— Não.

— Só chama ela pra...

— Tá bom! — berrei, jogando as mãos para o alto. — Se eu chamar ela pra sair, você vai parar de me encher o saco?

— Claro. Fica tranquilo, você pode me agradecer depois.

18

Jax

Deixei Connor em casa, dei oi para a mãe dele e perguntei se precisavam de alguma coisa. Ela disse que não, mas agradeceu pela atenção. Antes de ir visitar meu pai, fiz uma parada na casa de Eddie e Marie. Toquei a campainha, sentindo o estômago embrulhar. Quando Eddie abriu a porta, pareceu surpreso ao me ver parado ali, então um sorrisinho se abriu em seus lábios.

— Você perdeu outra sessão — comentou ele, abrindo a porta de tela para falar comigo.

— É, eu sei. Ando ocupado. Escuta, a gente pode conversar rapidinho?

Os olhos dele se iluminaram, esperançosos, enquanto ele dava um passo para o lado.

— Sim, claro. Meu divã está sempre disponível pra você, Jax. Entra.

Entrei na casa, esfregando as mãos.

Marie veio dos fundos e sorriu, feliz em me ver.

— Ah, oi, Jax. Tudo bem com você? Não te vejo desde as esfe...

— Marie, faz um café pra gente? Vamos fazer uma sessão improvisada na sala de estar. — Eddie nitidamente não queria falar sobre a última vez que esbarrei com Marie na pia do seu banheiro.

Abri um sorrisinho para o terapeuta irritado.

— Não precisa de café. É uma visita rápida.

— É mesmo? Tenho todo o tempo do mundo pra você, Jax. Sério, não tem problema. Sei que, com tudo que anda acontecendo com o seu pai...

— Não vim falar do meu pai — disse.

— Ah, não? — Ele se sentou na poltrona da sala de estar e entrelaçou os dedos enquanto eu me acomodava no sofá. — Então qual é o assunto?

— Sua vizinha, a Kennedy. A garota nova.

— Bom, não era exatamente isso que eu esperava conversar com você, mas, se tem uma nova mulher na sua vida depois da Amanda, acho ótimo que...

— Não, ela não faz parte da minha vida. Quer dizer, já fez, mas não faz agora. Só estou ajudando a dar um jeito no quintal dela.

— Como assim ela já fez parte da sua vida?

— Ela foi minha melhor amiga quando éramos mais novos. Nós frequentávamos o mesmo acampamento de verão.

Eddie franziu o cenho, concordando com a cabeça bem lentamente, bancando o terapeuta.

— Que interessante.

— Não, não é. Não é nada de mais.

— Ah?

— Para com isso, Eddie. Não é por isso que estou aqui. Não vim falar do meu passado com a Kennedy nem analisar as profundezas do meu inconsciente. Minha visita não tem nada a ver comigo.

— Então... por que você...?

— Ela precisa da sua ajuda.

Eddie coçou a lateral da barba grisalha.

— Jax, não é assim que funciona.

— Ela passou por um trauma. Perdeu os pais e a filha num acidente de carro e se culpa por isso. Ela não consegue nem ver uma criança sem ter um ataque de pânico. A Joy me disse que a Kennedy não dirige mais por causa do acidente, e ela nunca conversou com nenhum profissional sobre isso.

— Sinto muito, Jax, mas não posso oferecer ajuda a ela sem...

— Você não precisa ser terapeuta dela, Eddie. Só... porra, sei lá. Seja enxerido que nem o restante das pessoas desta cidade e vai conversar com ela por educação. Ela está arrasada e precisa conversar com alguém.

— Ela não pode conversar com você?

— Não sei como consertá-la.

— Nem eu, Jax. Além disso, terapeutas não consertam as pessoas, porque, na minha opinião, elas não estão quebradas. São apenas complexas.

— É, bom, vai só dar uma olhada nas complexidades dela.

— Ja...

— Porra, Eddie — gritei, pulando do sofá. Apontei na direção da casa de Kennedy. — Ela está se afogando. Ela fica sozinha naquela casa, se afogando nas lembranças e na culpa. Eu sei como é. Sei como é se sentir sufocado com essas merdas todas, mas pelo menos eu tinha você. Pelo menos eu tive com quem conversar ao longo dos anos. A Kennedy não tem ninguém. Por favor, Eddie. Só... — Suspirei e esfreguei o rosto. — Ajuda ela.

Olhei para ele e vi seu olhar culpado.

Ele não ia ajudar.

Merda.

— Quer saber? Deixa pra lá. Foi besteira vir aqui. Desculpa por desperdiçar o seu tempo.

— Você não desperdiçou o meu tempo, Jax. Isso é bom. Tudo isso é bom pro seu progresso — disse ele, se levantando da poltrona.

— Meu progresso? Já falei que isso não tem nada a ver comigo.

Ele me lançou um olhar perspicaz, e odiei aquilo.

— Ela era sua melhor amiga — disse ele. — Não é nenhum absurdo que sentimentos antigos tenham retornado com a chegada dela na cidade. Isso é completamente normal, e você não precisa ficar assustado com as suas emoções. Sua preocupação é genuína.

— Não estou assustado com as minhas emoções, porque não estou sentindo nada. Você não entendeu? Eu estou bem. Estou curado. Fiz a minha terapia.

— Você está curado? — perguntou ele, enfiando as mãos nos bolsos da calça.

— Sim. Eu fiz o que tinha que fazer e melhorei.

Ele estreitou os olhos e se balançou para a frente e para trás.

— Como vão as coisas com o seu pai, Jax?

Minhas mãos se fecharam em punhos, e as unhas começaram a perfurar minha pele.

— Não faz isso, Eddie.

— Fazer o quê?

Ele sabia muito bem do que eu estava falando. Eu não precisava conversar com ele sobre o meu pai. Eu estava lidando com a situação. Estava enfrentando tudo. Eu estava bem. Estava mais do que bem. Estava melhor. Era Kennedy quem precisava dos cuidados dele. Era ela quem estava desmoronando.

— Esquece. Vou embora. Obrigado — resmunguei, seguindo para a porta.

Eddie me seguiu e, quando cheguei à varanda, ele disse:

— Que bom que ela tem você. Talvez ela precise mais disso do que de terapia. Alguém pra lhe dar apoio.

— Não sou a melhor pessoa pra dar apoio aos outros, doutor. Eu não sei fazer essas merdas.

— Todo dia é uma nova oportunidade para tentarmos de novo. Talvez você possa reavivar essa sua amizade com a Kennedy. Isso ajudaria vocês dois.

Qual era o problema daquela gente? Primeiro, Connor ficava me dizendo para brincar de *Frozen* com Kennedy, e, agora, Eddie insistia para que eu fizesse amizade com ela. Daqui a pouco Joy entraria nessa onda também.

O que eles não estavam conseguindo entender? Eu não precisava de amigos. Só queria que Kennedy recebesse a ajuda de que precisava. Ela era uma menina tão animada, tão viva e cheia de luz. E agora? Seu brilho parecia ter se apagado, o que era uma bosta, porque ela era o tipo de luz que fazia até a alma mais sombria se sentir iluminada.

Passei a mão pela boca.

— Isso não é justo. Ela é uma pessoa boa, Eddie. Ela é uma pessoa tão boa. Não merece sofrer assim.

— Ninguém merece, Jax, nem você. Quando não podemos contar com nós mesmos, é bom ter outras pessoas para nos dar apoio. — Abri um sorriso desanimado para ele, e, para minha surpresa, Eddie falou de novo. — Vou dar um pulo até lá. Sabe... como um bom vizinho.

Meu coração de pedra? Puta merda, ele voltou a bater.

— Sério? — perguntei, minha voz falhando.

— Sério. Tenho certeza de que ainda não levamos comida pra ela, como o restante da cidade. Queria fugir do clichê, mas acho que não vai fazer mal.

— Obrigado, Eddie — falei, sendo mais sincero do que nunca.

Ele assentiu e se virou para entrar na casa.

— Cookies com gotas de chocolate — gritei. — Sempre foram os favoritos dela.

— Cookies. Um clássico. Boa noite, Jax.

— Boa noite, Eddie.

Depois de sair da casa de Eddie, passei na casa de repouso para ler para o meu pai. Ele estava bem agressivo naquela noite, irritado com tudo e todos — inclusive comigo. Não consegui ler muita coisa e, quando cheguei à minha casa, não conseguia parar de pensar que ele costumava se irritar comigo pelas coisas mais bestas. Gostaria de conseguir desligar meus pensamentos. Queria conseguir apagar minhas lembranças, mas era impossível. Tomei um copo de uísque antes de me jogar na cama, e a exaustão tomou conta de mim.

19

Jax

Doze anos
Segundo ano do acampamento de verão

— Aquele é um cardeal! — berrou Kennedy, apontando para o céu enquanto usávamos nossos binóculos no último dia de acampamento.

Ela errava metade dos nomes dos pássaros, mas eu não a corrigia. Ela ficava tão feliz por encontrá-los, então eu a deixava pensar o que quisesse.

Além disso, quando eu conseguia explicar qual era o pássaro certo, ela já estava interessada em outro. Sua mente era muito ágil, e eu nem sempre conseguia acompanhar seus pensamentos, mas não tinha problema, porque eu ficava satisfeito só de estar perto dela.

Eu odiava o fato de que o verão tinha passado rápido, e, se eu pudesse, teria convencido Kennedy a virar minha vizinha, para que a gente se visse o tempo todo. Como eu ia aguentar mais um ano inteiro sem vê-la?

Talvez minha mãe pudesse me levar para fazer uma visita, ou Kennedy pudesse visitar a gente.

Quando chegou a hora de buscarmos nossas malas, eu estava com um embrulho no estômago. Eu não queria que ela fosse embora. Pela primeira vez naquele verão, Kennedy também estava quieta. Eu não sabia se deveria perguntar o motivo do seu silêncio, porque não queria tocar em um assunto que talvez ela quisesse evitar.

Sinceramente, a única coisa em que eu pensava era se teria oportunidade de beijá-la de novo antes de irmos embora, e eu não queria que a gente se beijasse na frente das nossas famílias, porque seria nojento. Se Derek me visse beijando uma garota, zombaria de mim pra sempre, mesmo a garota sendo Kennedy.

— Está tudo bem? — finalmente perguntei quando nos sentamos na pedra grande na entrada principal do acampamento, esperando nossos pais chegarem.

— Está — murmurou ela, e uma lágrima escorreu por sua bochecha. — Só vou sentir muito mais saudade de você desta vez, porque agora a gente se conhece ainda mais, o que significa que tem mais coisas pra eu sentir falta, e isso me deixa triste.

— Ah. — Eu não conseguia explicar meus sentimentos tão bem quanto Kennedy. Ela tinha talento para falar. Eu tinha talento para escrever. Em vez de dizer alguma coisa, apenas a abracei. — Você é a minha melhor amiga — sussurrei.

Ela me apertou e me disse a mesma coisa.

— Então você é o menino que está fazendo minha filha escrever melhor — disse uma voz, me fazendo soltar Kennedy.

Levantei a cabeça e vi um adulto com traços meio parecidos com os de Kennedy, mas completamente diferente dela.

— Pai! — Kennedy levantou com um pulo e jogou os braços ao redor dele, que a levantou e começou a girá-la em círculos. — Que saudade!

— Também senti saudade, meu amor! — disse ele, soando tão feliz quanto a filha.

— Aposto que você também sentiu saudade da sua mãe e da sua irmã — disse a Sra. Lost, se aproximando com a irmã de Kennedy para receber um abraço.

Eu mal podia esperar para abraçar minha mãe do mesmo jeito. Eu adorava estar com a Kennedy, mas também sentia muita saudade da minha mãe.

— Jax, nós ouvimos falar tão bem de você — disse a Sra. Lost, olhando para mim. Ela era muito parecida com Kennedy. O sorriso talvez fosse o que mais se assemelhava. — E já que você e a Kennedy tiveram outro ano divertido no acampamento de verão, acho que talvez devessem acrescentar uma lembrança ao Lost-móvel.

Ela estava segurando canetinhas permanentes, e Kennedy soltou um gritinho de alegria.

— Sim! — berrou ela, pegando os hidrocores da mão da Sra. Lost. Então ela agarrou minha mão e me puxou, correndo. — Vem, Jax! Vamos desenhar alguma coisa.

Eu ri.

— Vocês querem mesmo que eu desenhe no carro? — perguntei, nervoso.

Meu pai me mataria se eu desenhasse no carro dele. Uma vez, derrubei refrigerante no banco detrás sem querer e levei uma surra daquelas.

— Sim! É o nosso carro de memórias. Aqui. — Ela me entregou uma canetinha. — Desenha como você quer que esse verão seja lembrado, tá?

Mordi o lábio e tirei a tampa do hidrocor. Depois de pensar um pouco, comecei a fazer um coração e coloquei nossas iniciais no meio.

— Pronto — falei, entregando a canetinha para ela.

Embaixo, Kennedy escreveu *Amigos para sempre*, e eu sabia que aquilo era verdade.

Para todo o sempre.

Nós estávamos parados perto do carro, rindo com a família de Kennedy, quando a picape do meu pai parou no acampamento.

Assim que ele me viu, começou a buzinar, berrando comigo.

— Jax! Entra logo no carro pra gente ir embora.

Meu estômago começou a doer de vergonha. Onde estava a minha mãe? Por que ela não veio me buscar? Cometi o erro idiota de perguntar isso para o meu pai, que saltou da picape. Ele se aproximou de mim, xingando baixinho.

— Ela está doente, que diferença faz? Já falei pra você entrar na porra do carro. Anda — bradou ele.

O pai de Kennedy se aproximou com um sorriso.

— Calma aí. Não precisa ficar tão irritado. As crianças estavam se despedindo, só isso.

Meu pai o encarou de cima a baixo.

— Por que você não vai cuidar da porra da sua vida?

— Tá, pai — falei, meu corpo tremendo. — Vamos. Estou indo.

Vi a expressão chocada no rosto da família inteira de Kennedy devido ao comportamento do meu pai. Será que ele não percebia? Não percebia que estava me fazendo passar vergonha? Não percebia que estava sendo desagradável?

Ele pegou minha mala, arrastou-a até o carro e a jogou na caçamba da picape.

Eu me virei e abri um sorriso desanimado para a família de Kennedy.

— Foi um prazer conhecer vocês. Bom dia — falei.

O pai de Kennedy bagunçou meu cabelo e sorriu para mim enquanto se agachava.

— Está tudo bem, Jax? Você quer ir mesmo com o seu pai? A gente pode te dar uma carona pra casa se precisar, ou...

— Jax! Anda logo! — berrou meu pai, me fazendo pular de susto.

Eu sabia que, quanto mais ele se irritasse, pior seria para mim.

— Estou bem, Sr. Lost. Obrigado. Pre-preciso ir — gaguejei.

Naquele momento, desejei que ele fosse meu pai. Kennedy não tinha ideia de como era sortuda por ter alguém legal como ele. Alguém que não gritava com ela nem a xingava.

Kennedy me pegou de surpresa em um abraço apertado. Ela pressionou nossas bochechas, e senti suas lágrimas na minha pele.

— Sinto muito por ele ser tão mau, Jax.

— Não tem problema — sussurrei. — Eu estou bem.

Ela me apertou um pouco mais antes de falar baixinho:

— Se você precisar fugir, foge pra mim.

20

Jax

Hoje

Alguém bateu à minha porta, e me levantei rápido para atender. Era Kennedy, parada no meio da chuva torrencial, me encarando com um olhar intenso. Ela estava ensopada da cabeça aos pés, usando apenas uma blusa branca de alça e short.

— Oi — disse ela, ofegante, sacudindo a água dos cachos soltos. — Você está bem?

Levantei uma sobrancelha.

— O quê?

— Fiquei sabendo do seu pai. As pessoas estão comentando pela cidade. Só vim ver se você está bem. Não consigo nem imaginar o que você está passando.

Cocei a barba. Quando tinha começado a chover? Quando fui dormir, estava quente lá fora.

— Hum... é. Acabei de visitar ele. Está tudo bem. Você veio ver como eu estou?

— É claro que eu vim, Jax. Eu queria ver se você estava bem. Posso entrar?

Que diabos estava acontecendo? Eu queria perguntar a ela, mas a verdade era que eu estava mais interessado em deixá-la entrar. Fazia muito tempo que eu estava sozinho; seria bom ter companhia.

Dei um passo para o lado a fim de abrir caminho, e ela entrou, tremendo de frio.

— Posso pegar uma...

Antes que eu conseguisse concluir a frase, Kennedy jogou seu corpo contra o meu. Seus mamilos duros estavam marcados na blusa enquanto ela me puxava para um abraço, e tentei ao máximo ignorar a sensação que seu corpo molhado pressionado ao meu causava em mim — ou melhor, causava direto no meu pau latejante.

— Sinto muito, Lua — suspirou ela, enroscando os braços no meu pescoço, me puxando ainda mais para perto. — Sinto muito mesmo.

Antes que eu conseguisse responder, seus lábios tocaram meu pescoço, e ela me deu beijos rápidos. — Sinto muito, eu só... Jax, senti sua falta. — Ela beijou a base do meu pescoço de novo, dessa vez passando a língua pela minha pele. — Você também sentiu a minha falta? Você sentiu a minha falta, Jax?

As palavras dela estavam cheias de carinho e fascínio. Eu a envolvi em meus braços e a levantei. Pressionei suas costas contra a parede e fechei os olhos, encostando a testa na dela.

— Kennedy, você não devia estar aqui. A gente não devia estar fazendo isso...

Seus lábios roçaram os meus.

— Eu sei, mas mesmo assim... — Ela mordeu meu lábio inferior e o chupou de leve. — Eu quero. Por favor, Jax... depois desses anos todos... depois de perder você por tanto tempo... Não consigo parar de pensar em você. Você também pensa em mim? — Ela abriu os olhos e olhou no fundo dos meus. — Eu não saio da sua cabeça do mesmo jeito que você não sai da minha?

— Sim. — Suspirei, minhas mãos apertando sua bunda. — Meu Deus, Kennedy, você vive na minha cabeça.

— Me leva pro seu quarto — sussurrou ela contra o lóbulo da minha orelha antes de chupá-lo de um jeito sexy.

Sim, meu coração continuava sendo de pedra, mas meu pau ficou umas três vezes maior. *O que ela está fazendo comigo?* Dane-se, eu não me importava. Só queria que ela continuasse.

Eu a carreguei até o quarto e a deitei na cama. Ela arremessou a blusa para o outro lado do cômodo sem demora e abriu o short, deslizando-o por suas pernas longas, torneadas, junto com a calcinha cor-de-rosa.

Minha vez.

Arranquei minhas roupas e, antes de me aproximar de novo dela, a observei com calma. A menina que eu chamava de melhor amiga não era mais uma menina. Não, ela era uma mulher adulta, com o corpo mais perfeito que eu já tinha visto na vida. Seus seios eram empinados e redondos, seus mamilos, duros, e suas curvas — *nossa*. As curvas de seu corpo pareciam uma obra de arte que merecia ser exibida em um museu.

E aquele corpo era todo meu.

Os olhos dela passaram para o meu pau latejante, que eu acariciava com uma das mãos enquanto observava seu corpo. Ela me chamou com um dedo, gesticulando para que eu me aproximasse, exibindo um sorriso travesso. Obedeci, me agigantando sobre ela e baixando meu corpo de encontro ao seu. Meus lábios dançaram sobre os dela, e Kennedy gemeu ao colocar as mãos nas minhas costas e me puxar para mais perto. Meu membro roçou seu ponto central enquanto ela abria as pernas para mim.

— Por favor — implorou ela, seus olhos cor de mel me encarando, vendo o fundo da minha alma. — Quero você todo, Jax. Cada pedaço, cada centímetro. — Sua voz se transformou em um sussurro cheio de desejo. — Me come desse seu jeito emburrado.

Ela não precisava pedir duas vezes.

Deslizei para seu interior, e ela gemeu de prazer.

— Mais, mais — pediu, implorou, exigiu ela.

Eu não podia negar nenhum de seus desejos nem suas necessidades, porque suas necessidades eram meus desejos. Eu a queria mais do que já quis qualquer outra pessoa, mais do que imaginei ser capaz de desejar alguém. Seu corpo contra o meu parecia pecaminoso, e seus lábios tinham o gosto do paraíso. Ela era a parte mais doce do meu passado, e eu não acreditava que estava ali comigo no meu presente.

Seus gemidos me excitavam mais e mais enquanto eu metia meu pau cada vez mais fundo, preenchendo-a com cada pedaço de mim.

— Vem, vem, vem — gemeu ela, enroscando as pernas ao redor da minha cintura enquanto apertava os lençóis. — Isso, Jax. Vem, por favor — repetia ela sem parar.

Meu foco era apenas lhe dar prazer. Ela era tudo com que eu me importava naquele momento. Ela era tudo que eu queria, tudo de que precisava, tudo com que sonhei.

Acelerei, e ela virou a cabeça para a esquerda, na direção da janela do quarto, arfando ligeiramente.

— Está nevando — sussurrou ela.

O quê?

Olhei para a janela, e... *que loucura*. A chuva forte havia se transformado em uma nevasca. Desde quando nevava no Kentucky em pleno verão?

Ela segurou meu rosto e me virou para encará-la.

— Se concentra em mim, Jax, nisto, na gente — ordenou ela. — Olha pra mim.

Eu obedeci, deslizando mais fundo, saindo devagar, e indo com força. Nossa, a sensação do corpo dela pressionando meu pau era tão boa. Ela estava muito molhada, e eu sabia que era por minha causa. Eu adorava despertar isso nela. Eu adorava ter deixado Kennedy molhada.

— Você... — A respiração dela estava ofegante. — Você quer... — Ela suspirou, esfregando o quadril com força contra o meu.

— O quê? É só me dizer que eu faço — prometi.

— Você quer... ah, nossa, isso. Aí, Jax...

— Fala — ordenei. — Fala o que você quer.

Seus olhos encontraram os meus, e, no tom mais sincero do mundo, ela disse:

— Você quer... — Gemido. — Quer... — Começou a nevar em cima da gente. — Brincar... — À beira de um orgasmo. — Na... — Sério, estava nevando na minha cama. — *Neveeeee?* — gritou ela, prolongando a palavra enquanto chegava ao ápice com meu membro duro, me deixando atordoado e confuso enquanto a neve caía sobre nossos corpos nus.

Mas... que... porra... foi... essa?

~

Eu me sacudi para dispersar o sonho mais doentio que já tive na vida.

— Mas que porra foi essa? — falei, olhando para meu pênis totalmente acordado.

Eu não conseguia aceitar o fato de que tinha acabado de ter um sonho erótico com Kennedy Lost... que acabou virando um karaokê da Disney.

Eu nunca mais ia beber uísque antes de dormir.

E nunca mais deixaria Connor cantar as porras das músicas da Disney na minha presença.

21
Kennedy

— Cookies com gotas de chocolate? Agora você está falando a minha língua.

Sorri ao olhar para o mais novo visitante parado em minha porta. Eddie ofereceu o prato de biscoitos recém-assados para mim.

— Confesso que foi a Marie que fez. Sou apenas o entregador.

— A intenção é que conta — falei. Por alguns minutos, um silêncio desconfortável preencheu o espaço enquanto Eddie se balançava para a frente e para trás, esfregando o nariz com o dedão. Levantei uma sobrancelha. — Por que tenho a impressão de que você está escondendo algo de mim?

— Porque eu não estou escondendo nada? — respondeu ele, a frase soando como uma pergunta.

— O que está acontecendo, Eddie?

— É o Jax. Ele foi à minha casa outro dia e me pediu que viesse conversar com você, ver como estavam as coisas. Como vizinho, não como terapeuta.

Meu estômago embrulhou.

— É claro que ele fez isso. Não sei o que o Jax disse, mas estou bem. De verdade. Passei por uma fase difícil, mas estou lidando com as minhas questões um dia de cada vez.

— Certo, é claro. E é você quem decide se quer buscar ajuda profissional ou não. Na verdade, não é por isso que estou aqui.

Fiquei ainda mais confusa.

— Então por quê?

— É o Jax — repetiu ele, o sorriso agora morrendo. — Só estou preocupado com ele. Como vizinho, não como terapeuta. Acho que ele não está lidando bem com a questão da saúde debilitada do pai. Parece que ele está se concentrando nos seus problemas para fugir dos dele. Você acha que ele está lidando bem com a situação?

Balancei a cabeça.

— Sinto muito, não sei dizer. A verdade é que a gente acabou de voltar a se falar. Nós já fomos amigos há muito tempo, mas ainda não tive a oportunidade de conhecer a versão adulta do Jax mais a fundo.

— Sério? — perguntou ele. — Que engraçado, porque ele fala como se vocês fossem tão próximos... O que também me deixou confuso, porque o Jax não se aproxima de ninguém. — Ele coçou a barba. — Enfim, vou parar de me intrometer. Só queria deixar os cookies, porque o Jax praticamente me obrigou a vir ver se estava tudo bem com você.

Sorri.

— Obrigada por ter vindo.

— Não é do feitio dele, sabe? Se importar com os outros. Você é especial pra ele, mesmo que ache que é tudo muito novo. Para ele chegar ao ponto de me procurar e pedir ajuda... Significa que isso é muito importante pra ele. Olhando de fora, pode parecer bobagem, mas é um progresso imenso pro Jax. Não sei o que você anda fazendo com ele, Kennedy, mas continua assim, por favor. — Ele se virou e desceu a escada da varanda. — E, se você algum dia precisar do ombro amigo de um vizinho, meu divã estará sempre disponível.

Dei uma mordida em um dos cookies enquanto Eddie ia embora, tentando entender o significado de Jax ter procurado ajuda para mim. Eu só esperava que ele estivesse procurando ajuda para si mesmo também.

Até ver Jax empunhando uma pá, nunca havia imaginado que paisagismo pudesse ser tão sexy. Todos os dias em que ele vinha com Connor, eu arrumava algum motivo para ficar do lado de fora, e, sempre que eu pegava Jax olhando para mim, sentia um frio na barriga. Quando ele falava comigo, algo que não fazia com frequência, a conversa era basicamente sobre o trabalho.

No fim de uma tarde de segunda-feira, o sol do Kentucky castigava todos nós, sem se preocupar se queimava nossa pele. Eu ficava levando água para os rapazes, já que eles estavam trabalhando duro o dia inteiro. Quando saí com um jarro de água com gelo para encher seus copos mais uma vez, quase tropecei nos meus próprios pés ao ver Jax.

Lá estava ele, sem camisa, ajoelhado na terra, plantando uma roseira. Seu corpo era rígido como uma pedra, e sua pele bronzeada brilhava sob o sol. A camisa branca estava enfiada no bolso detrás de sua calça jeans, e eu tinha voltado oficialmente à minha vibe perseguidora estilo Joe, de *You*.

A bunda dele sempre foi maravilhosa e redonda daquele jeito? Nossa, eu só queria ir até lá, segurá-la com as duas mãos e apertar.

Para de olhar, para de olhar, para de...

— É pra gente? — perguntou Connor atrás de mim, me fazendo pular de susto, então a jarra de água na minha mão saiu voando, aterrissando bem em cima de Jax.

— Merda! — disse ele, se levantando depois de levar um banho gelado.

Ele começou a pular para se livrar da água.

— Ai, nossa, desculpa! — exclamei, correndo até ele. — Eu me assustei, desculpa — falei, pegando a primeira coisa que vi para secá-lo: a camisa no bolso da calça.

Agora, eu estava esfregando o peito de Jax para cima e para baixo.

Esfregando o abdome dele para cima e para baixo.

O abdome...

Todo. Sarado.

Aquilo era um tanquinho de seis gomos? Ou eu contei oito? E por que, por que não consigo parar de esfregar a barriga dele?

— Hum... acho que já estou seco, Kennedy. — Jax abriu um sorrisinho.

— Sim, sim. É, você está seco — murmurei, ainda o esfregando.

Ele riu e segurou meus braços, me impedindo de continuar.

— Está tudo bem, sério.

Ah, Jax, se você soubesse como tudo está mais do que bem neste momento.

— Certo, claro. — Dei um passo para trás, ainda segurando a camisa dele. — Desculpa, eu só... me distraí um pouco.

Connor riu.

— O que você estava olhando? — provocou ele.

Meu rosto esquentou, e eu tinha certeza de que os dois estavam vendo a vergonha estampada nas minhas bochechas.

— É — acrescentou Jax. — O que chamou sua atenção?

Essa sua poupança recheada, meu amigo.

Balancei a cabeça.

— Hum... ah, um esquilo... perseguindo um gato — soltei. O quê? — Quer dizer, um gato perseguindo um esquilo. — Os dois levantaram uma sobrancelha, sem entender nada. Balancei as mãos. — Quer saber? Não importa. Desculpa pela água.

— Sem problemas. Já estamos quase encerrando por hoje — disse Jax, passando a mão pelo cabelo ensopado.

As gotas de água escorriam, escorriam, escorriam pelo seu peito, peito, peito, e, nossa, eu podia ficar ali olhando aquelas gotas percorrerem cada centímetro do corpo dele.

Qual era o meu problema? Fazia tanto tempo assim que eu não via um homem sem camisa para ficar tão obcecada pelo peitoral de Jax?

Mas, para ser justa, não havia muitos homens com um peitoral igual àquele.

— Tá, vou começar a guardar as coisas na picape. Jax, enquanto isso, por que você não conversa com a Kennedy sobre aquele negócio que falamos outro dia? — sugeriu Connor.

Jax lançou um olhar irritadíssimo para Connor e chiou entre os dentes.

— Agora não parece ser o melhor momento, Connor.

— Pra que deixar pra amanhã o que você pode fazer hoje, meu camarada? — cantarolou Connor, passando por Jax e lhe dando um tapinha no ombro antes de pegar parte do material e seguir para a picape.

Levantei uma sobrancelha.

— Está tudo bem?

Jax pigarreou, fez uma careta e coçou o queixo.

— Hum... está. É só que, hum, bom, eu... — Ele estava se atrapalhando com as palavras, e, de repente, me lembrei do menino que eu conhecia. — É só que... hum... o Connor acha que você precisa de amigos.

Eu me empertiguei.

— O quê?

Ele balançou as mãos rapidamente.

— Não... Não que você precise de amigos. Quer dizer, eu sei que você conseguiria fazer amigos, se quisesse. E você deve ter. Você deve ter amigos. Quer dizer, eu entendo que as pessoas queiram ser assim, sabe, tipo, suas amigas. — Ele ficou de costas para mim e passou a mão pelo cabelo de novo, murmurando um *merda* baixinho. Ele fez uma careta e estreitou os olhos quando voltou a me encarar. — Você quer ser minha amiga, talvez? Tipo, quer sair pra fazer alguma coisa de vez em quando? Talvez riscar algumas das bobagens naquela lista? Quer dizer, se você quiser conhecer a cidade, sou a pessoa certa pra isso. Conheço este lugar de cabo a rabo. Posso te mostrar como é belo este mundo... só Havenbarrow, na verdade.

Dei uma risada.

— Você quer ser o meu Aladdin?

— Tipo isso. — Ele alternava o peso entre os pés, todo nervoso, e, mesmo sem camisa, dava para ver que era desajeitado. — Mas não tenho um tapete voador. Só uma picape velha.

Mordi o lábio inferior, olhei para a esquerda e vi Joy sorrindo sozinha enquanto escrevia em seu caderno. Eu tinha quase certeza de que ela prestava atenção na conversa e que sorria, achando graça da timidez de Jax.

Ele esfregou a nuca, e umas mechas de cabelo caíram em seu rosto, deixando-o muito mais firme e bonito.

— Se você não quiser, tudo bem. É, não, foi uma ideia idiota. Desculpa eu ter perguntado. Então, vou parar de...

— A gente pode começar com o Marshmallow do café? — eu o interrompi, acabando com o nervosismo do coitado.

— Do café?

— É. Quero conhecer o gato do café. E fiquei sabendo que eles fazem um chai latte delicioso.

— Certo. Tá, tudo bem. — O brilho que surgiu nos olhos de Jax fez meu coração se iluminar. — Tá, é uma boa ideia. Tudo bem. Legal. Posso te buscar amanhã cedo? A menos que você esteja ocupada, porque, se você estiver ocupada...

— Pode ser às nove.

Ele fez uma careta.

— Eu geralmente tomo o café com a Joy às nove...

— Ah, nada disso, garoto. Vai visitar o gato da cafeteria. Estou aqui todos os dias — gritou Joy, fazendo um aceno com a mão e deixando claro que estava escutando nossa conversa.

Eu sorri.

— Então a gente se vê às nove?

— Tá — concordou Jax. Seus lábios se abriram em um sorriso, e me senti sortuda por testemunhar esse momento. Jax não sorria com frequência, mas, quando o fazia, era como se fosse uma sobremesa deliciosa. Ele começou a andar de costas para a picape, onde Connor esperava. — Legal. Ótimo. Encontro marcado. — Ele fez uma pausa, franziu o nariz e se encolheu. — Quer dizer, não é tipo um encontro de casal, mas de amigos. Sabe, como...

— Proooonto, todo mundo. Já atingimos nossa cota de vergonha alheia por hoje, então vou levar este cara embora. Boa noite, Kennedy. O Jax vem buscar você amanhã cedo — disse Connor, puxando o chefe para longe. Eu soltei uma risadinha enquanto ele dava uma bronca em Jax. — Cara! Eu disse pra você falar de um jeito descolado, e isso foi o completo oposto! Não dava pra ser um pouco menos esquisito?

Jax mandou Connor calar a boca, me fazendo rir sozinha.

Connor não sabia, mas conversar com a versão tímida de Jax me trouxe uma felicidade que eu não sentia fazia muito tempo. Pela primeira vez em séculos, as coisas pareciam... normais.

— Obrigada, querida — disse Joy depois que os dois foram embora. — Ele precisa mesmo de uma amiga.

Ah, se ela soubesse do quanto eu também precisava de um amigo.

~

— Vou ser sincero, acho que você vai se decepcionar um pouco com o Marshmallow. Ele é meio babaca — explicou Jax enquanto dirigia até o centro da cidade.

Eu tentei ao máximo não demonstrar meu nervosismo por estar em um veículo, mas não estava sendo muito bem-sucedida. Ainda bem que chegamos em dez minutos.

Abri um sorriso tenso para ele.

— Acho que seria impossível me decepcionar com um gato que era a estrela de uma cidade pequena. Além do mais, tenho uma quedinha pelos babacas de Havenbarrow — brinquei, enquanto ele estacionava em frente ao café.

Ele abriu um sorriso tímido, e meu coração deu uma cambalhota.

— Eu gosto quando você sorri — falei, tirando o cinto de segurança. — Me lembra do Jax mais novo.

— Os seus sorrisos meio que me fazem querer sorrir mais — confessou ele, saltando do carro.

Entramos no café, e fiz meu pedido, que Jax não me deixou pagar.

— Você paga o meu na próxima vez — declarou ele.

Meu coração perdeu o compasso diante da ideia de sairmos de novo. Ele nem imaginava quantas próximas vezes eu queria que estivéssemos juntos.

Sentamos a uma mesa, e fiquei procurando por Marshmallow enquanto bebericava o que provavelmente era o melhor chai latte que já tomei na vida. Aquela xícara seria o suficiente para me convencer a ficar em Havenbarrow. E o pão de banana? Nossa, derretia na boca.

— Acho que nunca comi nada tão gostoso — gemi, lambendo as migalhas dos meus dedos.

Jax riu.

— Não deixe o Gary da lanchonete saber disso. Ele e o dono daqui brigam sobre quem faz o melhor pão de banana há décadas.

— Entendi, mas estou falando sério. Eu comeria cinquenta fatias disto, fácil. Pra falar a verdade, devo ter comido mais carboidratos nestas semanas em Havenbarrow do que na minha vida inteira. Todo mundo leva doce para mim. Sério, tenho quase certeza de que elas querem me engordar.

— Conhecendo as mulheres daqui, eu não descartaria essa possibilidade.

— Bom, se eu tiver pelo menos uma calça de academia que sirva e não comprar uma balança, posso engordar à vontade — brinquei, me inclinando para a frente e roubando um pedaço do pão de banana de Jax. — Agora, cadê o gato?

— Ele deve estar dormindo ou mijando no pé de alguém — disse Jax, olhando ao redor. — Juro, três anos atrás, aquele escrotinho parou do meu lado enquanto eu estava pegando um café e fez xixi no meu sapato, feito um psicopata.

Tentei segurar a risada, mas não consegui. Era muito engraçado pensar em um gato fazendo xixi em Jax.

— O que você fez pra irritar tanto ele?

Ele se recostou na cadeira, chocado com a minha pergunta.

— O que eu fiz? Tá brincando? Eu só estava comprando café!

— Talvez ele tenha ficado incomodado por você estar no território dele. Sabe, talvez exista uma regra de só um babaca em cada café.

— Ele é assim com todo mundo. — Jax deu de ombros. — Ele é o maior chatonildo destas bandas.

Sorri ao ouvir aquela palavra. Ele nem desconfiava de que eu tinha passado uma semana chamando-o por esse apelido quando cheguei à cidade. Eu guardaria esse segredo para mim a sete chaves.

Foi então que um gato branco enorme e rechonchudo veio dos fundos e bocejou, enquanto se espreguiçava.

— Ai. Meu. Deus! — dei um gritinho agudo, pulando da cadeira. Ele era a coisa mais fofa que eu já tinha visto na vida. — Oi, amigo. — Abri um sorriso radiante, me aproximando.

— Ah, eu não faria isso se fosse você — disse Jax, empurrando a cadeira para longe do felino que se aproximava.

Sorri para ele.

— Para com isso, não me diga que você tem medo de um gatinho saliente.

— Pode acreditar, eu não tenho medo de saliência — disse ele, e suas palavras sugestivas fizeram uma onda de calor subir pelo meu corpo. — Mas essa fera me deixa apavorado.

Revirei os olhos e me sentei no chão do café, em frente ao Marshmallow. Estiquei os braços para ele.

— Vem ganhar um carinho — ordenei.

— Sol, espera... — Antes que Jax conseguisse terminar a frase, Marshmallow estava no meu colo, ronronando. Ele se virou para ganhar carinho na barriga e olhava para mim como se estivesse no paraíso. — Puta merda — resmungou Jax. — Ele gosta de você.

— Todo mundo gosta de mim.

Ele sorriu, mas não disse mais nada. Achando graça, ele se recostou na cadeira enquanto eu e Marshmallow virávamos melhores amigos.

— Talvez eu tenha julgado mal esse carinha — comentou ele, se levantando e se aproximando de nós. Quando ele chegou perto, Marshmallow chiou e saiu correndo. — Vai se foder também, Marsh — disse Jax, mostrando o dedo do meio.

Eu ri e me levantei do chão.

— Algumas pessoas não se dão bem com gatos, eu acho.

— Não me admira ele ter ido com a sua cara. É difícil não gostar de você — disse Jax, bebericando seu café.

Eu me recostei na cadeira e o encarei; foi então que notei que todo mundo — e quero dizer todo mundo mesmo — estava olhando para nós.

— É impressão minha ou estamos sendo observados? — perguntei, mordendo o lábio.

— Pois é. Esta cidade tem mania de se meter na vida dos outros. Normalmente, eu só faço isso — disse ele, levantando os dois dedos do meio.

Alguns clientes fizeram um som de surpresa para o gesto e o chamaram de idiota.

Eu ri.

— Primeiro, o gato; e agora, as pessoas.

— Meu ódio não faz distinção. Odeio tudo e todos com a mesma intensidade.

— Até eu? — brinquei.

Os olhos dele se tornaram sombrios por um milésimo de segundo, e seu sorriso começou a desaparecer.

— Não consigo odiar você, Kennedy. E olha que eu tentei por um tempo.

Suas palavras me pegaram de surpresa, e estreitei os olhos.

— Espera, o quê? Por que você tentou me odiar?

Ele balançou a cabeça e pigarreou.

— Não importa, foi há muito tempo.

Estiquei o braço por cima da mesa e peguei sua mão.

— Não, Jax. Importa, sim. Pelo menos pra mim. Por que você tentou me odiar?

Antes que ele pudesse responder, uma voz nos interrompeu:

— Sério, Jax?

Levantei o olhar e vi uma mulher bonita parada diante de nós. Seu cabelo ondulado e castanho combinava com os olhos escuros. Ela usava um uniforme hospitalar, e a tristeza em sua expressão me doeu, apesar de eu não saber quem era ela.

— Amanda — disse Jax com a voz séria.

Ela não respondeu, mas seus olhos focaram na minha mão segurando a de Jax, então voltaram para ele.

Com relutância, ele tirou a mão de baixo da minha.

— Escuta, Amanda...

Pá.

Fiquei chocada ao ver a mão dela acertar o rosto dele. Jax também ficou perplexo, a julgar pela forma como balançou a cabeça, embasbacado.

— Vai à merda, Jax — disse ela, seus olhos cheios de emoção. — Você me falou que não estava saindo com ninguém.

— Não estou — defendeu-se ele.

Minhas mãos voaram para o meu peito.

— Ah, não. A gente não está... eu e ele... — gaguejei, sem saber por que eu me sentia tão nervosa. *É isso que ela pensa? Que eu e o Jax estamos juntos, como um casal?* — Não estamos juntos. Somos só amigos.

Ela me analisou de cima a baixo enquanto cruzava os braços.

— Tá bom, novata. Todo mundo sabe que o Jax não tem amigos. Ele não sabe ser amigo dos outros, do mesmo jeito que não sabe ser namorado de ninguém.

— Calma aí — comecei, mas Jax levantou a mão.

— Está tudo bem, Kennedy. Ela tem razão.

Não tem, não.

Fiquei quieta em consideração ao pedido de Jax, mas meu sangue fervia. Não conseguia acreditar no quanto aquela mulher estava sendo maldosa só porque nos viu juntos. Era óbvio que os dois tiveram um relacionamento, mas aquilo ficara no passado. Não havia necessidade nenhuma de humilhá-lo — nem de bater nele.

— Boa sorte — disse ela para mim, puxando a alça da bolsa para cima do ombro. — Não vai dizer que eu não avisei quando você tentar fazer ele se abrir e encontrar um bloco de concreto. Jax é a definição de uma pessoa emocionalmente indisponível. — Ela se virou para ele e bufou alto. — Eu devia ter imaginado que você era igual ao seu pai, seu babaca insensível.

A mulher foi embora, deixando um clima pesado no ar.

Vi a faca invisível que ela havia enfiado no fundo do peito de Jax. Seu corpo se encolheu com a dor daquelas palavras. Ele olhou para mim, parecendo desolado quando seus lábios se abriram.

— Acho melhor a gente ir.

— Tá, tudo bem.

Peguei minha bolsa, e andamos até a picape. No carro, não fechei os olhos nem uma vez. Não conseguia parar de encarar Jax, me perguntando o que estava se passando em sua cabeça. Pensei em perguntar, mas não queria parecer insistente. As juntas dos seus dedos estavam brancas enquanto ele apertava o volante à sua frente, e sua boca se retorcia de vez em quando.

Ele parou na frente da minha casa, desligou a picape e olhou para mim.

— Sinto muito por aquilo.

— Você não fez nada de errado.

— É, certo. Bom, acho que a gente se fala...

— Vamos fazer alguma outra coisa? — ofereci. — Sei que o que aconteceu foi péssimo, e deu pra ver que você ficou chateado, mas podemos fazer outra coisa. Ainda é cedo, é sábado e o dia está bonito. A gente pode sentar no conversível dos meus pais e conversar, ou não conversar. Você que sabe.

Ele esfregou o nariz com o polegar.

— Acho que prefiro ficar um tempo sozinho, Kennedy.

— Sim, é claro. Entendo você querer ficar sozinho, de verdade. Mas fica sozinho comigo.

Ele hesitou por um momento, então decidi melhorar a oferta:

— Tenho uma garrafa do uísque favorito do meu pai pra gente beber, e, acredite, meu pai só bebia coisa boa.

Ele deu uma risada.

— São onze da manhã.

— Ah. Verdade. Bom, também tenho o café favorito da minha mãe, então a gente pode tomar o café de manhã e o uísque à noite.

— Você quer passar o dia inteiro comigo? — perguntou ele, surpreso.

— O dia inteiro e a noite inteira.

Fizemos exatamente isso. Entramos e tomamos várias bebidas à base de café. Eu falava pela maior parte do tempo, o que parecia uma cópia da nossa infância, e Jax ouvia sem se incomodar. Contei mais histórias sobre meus pais e Daisy, outras histórias sobre o meu passado, e, sempre que eu ria, ele sorria e olhava para mim como se eu fosse o sol.

Falamos sobre nossas carreiras, e ele me disse que pretendia comprar todos os livros que publiquei.

Ele contou do terreno do pai, que pretendia transformá-lo em tudo o que sua mãe sonhava.

— Ela nunca conseguiu realizar seus sonhos. Quero fazer isso por ela — disse ele.

Sua dificuldade em falar da mãe era nítida, mas fiquei feliz por ele estar tocando no assunto. Se eu tinha aprendido uma coisa nas últimas semanas era que falar sobre as pessoas que amamos as mantinha vivas, e eu precisava disso. E tinha certeza de que Jax também.

Quando abrimos o uísque naquela noite, seguimos para o conversível dos meus pais para beber sob as estrelas e a lua.

Minha parte favorita ao passar tempo com Jax era que, mesmo quando tudo estava quieto, mesmo quando a conversa acabava e não restava nada além do silêncio, a calmaria era revigorante. Ficar quieta com ele foi um dos melhores momentos que compartilhamos naquele dia.

Depois de bebermos um pouco mais do que devíamos, Jax colocou as mãos atrás da cabeça e olhou para o céu.

— Não quero ser igual a ele — confessou. — Igual ao meu pai. A Amanda falou isso mais cedo e já tinha jogado isso na minha cara umas semanas atrás. Tenho certeza de que as pessoas desta cidade acham que sou igual a ele, mas não quero ser. Ele era um monstro.

— Você não é igual ao seu pai.

Ele balançou a cabeça.

— Você não fala comigo há anos. Não tem como saber disso.

— Tenho, sim.

— Por quê?

— Porque o seu caráter não mudou com os anos. Você ainda é o mesmo garoto gentil. Mas esta cidade e essas pessoas não enxergam isso porque ficam presas aos seus preconceitos e às suas opiniões, que são baseados em uma tragédia que aconteceu há muitos anos. Elas não enxergam a bondade nos seus olhos, a forma como você ajuda os outros quando ninguém está olhando, a maneira como se doa a quem precisa, seu jeito discreto de se importar. Você tem uma alma linda, que eu aprendi a amar tantos anos antes, Jax, e é um homem completamente diferente do seu pai.

Ele fechou os olhos.

— Jura?

Coloquei uma das mãos sobre a coxa dele.

— Juro.

Os olhos dele se abriram na mesma hora e focaram na minha mão.

— Sempre que você faz isso, sinto que estou acordando de novo.

— Sempre que eu faço o quê?

— Toca em mim.

Suas palavras me fizeram engolir em seco, e fiquei sem saber se minha cabeça estava girando por causa do uísque ou do redemoinho de emoções dentro de mim.

— Senti sua falta, Lua — confessei.

— Eu senti mais. Senti tanta saudade da sua luz. Passei tanto tempo vivendo na escuridão... Senti sua falta...

— O que você quis dizer mais cedo, quando falou que tentou me odiar?

— Porque você parou de escrever — explicou ele. — Quando as suas cartas pararam de chegar, eu não queria mais pensar em você. Depois que perdi a minha mãe, passei a precisar das suas cartas, e, como não recebi mais nenhuma, fiz de tudo pra te odiar. Só que eu me odiava mais, estava certo de que você tinha deixado de falar comigo por causa do que contei sobre a minha mãe. Pensei que você achasse que eu era um assassino.

Arfei e estreitei os olhos.

— Eu nunca recebi essas cartas.

— O quê?

— Jax, você parou de escrever pra mim. Eu nunca recebi nenhuma carta contando o que aconteceu com a sua mãe nem com você. Quer dizer, caramba, continuei escrevendo pra você por um ano inteiro depois que as suas cartas pararam de chegar. Fui até pro acampamento de verão, torcendo pra que você estivesse me esperando e me desse uma explicação. Eu jamais teria parado de escrever, e jamais pensaria essas coisas horríveis de você.

A confusão ficou estampada em seu rosto.

— Você escreveu pra mim?

— Escrevi. Fiquei arrasada quando as cartas pararam de chegar. — Eu me sentei no banco do motorista e me virei para ele. — Eu ficaria do seu lado, Jax. Eu obrigaria meus pais a me levar até onde você estivesse, pra te amparar durante o luto. Eu estaria com você.

— Você era o meu sol — disse ele. — Depois que suas cartas pararam de chegar, o mundo ficou muito mais sombrio.

Segurei as mãos dele e as apertei.

— Sinto muito por você ter passado por tudo isso. Odeio que você tenha ficado tanto tempo achando que te abandonei. Eu jamais faria uma coisa dessas. Você era a minha lua, o meu melhor amigo.

Ele olhou para nossas mãos entrelaçadas.

— Posso te contar um segredo?

— Qualquer coisa.

— No dia que descobri que era você, ele voltou a funcionar.

— O que voltou a funcionar?

— Meu coração.

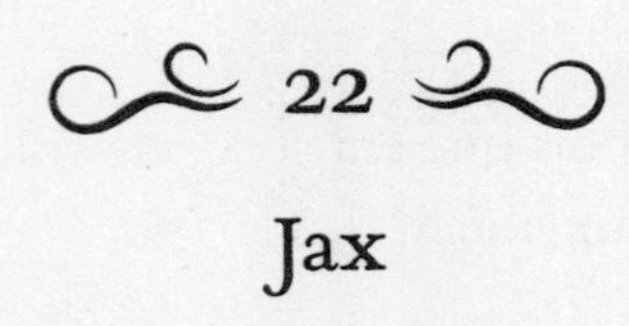

22

Jax

Depois da noite de bebedeira no conversível, eu e Kennedy nos tornamos inseparáveis. Comecei a mostrar a ela tudo o que Havenbarrow tinha a oferecer. Por mais estranho que parecesse, eu meio que passei a gostar daquela cidade idiota também. Era mais fácil encontrar alegria nas coisas quando se tinha alguém como Kennedy ao seu lado.

Sempre que saíamos, ela me obrigava a ir ao café para cumprimentar Marshmallow — indo contra minha vontade. O gato idiota era um amorzinho com ela, mas não era muito simpático comigo. Quando não estávamos juntos, eu ficava planejando nossas próximas aventuras. Queria que ela visse o mundo de Havenbarrow comigo ao seu lado.

Passei anos sem ter a companhia de Kennedy, e agora estava disposto a recuperar o tempo perdido.

— Vou contar até três, e vamos dizer nosso sabor de sorvete favorito — sugeriu Kennedy em uma manhã de domingo, enquanto estávamos sentados na floresta, comendo barras de granola e observando os passarinhos voarem. — Um, dois, três!

— Céu azul! — gritei.

— Cereja com flocos! — exclamou ela, então apontou para mim e arfou. — Ah, não! Quem gosta de céu azul? Aquilo tem gosto de que, afinal? Sério, céu azul? O que isso significa?

— Significa que é um sorvete delicioso com gosto do paraíso. É como se os Froot Loops tivessem um filho com o algodão-doce.

Ela riu, e sua risada era um som lindo.

— Isso parece nojento.

— Parece nada. Se você provar, vai adorar também.

— Isso me parece um desafio, e já faz tempo que decidi nunca recusar desafios quando se trata de sorvete.

Eu me levantei e ofereci a mão para ela.

— Então vamos. A sorveteria da cidade tem o melhor céu azul do mundo. Tá, é o único céu azul que eu já provei, mas tenho certeza de que é o melhor.

Ela pegou minha mão, e lá fomos nós. A noite estava perfeita, então, em vez de irmos de carro até o centro, decidimos andar até lá. Kennedy passou o caminho inteiro tagarelando sobre tudo, e eu prestava atenção em cada sílaba que saía de sua boca. Quando entramos na fila do sorvete, ouvi as pessoas ao redor sussurrando, mas não dei muita atenção.

Estava pouco me lixando sobre o que aquelas pessoas mesquinhas achavam de Kennedy estar saindo comigo. A opinião delas não me definia mais. Apenas a minha contava.

— Oi, queremos duas casquinhas de duas bolas de céu azul — pediu Kennedy ao chegarmos no balcão. Ela pegou a bolsa para pagar, e, quando tentei tirar meu cartão de crédito do bolso, ela me empurrou. — Desta vez, não, Lua. É por minha conta.

Ela pagou pelos sorvetes, e continuamos nossa caminhada. No trajeto, fomos interrompidos pelas gêmeas de *O iluminado*, de Stephen King. Elas usavam roupas iguais. Porra, roupas iguais. Sinceramente, que tipo de mulher faz isso?

— Ah, nossa, oi, Kennedy — disse Kate em sua voz falsa cantarolada. Ela olhou para mim. — Jax.

— Kate. Louise — resmunguei, nem um pouco interessado na conversa que estava prestes a acontecer.

— Vieram atrás de guloseimas? — questionou Louise, olhando para nossos sorvetes. — Estão com uma cara ótima. Acho que vou até comprar um pra mim, assim que sair da dieta cetogênica. Eles não estão com uma cara ótima, Kate?

— Na minha opinião, isso aí é uma bomba de carboidrato — respondeu a irmã. Então ela se virou para Kennedy. — Ah, não quero ser enxerida, mas estão rolando vários boatos pela cidade sobre vocês dois.

— Ah, é? — perguntou Kennedy, levantando uma sobrancelha. — É mesmo?

— Sim, pois é. Não se fala de outra coisa em Havenbarrow. Vocês estão famosos. — Ela riu. Por que ela está rindo? — Então, não que eu queira me intrometer na vida de vocês… Eu e a Louise nos orgulhamos em não sermos o tipo de pessoa que toma conta da vida dos outros. Mas é verdade?

— O que é verdade? — perguntou Kennedy.

Louise a cutucou.

— Você sabe... Que vocês dois estão namorando? Ou é só um casinho? Talvez sexo sem compromisso. Amizade colorida? Sei que ele está trabalhando no seu jardim, então vocês podem ter ficado mais próximos por causa disso. Não quero me intrometer, mas estou curiosa para saber se vocês estão...

— Au!

Meus olhos ficaram arregalados quando me virei para Kennedy, que encarava as gêmeas. E ela... latiu. Puta que pariu, Kennedy Lost estava latindo para as gêmeas, e aquele momento se tornou, oficialmente, o melhor da minha vida.

O olhar de medo na cara de Kate e Louise ficaria para sempre em minha memória.

Kennedy continuou latindo para as duas, até que elas começaram a recuar devagar, sem entender o que estava acontecendo.

Então fiz a única coisa possível.

Lati também.

As duas saíram correndo feito baratas tontas, e eu tive certeza de que aquilo seria discutido na próxima reunião do conselho da cidade. Por algum motivo, fiquei feliz com aquilo.

— Seria ótimo se você tivesse aparecido nesta cidade há mais tempo — brinquei.

— Eu não vou embora tão cedo, então preciso treinar meus rosnados. — Ela finalmente conseguiu lamber o sorvete que começava a derreter por suas mãos. Seu corpo inteiro congelou, e seus olhos se arregalaram de surpresa. — Caramba! Tem gosto de tudo o que há de melhor no mundo.

— Eu disse!

— Não, sério. É melhor do que sexo.

Estreitei os olhos.

— Você anda transando com as pessoas erradas.

Ela riu, e suas bochechas ficaram um pouco coradas.

— Que seja. Só estou dizendo que você tinha razão.

Arqueei uma sobrancelha.

— Calma aí. Preciso que você repita o que acabou de dizer. Gostei da maneira como soou.

— Nunca mais vou dizer essas palavras, então é melhor você gravar o momento na sua memória.

Dei um cutucão nela.

— Repete.

— Não. — Ela riu, se esquivando de mim. — Nunca. — Comecei a fazer cosquinha nela, e ela soltou um gritinho. — Para!

— Só depois que você repetir.

— Nuncaaaa! — disse ela, arrastando a palavra enquanto eu continuava fazendo cócegas até que ela se rendesse. — Tá bom, tá bom, você tinha razão! — exclamou ela, jogando as mãos para o alto, levando junto a casquinha, que acabou escapulindo.

E, como todos sabem, tudo o que sobe tem que descer.

Bem na minha cabeça.

Kennedy deu um passo para trás, seu rosto vermelho de segurar a risada enquanto o sorvete de céu azul escorria pela minha pele, fazendo uma sujeira enorme na minha cabeça.

Ela levou as mãos à cintura e deixou a gargalhada escapar.

— Se esse não for o maior exemplo de carma instantâneo, não sei o que seria. — Ela passou um dedo na minha bochecha, pegando o sorvete derretido, e lambeu.

E se ela não ficasse fofa e sexy para caralho lambendo o dedo, talvez eu tivesse coragem de ficar irritado, mas era impossível. Eu não conseguia fazer nada além de rir feito um bobo.

— Você se acha engraçada, é? — Sorri, balançando a cabeça e derrubando a casquinha no chão.

— Eu sou hilária. Mas é engraçado, sabe, porque o céu azul agora está cobrindo a Lua. É como se vocês estivessem destinados a se unir. Acho que foi o desti... Jax! — berrou ela quando esfreguei a minha casquinha no topo da sua cabeça.

Por um segundo, fiquei apavorado com a possibilidade de ela ficar chateada comigo, mas, quando vi suas bochechas subindo e ouvi sua risada explodir pelos ares, meu coração acelerou.

Comecei a rir junto com ela, descontroladamente, até ficar com a barriga doendo. O mais engraçado eram os olhares curiosos que recebíamos de todo mundo ao redor. Depois, assim que nos recompusemos, Kennedy olhou para mim com um sorriso enorme, colocou as mãos na cintura e fez uma pose.

— Como estou?

— Um doce — respondi.

Dei um passo na direção dela e passei meu dedo pelo seu lábio inferior, onde o sorvete escorria. Foi um gesto involuntário. Meu corpo simplesmente foi até o dela, como se atraído por um ímã. Eu não conseguia me afastar. Meus olhos se fixaram em sua boca enquanto ela passava a língua lentamente pelo lábio inferior, provando o sorvete que cobria sua pele.

Eu também queria prová-lo. Queria me deliciar com o sabor adocicado dos lábios dela.

Sem perceber o que fazia, cheguei mais perto, e as mãos meladas de Kennedy subiram até meu peito, se apoiando na altura do meu coração complicado. Seus olhos estavam grudados nos meus, e me perguntei se ela também sentia as batidas loucas que pulsavam dentro de mim.

— Jax...

— Oi?

— Você está pensando em...?

— Estou. E você está pensando em...?

— Aham.

Em uma questão de segundos, os lábios dela encontraram os meus, e a beijei com vontade, como se tivesse passado todos aqueles anos esperando para redescobrir sua boca na minha. Ela puxou minha blusa, me levando para perto. O mundo ao nosso redor ficou em silêncio conforme eu me perdia no beijo dela, na boca de Kennedy, na língua dela, no coração dela.

Tão doce.

Doce para caralho. Foi como se eu estivesse voando, mesmo com os pés plantados no chão.

Foi um beijo celestial, e fiquei grato por ele, apesar dos meus pecados antigos. Eu precisava que Kennedy Lost voltasse para mim. Eu precisava que ela me encontrasse depois de todo aquele tempo. Parte de mim se achava idiota por sentir tanta coisa depois de viver sem sentir nada. Talvez aquilo não passasse de um sonho, talvez eu só estivesse perdendo a cabeça e me deixando enganar pela miragem de uma fantasia esperançosa. Mas eu não me importava. Eu não me importava se era imaginação ou realidade; eu só sabia que ela era a primeira coisa na minha vida que fazia com que eu me sentisse vivo. Eu a beijei como se o tempo estivesse acabando. Eu a beijei pelos dias do passado, eu a beijei pelo amanhã. Então a beijei de novo.

Se ela fosse um sonho, eu pretendia dormir para sempre.

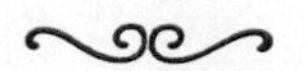

Naquela noite, voltamos para a casa de Kennedy, e ela me convidou para entrar e me limpar. Tiramos os sapatos no hall de entrada, e ela me guiou até o quarto. Então abriu o chuveiro e tirou a roupa, ficando apenas de calcinha e sutiã. Por um segundo, pensei ter retornado ao sonho escroto da neve enquanto a observava se lavar.

— Acho que é o melhor jeito de tirar o melado — disse ela enquanto meu pau enrijecia diante da visão.

Aham. A qualquer momento, ia começar a nevar sobre nossas cabeças.

Ela fez um gesto para que eu me aproximasse, e tirei as roupas ainda desconfiado, deixando apenas a cueca boxer. A água correu sobre nós, e eu não conseguia parar de olhar para ela. Ela era linda em todos os sentidos. A forma como a calcinha e o sutiã molhados grudavam em sua pele me fazia querer arrancá-los de seu corpo, mas controlei meus impulsos.

A verdade era que eu não merecia nem estar parado ao lado dela.

— Mãos — disse ela.

Estiquei minhas mãos em sua direção. Ela esguichou shampoo nelas e depois pegou um pouco para ela, e começamos a lavar o cabelo um do outro. Enquanto o sorvete açucarado escorria por nossa pele, eu só pensava em empurrá-la contra a parede e penetrar tão fundo nela que ela não teria outra opção além de gritar meu nome.

Em vez disso, fiquei parado, seguindo as deixas dela.

Quando terminamos de enxaguar o shampoo dos cabelos, ela inclinou a cabeça para me encarar. Seus lábios carnudos estavam rosados, e suas bochechas, elevadas, enquanto ela sorria para mim.

— Basorexia? — sussurrou ela quando nossos lábios se entreabriram.

— Basorexia — repeti.

Nossas bocas se encontraram, e passaram a noite inteira assim.

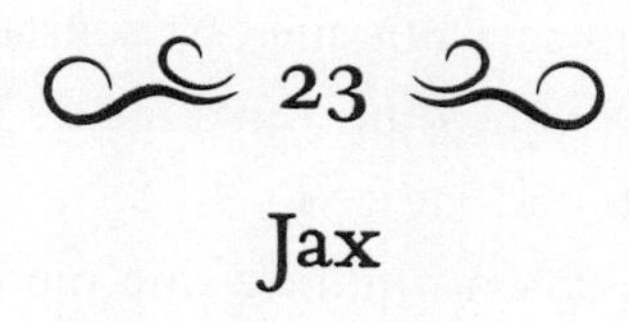

Jax

— Você está feliz — comentou Joy enquanto nos sentávamos em sua varanda para tomar café.

Minha agenda estava lotada de trabalhos hidráulicos pela cidade, então era bom passar um tempo com ela para começar o dia bem.

Também foi bom acordar com Kennedy ao meu lado na cama. Não havíamos transado, mas ficamos até tarde acordados, conversando e nos beijando, e nos beijando mais um pouco. Quando ela adormeceu em meus braços, soube que jamais conseguiria abrir mão dela de novo.

Sorri para Joy e concordei com a cabeça.

— Estou. — Os olhos dela se encheram de lágrimas, e eu ri. — Não chora, Joy.

— São lágrimas de alegria, querido — explicou ela, dando tapinhas na minha mão. — Só lágrimas de alegria. Sabe, você é o neto que eu nunca pude ter. Você é muito importante pra mim, e a única coisa que eu queria era a sua felicidade.

— Obrigado, Joy, por sempre estar ao meu lado.

— Família serve pra isso, meu bem. Nós permanecemos juntos nos bons e nos maus momentos.

Apesar de ela não ser minha parente de sangue, Joy Jones tinha sido minha família mais próxima durante esses últimos anos. Depois que

Derek foi embora, comecei a me sentir muito sozinho. Se não fosse por ela, eu jamais teria chegado aonde estava hoje. Era impossível demonstrar toda a gratidão que eu sentia por ela ter me amado, mesmo quando eu não fazia ideia de como amar a mim mesmo.

Olhei para minha xícara de café.

— Uma parte de mim acredita que essa sensação boa não pertence a mim... como se fosse algo que o universo me deu, mas vai levar embora quando perceber que eu não mereço.

— Se existe uma pessoa no mundo que merece essa sensação boa, é você, Jax. Não estrague as coisas pensando no que pode dar errado. Não se perca tentando adivinhar o que vai acontecer no futuro. Viva o presente, porque isso é tudo o que temos. Escute o que esta velha fala. A felicidade permanece onde você permite que ela esteja.

O sol brilhou sobre nós enquanto eu ria para mim mesmo e balançava a cabeça.

— É loucura achar que estou me apaixonando por ela?

— A melhor coisa que podemos fazer na vida é ter coragem de amar. Se apaixone por ela e não pare nunca mais. Mas você vai arrumar um problema comigo se parar de vir assistir a *The Bachelor* aqui em casa. É aí que o seu amor pela Kennedy precisa ter um limite.

Eu ri até ver a expressão séria no rosto dela. O olhar fulminante de Joy bastou para que eu engolisse o riso.

Eu estava determinado a assistir a todos os episódios de *The Bachelor* com ela pelo resto de sua vida. Além do mais, era nossa tradição. Não havia muitas tradições na minha vida; portanto, eu me comprometeria com as poucas que tinha.

~

Desde que eu tinha buscado Connor para o trabalho, ele não parava de sorrir de orelha a orelha, me encarando como se eu tivesse ganhado uma medalha olímpica.

— Por que você está olhando pra mim desse jeito? — perguntei.

— Você conseguiu, não conseguiu? — perguntou Connor enquanto parávamos para o primeiro serviço do dia na lanchonete do Gary. — Você molhou o biscoito, né?! — exclamou ele, apontando na minha direção.

— Do que raios você está falando? — resmunguei, balançando a cabeça.

— Você transou com a Kennedy! Dá pra perceber pela sua cara.

Levantei uma sobrancelha.

— Você percebeu pela minha cara que eu dormi com alguém? Isso não faz sentido.

— Talvez não faça sentido pra uma pessoa normal, mas eu sou especialista nas caras do Jax Kilter. E essa é uma cara feliz! E tem mais! Você me deixou entrar na picape e colocar na rádio do top quarenta. Você odeia música pop, e tenho certeza de que vi você cantarolando junto com a Taylor Swift.

— A música era legal — murmurei.

— Puta merda, você acabou de dizer que Taylor Swift é legal! O mundo está realmente acabando. Então, me conta tudo.

— Não vou te contar nada, porque não tem o que contar — falei enquanto estacionava a picape e saltava dela.

Segui para a caçamba e peguei minha caixa de ferramentas.

Connor veio correndo até mim, com o celular na mão, e o enfiou na minha cara.

— Então o que é isto?

Olhei para a foto na tela e estreitei os olhos antes de arrancar o celular da mão dele.

— Onde você arrumou isto?

Eu estava olhando para uma foto minha beijando Kennedy na rua, na noite anterior. Será que tinha paparazzi naquela cidade infernal?

— Começou a circular ontem à noite. E olha que você disse que não aconteceu nada.

— Não aconteceu nada — repeti. Connor abriu um sorrisinho que dizia *Você é mentiroso pra cacete*, e revirei os olhos. — Nada que eu queira contar pra você, pelo menos.

— Nossa, que grosseria. Eu te conto tudo, amigão.

— É, e eu preferia que você parasse com isso, pra ser sincero.

— Até parece. Você adora escutar minhas histórias. Então, me conta. Sua primeira vez foi como você sonhava? — zombou ele. Eu estava a ponto de xingar aquele garoto, mas não conseguia parar de sorrir feito um idiota. E Connor se aproveitou da minha felicidade. — Ah, nossa, estou tão orgulhoso de você, campeão. Eu me lembro da minha primeira vez como se tivesse sido ontem.

— Provavelmente foi ontem. Além do mais, nós não transamos. A gente só... se beijou.

Ele parou de andar e levantou uma sobrancelha, confuso.

— Espera... calma aí. Você está feliz desse jeito só porque beijou uma garota?

Dei de ombros.

— Estou.

Ele balançou a cabeça, decepcionado.

— Eu esperava mais de você, Jax. Venha conversar comigo quando você virar homem de verdade.

— Ei, Connor?

— Oi?

— Cala a boca.

— Tá bom, chefe.

~

O dia passou devagar, mas não tivemos nenhum problema de encanamento grave para resolver, o que me deixou feliz. Nada estragava mais o dia do que canos entupidos com merda. Depois de deixar Connor em casa, fui para a casa de repouso visitar meu pai. A verdade era que eu não estava nem um pouco animado para encontrar com Amanda, porque eu sabia que, se Connor tinha visto a foto do beijo, ela também devia ter visto.

Assim que entrei, o olhar raivoso que Amanda lançou na minha direção provou que minha suspeita estava correta.

— Só amigos, né? — desdenhou ela, revirando os olhos enquanto folheava uma revista.

Fui até a recepção, e, apesar de achar que não tinha de lhe dar explicações, sabia que ela merecia uma. Amanda nunca havia sido maldosa enquanto estivemos juntos. Nós só tínhamos vidas muito diferentes. Crenças muito diferentes. Quando ela falava sobre filhos, dizia que pretendia moldá-los para cumprirem suas expectativas — e virarem médicos, atletas, políticos.

Eu não concordava com isso.

Eu queria ter um filho que fosse feliz e se tornasse o que ele quisesse ser.

Além do mais, no quesito paixão, faltava algo entre nós. Eu não ficava animado quando ia encontrá-la. Não sentia que ela era a pessoa com quem eu queria passar o resto da vida. Eu não via futuro.

Ela merecia alguém que a tratasse como se ela fosse a estrela mais brilhante do céu — e, infelizmente, esse cara não era eu.

— Desculpa se você ficou triste quando soube de mim e da Kennedy. Você sabe que nunca foi minha intenção te magoar.

Ela continuou franzindo a testa.

— É, mas dói mesmo assim.

Fiz uma careta e passei a mão pelo cabelo.

— Escuta, você deu sorte. Eu sou um babaca. Você está melhor sem mim.

— Eu sei disso, Jax. Não sou idiota. É só que... — Ela baixou a voz e balançou a cabeça. — Você nunca fez aquilo comigo.

— O quê?

— Rir. Nós nunca ríamos juntos.

— Claro que ríamos.

Era impossível a gente nunca ter rido. Nós namoramos por quase dois anos — devem ter rolado umas gargalhadas.

— Não, não ríamos, e você com certeza não olhava pra mim do jeito que olha para aquela garota. Desculpa por ter batido em você, tá? É só que... era aquilo que eu queria. Eu queria o que você deu pra ela.

— Você vai encontrar isso, Amanda. Existe alguém por aí que vai dar tudo o que você merece, e mais. Você merece mais do que eu tinha pra oferecer.

— Mereço mesmo. — Ela riu. — Enfim, boa sorte.

Agradeci a ela e fui ver meu pai. Nos últimos tempos, quando eu chegava, ele já estava na cama. Não foi uma boa visita, e ele não parou de resmungar que seu filho era um merda.

— Meer-da — disse ele. — Ja-ax meer-da — repetia sem parar.

Tentei não prestar atenção, mas, quando cheguei ao meu limite, saí do quarto, puxei uma cadeira do lado de fora e me sentei. Seria melhor esperar até ele dormir, e então voltar para continuar lendo. Amanda percebeu e franziu a testa, mas fiquei feliz por ela não vir falar comigo. Eu não queria ser reconfortado por ela. Na verdade, queria que Kennedy estivesse sentada ao meu lado para me dar força.

Quando meu pai caiu no sono, voltei para o quarto. Ele parecia mais e mais fraco a cada visita, e eu sabia que as coisas estavam indo ladeira abaixo. Fiz o possível para não pensar nisso e li os capítulos daquela noite. Eu estava quase terminando o livro, então passei a ler mais devagar.

Era engraçado como eu podia ter um dia incrível e, mesmo assim, sair da casa de repouso me sentindo esgotado. Normalmente, após as visitas, eu ia para casa ou para a floresta. No passado, eu nunca queria estar sozinho, mas sentia que era o certo a fazer. Agora, eu não sentia mais aquela solidão, e, se eu fosse ficar sozinho, queria ficar sozinho com ela.

Parei em frente à casa de Kennedy e desliguei a picape. Fui até sua porta e toquei a campainha. Quando ela atendeu, já estava de pijama, linda como sempre.

— Olá. — Ela sorriu. — Como foi a visita ao seu pai?

Dei de ombros.

— Não quero falar sobre isso. Só pensei em passar um tempo com você... porque não queria ir pra casa. Não fiquei muito bem depois de ver o estado em que ele se encontra, então resolvi dar um pulo aqui.

— É claro, Jax. Nem precisa pedir.

Antes de eu entrar, ela saiu para a varanda e me envolveu em seus braços. Pela primeira vez na vida, entendi que lar não é um lugar, e sim uma pessoa. Quando eu estava perdido naquela noite, fugi para Kennedy e, para minha sorte, ela me deixou entrar.

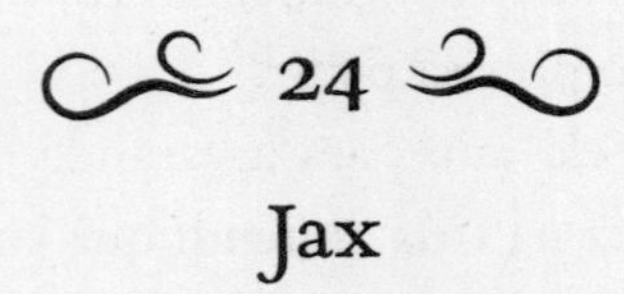

Jax

Treze anos

Eu queria que minha mãe não estivesse no trabalho.

Eu queria que Derek não estivesse no treino de futebol americano.

Eu queria não estar sozinho com meu pai. Eu odiava ficar sozinho com meu pai.

— Puta merda. Dá pra parar de tremer? Você vai assustar a porra do bicho — disse meu pai atrás de mim.

Ele firmou minhas mãos na arma. O cervo ficou parado na minha frente com a cabeça baixa, comendo alguma coisa, talvez grama ou um galho.

O que os cervos comem? Frutas? Pequenos frutos? Eles comem junto com a família, e levam algo para que todos possam se alimentar? Ou cuidam só de si mesmos?

— Segura firme — falou meu pai ao meu ouvido.

Sua voz rouca me despertou de meus devaneios. O cervo levantou o olhar e hesitou por um instante. Ele esticou o pescoço e começou a mastigar o galho de uma árvore.

Galhos! Eles comem galhos!

— Olha só que belezura, Jax. Aquele é um cervo-de-cauda-branca.

Meu coração batia disparado no peito, porque o cervo era *mesmo* bonito — então por que eu tinha de matá-lo? O que o animal havia feito contra mim? Nada. Ele não parecia ter feito nada contra ninguém. Olhei para o meu pai e vi que ele parecia orgulhoso. Eu nem me lembrava da última vez que o tinha visto orgulhoso e não queria decepcioná-lo.

Meu pai dizia que homens de verdade caçavam, e eu queria ser um homem de verdade igual a ele. Derek estava no treino de futebol americano, e minha mãe ia trabalhar até mais tarde na lanchonete, então ficamos só eu e meu pai em casa, na nossa floresta. Eu nem tinha certeza se a gente podia caçar em junho, mas meu pai disse que as terras eram dele, então podia fazer o que quisesse, quando quisesse.

Meus olhos se concentraram no cervo. Respirar estava ficando cada vez mais difícil. Era como se alguém tivesse enfiado a mão dentro do meu peito, agarrado meu coração e dito que só o soltaria se eu tomasse uma decisão.

Seja homem ou um maricas.

O animal ficou parado ali, vivendo a própria vida enquanto eu o acompanhava pelas sombras criadas pelos arbustos.

— Não quero — sussurrei, voltando a tremer. Não era *justo.* O cervo não tinha feito nada. A gente tinha comida em casa. Nós não precisávamos daquilo. Não estávamos com fome. Eu não estava com fome. Eu não estava com fome... — Por favor, não — falei baixinho, talvez só para mim. Talvez para Deus.

— Anda logo. O Derek matou três sozinho no ano passado. Se você não atirar, pode ter certeza de que não vai mais para aquele acampamento. Não seja um merdinha — disse meu pai, me ameaçando com a única coisa que ele sabia que me magoaria.

Eu não queria perder o acampamento e não ver Kennedy. Eu tinha passado o ano inteiro esperando por aquilo.

Quando o cervo voltou a olhar para baixo em busca de mais galhos, baixei a arma. Eu não sabia se meu pai tinha visto, mas atrás do cervo-de-cauda-branca havia um filhotinho. Seus olhos grandes e pretos estavam arregalados, e ele parecia assustado. Meus olhos se encheram de lágrimas. *Não consigo fazer isso.*

— Puta que pariu, Jax — disse meu pai, se abaixando no chão com sua arma, que tinha o dobro do tamanho da minha, se não o triplo.

Ele mirou no cervo. Senti meu estômago se revirar e um gosto nojento de vômito se alojar na minha boca. Tentei afastar o amargor, engolindo em seco. Eu me levantei e quase perdi o equilíbrio por ter feito isso rápido demais. Meus olhos se encontraram com os do filhote, que parecia invisível para o meu pai. Balancei a cabeça de um lado para o outro.

Não posso!

Não posso deixar isso acontecer! Não posso deixar o cervo morrer!

Em um ataque de pânico, comecei a balançar os braços e a gritar.

— Não! Foge! *Foge!* — berrei, minha garganta parecendo arranhada e dolorida.

O cervo pareceu assustado e começou a ficar agitado. Eu pulava para cima e para baixo, tentando fazê-lo correr e não olhar para trás, mas era tarde demais. A arma do meu pai disparou, e o cervo deu apenas alguns passos antes de desabar no chão.

Meus olhos voaram para o lugar onde o filhote estava alguns minutos atrás. Ele tinha ido embora.

— Que porra foi essa, garoto? — gritou meu pai para mim. Ele se levantou e me deu um tapa na nuca. — Guarda as suas merdas e espera aqui.

Escutei ele resmungar baixinho.

Ele foi na direção do cervo.

Do cervo *morto.*

Do cervo morto. Do cervo morto pelo *meu pai.*

Eu me inclinei para a frente e vomitei o café da manhã e o almoço, e talvez um pouco do jantar de ontem. Eu odiava aquilo. Odiava caçar. Odiava o cervo por ter sido burro e não ter fugido rápido o suficiente. Odiava Derek por ser melhor do que eu. Odiava minha mãe por não estar em casa quando meu pai me arrastou para a floresta. Odiava meu pai por não gostar de mim do jeito que eu era. Odiava a mim mesmo por decepcioná-lo.

Talvez eu me odiasse um pouco mais do que todo o resto.

~

— Você não devia ter mandado ele fazer aquilo — brigou minha mãe, mais tarde em casa, enquanto eu me encolhia no topo da escada.

Ela e meu pai estavam na sala, andando de um lado para o outro. Fazia uma hora que os dois brigavam por minha causa. Minha mãe tinha chegado do trabalho e me encontrado chorando na cama. Ela me deu um abraço apertado e disse que tudo ia ficar bem.

— Ele é uma vergonha! O irmão dele matou o primeiro cervo quando bem mais novo!

— Mas ele não é o Jax — rebateu ela. — O Jax é diferente. Ele é sensível.

— Ele é um viadinho.

— Não fala do meu filho desse jeito — ordenou ela com uma voz muito firme.

— Ah, então agora ele é só seu filho? — rebateu meu pai.

— Quando você o trata assim, é. — A voz da minha mãe falhou, e ela cruzou os braços, olhando para o tapete. — Você entendeu o que eu quis dizer, Cole.

— Não, acho que não entendi. — Ele apertou o nariz. — É engraçado, porque o Derek não é nem sangue do meu sangue, mas se parece mais comigo do que a porcaria do meu próprio filho.

— Não fala assim. Além do mais, é diferente. O Derek é bem mais velho que o Jax. Essa não é uma comparação justa.

Meu pai resmungou alguma coisa que não consegui ouvir e passou as mãos pelo cabelo.

— A menos que você queira que ele se torne mais fresco do que já é, me deixa criar aquele garoto pra ser um garoto. Ele é um maricas porque você fica mimando ele, Elizabeth. A culpa é sua.

— Eu me recuso. Não vou ficar ouvindo você falar mal do Jax porque ele não gosta das mesmas coisas que você.

— Ele vive com a cara nos livros! Ele chora quando vai pescar, porra, porque acha que estamos machucando o peixe! Quer dizer, caralho, ele chorou assistindo a *O rei leão* na semana passada, porque o maldito do Mufasa morreu! Meninos não choram por causa de *O rei leão*. Ele é um fracote de merda, e você tem sorte de eu estar aqui pra fazê-lo virar homem.

— Ele não precisa virar homem. Ele é perfeito do jeito que é.

— Não. Ele é fraco. Você está fazendo com que ele seja um fracote. Você vai ver só. Ele nunca vai conseguir nada na vida, por causa dessa proteção toda. Você está estragando ele.

Os dois continuaram brigando, e eu me senti péssimo por isso. Meu estômago ficou embrulhado. Voltei para o meu quarto e chorei mais ainda com o rosto escondido no travesseiro.

— Para de chorar, idiota — solucei para mim mesmo. — Seja homem.

Meus pais estavam brigando cada vez mais por minha causa. Eles nunca discutiam por causa do meu irmão mais velho, talvez porque ele era mais parecido com meu pai. Talvez porque ele gostava de esportes, talvez porque era forte.

Forte.

Eu queria ser forte. Eu *precisava* ser forte.

— Você está bem, querido? — perguntou minha mãe, passando no meu quarto.

Já havia passado da minha hora de dormir, mas eu não conseguia pegar no sono. Minha cabeça e meu coração doíam demais.

— Ele me odeia — sussurrei.

Minha mãe se aproximou de mim e se deitou na cama comigo. Ela me envolveu em seus braços e me puxou para perto de si.

— Seu pai não te odeia, Jax. Ele só... — Ela respirou fundo. — Ele foi criado de um jeito diferente, só isso. Ele acha que certas coisas precisam ser feitas para transformar alguém em um homem, mas está errado.

— Não sou homem.

— É verdade, você não é. — Ela se inclinou para a frente e deu um beijo no meu nariz. — Você é um menino lindo que está se descobrindo, só isso.

— Mas eu quero ser forte como o meu pai e o Derek. Quero ser melhor do que eu sou.

— Forte? Jax Kilter, você é o menino mais forte que eu conheço — jurou ela, esfregando o nariz no meu. — Sabe por que você é forte?

— Por quê?

— Pelo seu coração. Pelo jeito como você ama os animais e não quer que nada ruim aconteça com eles. Pela forma como você diz por favor e obrigado. Pela maneira como segura as portas para as pessoas passarem. Pelo jeito como ri quando lê um livro engraçado e relê as partes em voz alta pra que eu possa rir também. Por compartilhar comigo suas piadas favoritas. Pela maneira como ama a sua mãe. — Ela sorriu. — Acho que você é o menino mais forte que eu já conheci, e, um dia, vai ser o homem mais forte também. Não liga pro seu pai. Você não é menos homem por ser diferente dele ou do seu irmão.

Eu queria acreditar nela, mas era difícil.

— Sabia que você é meu melhor amigo, Jax? — perguntou ela.

Eu sabia. Ela provavelmente dizia isso só porque era minha mãe, mas ela também era minha melhor amiga.

Minha mãe era minha única amiga, além de Kennedy. Ela estava sempre cuidando de mim, até quando eu não percebia. Não importava o que acontecesse, minha mãe estava sempre do meu lado.

— Eu te amo, mãe.

— Eu também te amo, Jax. Posso perguntar uma coisa?

— Claro.

— Que tal eu, você e o Derek nos mudarmos pra nossa própria casa?

Meus olhos se arregalaram.

— Sem o meu pai?

Ela franziu a testa e concordou com a cabeça. Vi seus olhos se encherem de lágrimas.

— É. Acho que seria bom pra gente. Vou abrir a empresa de paisagismo em breve, e você pode ser meu braço direito. Podemos começar algo novo sem o seu pai. É claro que ele sempre vai estar na sua vida, Jax, mas teríamos a nossa casa.

— Você vai largar o Cole?

Levantei o olhar e vi Derek parado na porta, os olhos cheios de pânico.

Minha mãe se levantou da cama e foi até ele.

— Derek, a gente ainda não decidiu nada, e...

— Você não pode largar ele! Não pode fazer isso. Eu já perdi um pai. Você não pode me obrigar a passar por isso de novo. Eu não vou. Quero ficar com o Cole.

— Calma, Derek. Nada foi decidi...

— É por causa dele, né? — perguntou meu irmão, apontando para mim. — É porque ele é anormal. Sei que é por isso que você e o Cole brigam o tempo todo.

— Derek! — sibilou minha mãe. — Não ouse falar do seu irmão desse jeito.

— Por que não? Você sabe que é verdade. Você que trata ele como se ele não fosse esquisito, mas ele é. O Cole tem razão, ele é um viadinho.

Minha mãe segurou o braço de Derek, não com força, mas com firmeza.

— Pede desculpas pro seu irmão agora.

— Por quê? Só estou falando a verdade.

— Derek — brigou ela, mas ele não cedeu. Minha mãe soltou seu braço e apontou para a porta. — Vai pro seu quarto e nem pense em aparecer no treino de futebol americano pelo resto da semana. Você está de castigo.

— O quê? Não! A gente tem um jogo na sexta, e não vou poder jogar se eu não treinar. — Ele gemeu, o rosto corando de raiva.

— Você devia ter pensado nisso antes de falar do seu irmão desse jeito.

— Que merda — resmungou ele, indo embora batendo os pés de raiva.

— Agora são duas semanas! — berrou minha mãe.

Logo depois, ouvi a porta do quarto de Derek batendo.

Minha mãe suspirou e apertou o nariz.

— Ele tem razão — falei. — É tudo culpa minha.

Minha mãe se aproximou de mim, se agachou para ficarmos na mesma altura e segurou minhas bochechas.

— Jaxson Eli Kilter, nada disso, nada mesmo, é culpa sua. Seu pai e seu irmão estão errados. Você é perfeito do jeito que é. Agora, vai descansar.

Ela beijou minha testa e arrumou minha coberta. Ela estava saindo do quarto e já ia apagar a luz quando eu a chamei.

— Deixa acesa? — pedi, me sentindo idiota por ainda ter medo de escuro.

— A luz noturna está na tomada — disse ela, apontando para a parede. — Lembra? Ela nunca deixa ficar escuro.

Concordei com a cabeça.

— Mas deixa a porta aberta? — pedi.

— Pode deixar, querido — prometeu ela. E apagou a luz.

Eu me esforçava ao máximo para me lembrar de tudo que minha mãe havia falado, mas era difícil. Meu pai me ignorava havia dias, desde que eu tinha me recusado a atirar no cervo. Antes de parar de falar comigo, a última coisa de que ele me chamou foi de bicha.

Sempre que eu entrava em um cômodo, meu pai saía. Sempre que eu dizia oi, sua boca permanecia fechada. Sempre que eu fazia qualquer coisa, ele fazia com que eu me sentisse invisível.

Invisível.

Eu sou invisível.

25

Kennedy

Hoje

— Você quer um dia de aventura hoje? — perguntou Jax quando estávamos deitados na cama.

Na noite anterior, quando ele chegou à minha casa, dava para perceber que estava com a energia meio baixa após a visita ao pai. Mas ele não queria conversar sobre o assunto, então não insisti. Deixamos as coisas fluírem, e, quando fomos nos deitar, ele parecia mais calmo. Fiquei feliz por isso. Eu faria qualquer coisa para acalmar sua mente atormentada.

— Eu sempre topo uma aventura — respondi, me remexendo na cama.

Como a gente tinha chegado tão rápido àquele ponto? Um dia, estávamos nos reaproximando; no outro, ele estava deitado na minha cama, sem camisa. Acho que nossa amizade evoluiu com o tempo.

Eu gostava mais desta versão de nós — a versão adulta e imperfeita da nossa história.

— Qual é a sua sugestão? — perguntei.

— Vi que você colocou a sala secreta da biblioteca na sua lista de coisas pra fazer. Assim, só pra deixar claro, parece que isso é uma lenda urbana. Tenho noventa e nove por cento de certeza de que ela não existe.

— Eu acredito nesse um por cento — falei, esfregando as mãos.

— Então está combinado. Preciso de um banho, e vou tomar o café com a Joy. Eu e o Connor temos uns serviços para fazer hoje, mas estou livre depois disso. Podemos ir pra biblioteca lá pelas cinco da tarde, se você quiser.

— Por mim, está ótimo.

Antes de ele sair, me deu um beijo de despedida, e a pontada que senti no estômago quase me fez cambalear. Eu estava pronta para passar o restante do dia naquela onda de felicidade — então meu celular tocou, e o nome de Penn surgiu na tela.

Ele não tinha me ligado nem uma vez desde que fui embora. Ele não tinha me dito uma única palavra, tirando algumas poucas mensagens falando que estava com saudade. Agora ele estava me ligando, e eu não sabia o que fazer, então deixei a chamada cair na caixa de mensagem.

Quando o celular voltou a tocar, meu estômago se embrulhou e eu engoli em seco, atendendo só para o caso de algo grave ter acontecido.

— Alô? — falei.

— Kennedy, oi. Como você está? — perguntou ele.

Ele parecia mais calmo do que nunca, o que era preocupante, considerando a forma como ele costumava agir.

— Como eu estou? — perguntei, confusa. — O que você quer, Penn?

— Eu, hum, acho que mereço isso depois do jeito que tratei você. Não foi legal.

Bufei.

— Não me diga. Por que você está me ligando?

— Pra dizer pra você vir pra casa. Já faz algumas semanas, e seria bom ter você de volta aqui, Kennedy. Estou com saudade. As pessoas andam perguntando por você. Elas notaram sua ausência.

— Não era isso que você queria? Que eu parasse de fazer drama na frente dos outros?

— Você estava de luto... e eu entendo. Quer dizer, droga, eu também estava, e não soube lidar com eles direito. Estou pensando em fazer terapia, sabe, pra trabalhar a minha raiva... pra ajudar a salvar nosso casamento.

— A gente não tem um casamento, Penn. Você me expulsou de casa. Você jogou dinheiro em mim como se eu fosse uma prostituta patética. Você disse que queria que eu tivesse feito um aborto. Não quero mais nada com você, nunca mais.

— Amor — disse ele, fungando. *Ele está chorando? Sério?* Eu não tinha visto Penn derramar uma única lágrima desde o acidente. — Eu preciso de você. Lembra daquele jantar ao qual fomos na noite em que tudo deu errado? Lembra daquela senhora, a Laura Smith?

A que me disse para largar meu marido? Sim, eu me lembrava dela.

— O que tem ela?

— Bom, ela quer comprar uma casa grande e, quando digo grande, quero dizer enorme, Kennedy. Estou falando de um dinheiro que mudaria nossas vidas pra sempre.

— Você quer dizer a sua vida, Penn. Mudaria a sua vida.

Ele ficou quieto por um momento.

— É, quer dizer... é uma oportunidade maravilhosa.

Ele tinha me ligado para se vangloriar? Para me contar como a vida dele estava incrível? Porque eu não estava interessada em saber nada daquilo.

— Que bom pra você. Escuta, se é só isso...

— Ela não quer trabalhar comigo sem você — interrompeu-me ele.

— O quê?

— Ela disse que a única maneira de fechar o negócio comigo é se conseguir jantar com você antes.

Soltei uma gargalhada.

— Você está brincando, não?

— Não. São as condições dela. Não sei por quê. Não entendi por que ela quer se encontrar com você. Você não tem serventia nenhuma pra vida dela.

E lá estava.

A marca registrada de Penn, uma ofensa indireta que depois ele diria que interpretei errado por ser sensível demais.

— Adeus, Penn.

— Espera, Kennedy, droga! — Ele gemeu no telefone. — Por que você sempre precisa ser tão difícil? Eu fui um santo esse tempo todo, depois de você ter matado a minha filha, e é isso que recebo em troca? Que pa...

Desliguei.

Suas palavras lançaram um calafrio pela minha espinha, fazendo o celular escorregar da minha mão e cair no chão.

Depois de você ter matado a minha filha.

Aquela facada me atingiu em cheio e retorceu minhas entranhas. Ele não tinha me ligado porque estava com saudade. Ele tinha me ligado porque precisava de mim. Ele tinha me ligado porque, sem mim, perderia um negócio lucrativo. Não tinha nada a ver com seu amor por mim. Ele não queria que eu voltasse de verdade. Ele só queria me usar e depois me jogar fora feito uma boneca esfarrapada.

Uma parte idiota de mim quase acreditou no que ele disse. Terapia? Aham, sei. Quando eu tinha mencionado para Penn que eu estava pensando em fazer terapia, depois do acidente, ele respondera que seria perda de tempo. Que terapeutas eram charlatões que não ajudavam as pessoas a melhorar, apenas roubavam seu dinheiro. E agora era ele que ia fazer terapia? Para resolver seus problemas?

Palavras — era só isso que ele me oferecia. Palavras vazias e insignificantes, para tentar me atrair de volta para sua rede de destruição. A verdade era que eu estava cansada de tudo aquilo. Estava cansada de ouvi-lo me diminuindo, me machucando.

Uma parte de mim imaginava que Laura tinha estabelecido aquela condição para punir Penn com o próprio carma. Ela sabia que eu teria ido embora e que ele jamais conseguiria receber a comissão. Tinha sido um momento de sororidade, e eu queria poder dar um abraço nela.

O celular começou a tocar de novo, e o nome de Penn surgiu na tela.

Peguei o aparelho e bloqueei o número.

Eu não tinha mais nada para dizer ao homem que fez eu me sentir tão mal durante os dias mais difíceis da minha vida. Laura tinha razão — um marido não devia tratar a esposa daquele jeito.

Eu nunca mais deixaria que homem nenhum falasse comigo daquela maneira.

~

— Estou com saudade e quero voltar pra casa — disse Yoana, segundos depois de atender minha ligação.

Fazia alguns dias desde que tínhamos conversado pela última vez, porque ela e Nathan estavam fazendo uma trilha na América do Sul, onde o sinal de celular era ruim. Contei rapidamente as novidades de Havenbarrow, o sabor mágico do sorvete céu azul e todos os detalhes sobre Jax Kilter, além do telefonema de Penn.

— Também estou com saudade, mas vocês voltam daqui a um mês, e aí podemos encontrar nosso novo normal.

— Com o seu novo namorado e antigo melhor amigo — cantarolou ela, me fazendo rir.

— Ele não é meu namorado. Somos só amigos — falei, soando do mesmo jeito de quando éramos crianças e Yoana implicava com a minha amizade com Jax. — Além do mais, ainda sou legalmente casada com o Penn.

— Ele que se foda, aquele babaca. Não acredito que ele tentou arrastar você de volta pra lá só pra fechar um negócio. Tenho certeza absoluta de que ele pretendia te dar outro pé na bunda assim que recebesse o dinheiro. Ele é um idiota que não merece você, mas esse tal de Jax parece promissor. Vamos falar mais sobre ele.

Bastava eu pensar em Jax para que minhas bochechas pegassem fogo. Ele era tão carinhoso comigo, e bondoso. Ele escutava quando eu lhe contava sobre meus sonhos e minhas expectativas, deixava eu falar sobre Daisy, e, quando eu precisava chorar, não me chamava de sensível. Não me chamava de exagerada.

Ele prestava atenção em mim, me consolava, secava minhas lágrimas.

Mesmo antes da morte de Daisy, Penn já menosprezava minhas emoções. Jax as deixava fluir, e nunca parecia incomodado com os meus sentimentos. Isso era libertador. Quando uma pessoa permite que você seja você mesma por completo, ela merece todo o seu amor.

— Yoana, ele é tão maravilhoso. Ele passou por muitos traumas quando era mais novo, então é bom conversar com alguém que entende como é carregar a culpa de um acidente.

Ela ficou quieta por um segundo, e eu sabia que estava pensando em algo importante.

— O que foi? — perguntei.

— Nada.

— Yoana, eu te conheço tanto quanto você me conhece. Até do avesso. Então, qual é o problema?

— Só quero ter certeza de que o Jax está com a cabeça no lugar, sabe? Não quero que você se apaixone rápido demais por alguém que também é problemático.

Também é problemático.

Ela me achava problemática. Eu não sabia o que dizer.

— Você acha mesmo que eu sou problemática? — perguntei, a voz trêmula com o nervosismo que me tomava.

— Não, não! Não é isso, Kenny. Eu só quis dizer que você passou por muita coisa. Não quero que pense em ficar com alguém que também carrega traumas. — Quanto mais ela falava, mais eu ficava incomodada. Ela suspirou. — Não estou me expressando bem.

— Não, não está. Mas acho engraçado, porque segundos atrás você estava brincando com a possibilidade de Jax ser meu namorado.

— Isso foi antes de eu saber que ele passou por traumas graves. Escuta, não estou tentando impedir que você ache sua felicidade. Se alguém neste mundo merece ser feliz, é você. Só estou agindo como sua irmã mais velha. É meu dever te proteger. Só quero que tome cuidado com o seu coração. Ele já passou por muita coisa, e não quero que você se machuque de novo.

O mesmo gosto amargo que senti durante a ligação com Penn retornou à minha boca. Lá estava eu, finalmente encontrando meu caminho depois de tanto sofrimento, e minha irmã me dizia para ir devagar rumo à felicidade.

Não era isso que eu queria escutar.

— Entendi, Yoana. Sério. Acho que vou dar uma volta pra desanuviar um pouco meus pensamentos. O dia ficou pesado demais.

— Desculpa. Não queria deixar você mais estressada, juro.

— Tudo bem. Você me ama e só quer o melhor pra mim, eu entendo. Eu faria a mesma coisa no seu lugar. A gente se fala. Continua aproveitando a viagem!

— Pode deixar. Te amo.

— Também te amo.

Depois que desliguei, calcei um par de tênis e fui para a floresta, parando para respirar fundo sempre que começava a remoer as palavras de Yoana. E se ela tivesse razão? E se me apaixonar tão rápido por Jax fosse outra armadilha? Eu tinha me apaixonado rápido por Penn. Tudo em nossa vida tinha sido um turbilhão, e eu me sentia atordoada só de pensar em passar por todo aquele sofrimento de novo.

E se Jax me magoasse? Era nítido que até seu terapeuta, Eddie, estava preocupado com seu bem-estar e com a forma como ele estava lidando com a condição do pai. E se Jax surtasse depois da morte do pai? E se ele se afastasse de mim? E se eu precisasse dele, e ele não estivesse lá para me segurar antes de eu cair?

Era ingenuidade pensar que nosso relacionamento estava a caminho de um felizes para sempre? Quer dizer, caramba, a gente nem estava namorando oficialmente.

Eu me sentei na floresta e fiquei escutando os passarinhos por algumas horas, torcendo para que eles me dessem uma resposta, rezando para que compartilhassem alguns segredos sobre a cura da alma.

26

Kennedy

— Você tem a chave da biblioteca? — perguntei para Jax enquanto ele mexia em um chaveiro.

Nós estávamos no último degrau da escada do que parecia ser uma biblioteca muito bem fechada. A placa deixava bem claro que o horário de funcionamento era das nove às cinco. Certamente Jax sabia disso.

— Hoje, tenho — respondeu ele, encontrando a chave certa e destrancando a porta à nossa frente. Enquanto ele a abria, fiquei parada ali.

— O que está acontecendo? — perguntei. — A gente vai invadir a biblioteca?

Ele soltou aquela risada grossa, masculina, que eu amava.

— Não. O diretor da biblioteca, o Hunter, me deixou usar a biblioteca hoje.

— Você pediu pra usar a biblioteca? Quer dizer que existe um jeito de alugar bibliotecas? Porque eu faria isso o tempo todo.

— Normalmente, não, mas o Hunter me devia um favor.

— Que tipo de favor te dá direito à biblioteca inteira?

Ele franziu o cenho e coçou a nuca.

— Fui consertar o encanamento dele há um tempo e encontrei uma calcinha de renda enfiada no fundo da privada.

— E aí? — perguntei, sem entender aquela história estranha.

— Uma calcinha GG, e vamos apenas dizer que a esposa PP dele não era a dona. E ela tinha viajado a trabalho na semana anterior ao problema com a calcinha.

— Ah, que canalha!

— Pois é, mas ele me implorou que não contasse nada. Não que eu fosse me meter. Não tenho nada a ver com a vida dos outros. Contanto que o cheque dele compensasse, eu não me importava. Hoje, quando pedi a chave da biblioteca para usá-la esta noite, ele disse que não. Só precisei falar "calcinha de renda" pra ele mudar de ideia.

Eu ri.

— Você subornou o cara com uma calcinha?

— Claro.

Estremeci só de pensar em Jax tendo de lidar com a calcinha de uma desconhecida.

— Aposto que você vê um monte de coisas esquisitas no trabalho.

— Nem queira saber sobre as esferas anais.

Arregalei os olhos.

— O quê?

Ele riu sozinho e balançou a cabeça.

— Deixa pra lá. Vamos.

Nós entramos na biblioteca, e, em um piscar de olhos, eu estava no paraíso. Jax trancou a porta atrás de nós para que mais ninguém entrasse. Se eu tivesse de ficar trancada em um lugar, queria que fosse numa biblioteca. Seria sempre uma aventura.

— Achei que seria mais fácil procurar a sala escondida sem ninguém por perto. Além do mais, agora podemos ser rebeldes e ignorar as regras sobre não falar.

— Nossa, como ele é malvado!

— Fazer o quê? Eu sou terrível.

Aquilo era tão empolgante, e eu adorava saber que Jax tinha se dado ao trabalho de tornar ainda mais especial uma noite que algumas pessoas poderiam considerar chata. No balcão da recepção, havia uma cesta cheia de guloseimas e duas taças de vinho daquelas que não derramavam, que torci para estarem cheios de alegria.

— A Joy mandou uma garrafa de vinho branco. Ela disse que você gostou bastante desse vinho. E tentei fazer um empadão de frango, que parece bem mais fácil na teoria do que na prática. A Joy me ajudou com essa parte também.

Arregalei os olhos.

— É minha comida favorita.

— Pois é, eu sei. Pelo menos sabia que era. Eu estava relendo suas cartas, e...

— Você guardou as cartas?

Ele ficou com vergonha, cruzou os braços e deu de ombros.

— Guardei. Sei que deve parecer bobagem, mas elas foram muito importantes pra mim. Quando eu era mais novo, nos meus dias mais difíceis, eu pegava as cartas e as lia vezes seguidas. Elas me ajudaram a passar por fases pesadas.

Sem pensar, eu o envolvi em meus braços e o puxei para perto do meu corpo. Eu precisava senti-lo contra mim, para me lembrar de que aquilo era de verdade, de que nós éramos de verdade. Eu entendia por que Yoana estava preocupada, e eu a amava pelo cuidado que demonstrava comigo, mas Jax tinha sido feito para mim. Ele não era o vilão do meu conto de fadas; ele era o herói sofrido, que não vinha me salvar, mas que precisava salvar a si mesmo; e era isso que ele estava fazendo. Todos os dias, ele se esforçava para melhorar, e isso me inspirava muito. Eu não queria que Jax me curasse — esse era o meu trabalho. Ainda assim, queria me inspirar em sua evolução e ver que eu também podia evoluir, podia me curar, que podia sair da minha situação atual e encontrar a felicidade.

— Você me faz querer melhorar — sussurrei enquanto seus braços fortes me envolviam.

Ele me deu um beijo na testa.

— Você está me fazendo melhorar — revelou ele.

Resolvemos jantar e tomar o vinho todo antes de começarmos a explorar a biblioteca. Havia muitos livros para puxarmos até encontrarmos a passagem secreta para a sala escondida, e era bem provável que passássemos a noite toda ali.

Não que eu me importasse. Ficar trancada em uma biblioteca com Jax Kilter — havia formas piores de passar uma noite.

Inventamos uma brincadeira em que circulávamos pelas diferentes seções da biblioteca e puxávamos livros aleatórios para ler um trecho. Qualquer pessoa no mundo nos chamaria de nerds por isso, mas, para ser sincera, fazia tempo que eu não me divertia tanto. Ouvir um homem grande e forte — e levemente bêbado — ler fragmentos de *A odisseia* era bem mais excitante do que qualquer pessoa poderia imaginar.

A forma como as palavras saíam da boca de Jax disparava calafrios pelas minhas costas. Eu podia passar o resto da vida escutando-o ler, e mesmo assim não seria suficiente.

— Pega um livro e abre na página noventa e quatro. Lê o quarto parágrafo — ordenou ele na décima sexta rodada da brincadeira.

Puxei um livro chamado *Mansão da meia-noite*, de Graham Russell, o famoso autor de histórias de terror, e comecei a ler.

— "Suas mãos estavam ensopadas de gasolina, e seu hálito cheirava a uísque envelhecido que não queimava mais ao descer pela garganta. Fazia dias que ele bebia, apesar de parecer que eram apenas horas. A solidão das últimas semanas continuava ali enquanto ele olhava para as fotografias da mulher que amava e que agora era uma assassina conhecida. Ele se perguntou como podia ter amado alguém tão sombrio, mas chegou à conclusão de que as pessoas mais sombrias eram as mais divertidas de se amar. Ele ansiava pela decepção, e Leslie sempre lhe oferecia isso."

Nossa.

Eu sentia saudade de escrever. Sempre que eu lia palavras poderosas, queria voltar a escrever.

— Minha vez — disse Jax do outro lado.

— Tá, pega um livro, página cento e quatro, quinto parágrafo.

Jax pigarreou e começou a ler.

— "'Iris, não me deixe', implorou Harry, puxando a camisa esfarrapada dela. 'Se você for embora agora, vou ficar sozinho aqui. Não sei como voltar para a cidade. Não sei para onde devo ir nem quando ir. Não sei como respirar se você não estiver me guiando. Este lugar está cercado de guerra, e você é minha paz. Então, por favor, não me deixe.'"

Meu coração batia na garganta. Virei-me para a esquerda e vi Jax segurando um livro, e não era qualquer livro. Era o meu livro.

— Onde você arrumou isso? — perguntei.

— Estava na prateleira.

Balancei a cabeça.

— Duvido.

— Talvez eu tenha colocado ali — respondeu ele, antes de se aproximar de mim e segurar minha mão. — Você é uma escritora incrível, Kennedy.

Eu ri.

— Você não tem como saber disso depois de ler só um parágrafo.

— É verdade — concordou ele. — Foi por isso que eu li todos eles.

— Você... — Soltei o ar devagar. — Você leu meu livro?

— Li. Ele é poderoso e emocionante, como você. Você é poderosa e emocionante.

— Jax...

Antes que eu pudesse concluir meu raciocínio, Jax foi até a parede, passando por algumas estantes logo depois de onde eu estava, puxou um livro específico e, vejam só, a sala escondida se abriu. Ela estava cheia de prateleiras com mais livros ainda, com um sofá comprido e lindo, uma poltrona grande e um pufe. Eu poderia passar o resto da vida naquela sala sem me abalar.

Eu ri.

— Você sabia onde estava esse tempo todo?

— Você me pegou.

Eu queria dar um tapa nele, porém estava com mais vontade de beijá-lo. Eu queria puxá-lo para dentro daquele cantinho lindo e escondido, me jogar em cima dele e beijá-lo com vontade por uma eternidade. Olhei ao redor da sala e me virei para falar com Jax, mas ele estava bem ali. Ele estava bem na minha frente, me encarando como se quisesse me devorar antes do fim da noite.

— Espero que você não se importe, mas já li o bastante por hoje — sussurrei, passando um dedo pelo seu peito.

— Você quer ir embora? — perguntou ele sem tirar os olhos da minha boca. Quando ele voltou a me encarar, seus olhos estavam dilatados, e o desejo que eu estava sentindo encontrava-se refletido neles.

— Não — falei, soltando o ar.

Ele se aproximou e encostou a testa na minha.

— Quer entrar na sala comigo, Sol?

— Quero.

— Quer me beijar dentro da sala, Sol?

— Quero.

Quero, quero, quero...

— Quer tirar as nossas roupas lá dentro, Sol? — perguntou ele baixinho contra minha boca, antes de chupar o lábio inferior.

— Por favor, Jax — implorei, gemendo em seus lábios enquanto o desejo começava a me preencher.

Ele me levantou e me carregou para o interior da sala. Ele me prendeu contra uma estante e me beijou como se estivesse esperando a noite toda para pressionar seus lábios nos meus. Minhas pernas envolveram sua cintura, e senti seu desejo pressionado contra mim. Sua boca desceu pelo meu pescoço, e gemi, segurando as prateleiras atrás de mim para me equilibrar. Os gemidos de Jax contra a minha pele mandaram uma onda de calor pelo meu corpo, e comecei a esfregar meu quadril em sua calça jeans.

Depois de um tempo, ele me colocou no chão e começou a tirar a roupa, ficando só de cueca. Fiz o mesmo, jogando as minhas para longe. Ele se aproximou de mim, os olhos fixos na minha calcinha vermelha, e passou os dentes pelo lábio inferior.

— Linda demais — sussurrou ele.

Ele enganchou os dedos na beira da renda e a puxou para baixo antes de me guiar para a poltrona grande.

— Senta — ordenou ele, e, nossa, como eu gostei daquilo. Eu gostava de receber ordens dele.

Eu me sentei, e ele se agachou no chão diante de mim. Ajoelhado na minha frente, ele me encarava como se eu fosse uma rainha a quem desejava adorar. Ele abriu minhas pernas, e o desejo que passei a noite toda sentindo explodiu. Eu queria que ele me provasse, que me lambesse, que me provocasse, e foi exatamente isso que ele fez.

Ele começou a beijar e lamber e foder o interior das minhas coxas com a boca. A expectativa estava me matando, e segurei os braços da poltrona, fincando as unhas no tecido.

Quando Jax chegou ao meu âmago, sua língua molhada me chicoteou, me lambendo para cima e para baixo enquanto eu gemia de prazer.

— Seu gosto é tão bom, Kennedy... você tem o gosto de tudo que eu já quis na porra da vida — jurou ele.

Ele colocou as mãos na minha bunda e levantou meu quadril, para fazer a língua ir mais fundo. Aquilo não era só uma foda para eu chegar ao orgasmo; ele fazia amor com meus desejos também. Ele estava focado e dedicado em atender as minhas necessidades.

Jax apoiou uma das minhas pernas sobre seu ombro e continuou ali. Ele sugou meu clitóris e depois enfiou dois dedos dentro de mim. Enquanto a língua se movia, os dedos dançavam, me levando cada vez mais perto do clímax.

— Isso, por favor — implorei. — Vai... continua... Jax, eu vou...

Eu não sabia, não sabia que podia ser tão bom. Eu não sabia que um homem podia tomar uma mulher como se ela fosse sua rainha e o único propósito da vida dele fosse satisfazê-la de todas as formas possíveis.

Eu não conseguia controlar a tremedeira que tomou conta do meu corpo. Enquanto ele me penetrava com o dedo e fazia amor comigo com sua língua, não pude controlar o orgasmo intenso que me inundava por inteiro.

— Adoro isso, Sol. — Ele gemeu de prazer, ainda lambendo minha excitação. — Adoro o seu gosto na minha língua.

Eu não conseguia nem mais formar frases completas. Eu não conseguia encontrar as palavras no meu cérebro para dizer a ele o que eu queria agora, do que eu precisava agora. Então, forcei as únicas três palavras que fui capaz de reunir.

— Me come, Jax — falei, ofegante, e seus olhos encontraram os meus.

— É?

— Por favor — implorei, precisando saber como seria tê-lo dentro de mim.

Ele pegou a carteira na calça jeans e tirou uma camisinha dela.

Ao se levantar, ele tirou a cueca boxer, revelando sua rigidez, e tenho quase certeza de que arfei ao ver seu tamanho. Fiquei observando enquanto ele deslizava a camisinha pelo membro, e quase gozei de novo diante da imagem pecaminosa dele acariciando a si mesmo.

Ele me ofereceu a mão, me levantou da cadeira e me levou até o sofá.

Enquanto se posicionava sobre mim, ele fez uma pausa, sua rigidez roçando de leve meu centro.

— Eu quero isto pra sempre — confessou ele, a voz baixa e um pouco trêmula. Seus olhos dilatados encontraram os meus enquanto ele começava a deslizar para dentro de mim. Seus lábios se abriram quando ele levou a boca até a minha. — Quero você pra sempre.

— Sou sua — prometi, querendo gritar de prazer ao sentir que ele me oferecia cada pedacinho de si. — Eu sou sua.

Ele começou a fazer amor comigo bem ali, na sala escondida da biblioteca. Ele me comeu sem dó. Ele me comeu com vontade. E eu o senti por inteiro. Senti sua luz e sua escuridão, sua felicidade e sua tristeza, suas eternidades e seus para sempre, enquanto ele entrava e saía de mim no mesmo ritmo das batidas do meu coração. Jax fez amor comigo em meio a milhares de livros, e eu sabia que nenhuma daquelas histórias poderia superar a que estávamos construindo dentro de nós.

Havia algo de muito poderoso em fazer amor com meu melhor amigo.

E depois que terminamos?

Fizemos tudo de novo.

27
Kennedy

Voltei a escrever.

Não era nada muito impressionante, e o texto talvez nem fizesse sentido, mas aquelas palavras eram minhas, e nunca me senti tão grata por conseguir criar alguma coisa. Todo dia, eu ia escrever na sala secreta da biblioteca. Ficava lá até o sol se pôr, digitando frases que vinham para mim mais rápido do que meus dedos eram capazes de acompanhar.

Eu tinha esquecido como era me sentir inspirada, incapaz de me concentrar em qualquer outra coisa ao meu redor por algumas horas.

Quando eu não estava escrevendo, passava o máximo de tempo possível com Jax. Era como se eu não me cansasse da sua companhia. Por isso, quando ele disse que ia visitar o irmão em Chicago, meu coração murchou um pouco. A ideia de passar o fim de semana sem ele era difícil de assimilar, o que parecia bobagem. Algumas semanas antes, ele nem fazia parte da minha vida. Agora, eu ficava triste só de pensar que ele não estaria ali.

— É só um fim de semana — disse ele, sorrindo enquanto entrávamos no conversível. — Juro que vou voltar.

— Acho bom mesmo. Ou vou te encontrar de novo, como fiz quando vim pra cá — brinquei. — Não vai ser tão fácil se livrar de mim.

— Eu nem ia querer uma coisa dessas. Mas estou animado pra ver meu irmão. A gente só se encontra uma vez por ano, no aniversário da nossa mãe.

Franzi a testa.

— Deve ser difícil. — Os aniversários das pessoas que eu amava eram datas complicadas.

— No começo, era, mas as coisas melhoram com o tempo, Kennedy. — Ele segurou minha mão e a apertou. — Tudo vai melhorar e ficar mais fácil pra você.

Era bom ser reconfortada.

— Mas meu irmão se recusa a vir pra cá, então sempre preciso ir a Chicago. Talvez as coisas mudem quando nosso pai falecer. Tenho a impressão de que foi por isso que ele fugiu depois que nossa mãe morreu. Ou talvez seja difícil demais para ele encarar a cidade depois do acidente. Vai saber. Mas, por enquanto, não me importo em sair de Havenbarrow para visitá-lo.

— Vocês são próximos?

Ele riu.

— Não como você e a Yoana — respondeu ele. — Mas nos damos bem. Ele é meu irmão, e sei que posso contar com ele se algum dia precisar de alguma coisa.

Aquele era um fato muito reconfortante.

Ele olhou para o celular e fez uma careta.

— Na verdade, preciso voltar pra casa e arrumar a mala, já que vou sair bem cedo amanhã.

— Ah, tudo bem. — Assenti e saltei do carro. — Posso ir com você pra ajudar, se quiser. Ou, bom, ficar olhando você fazer a mala. Ou... sei lá...

Só quero estar perto de você.

Ele sorriu.

— Você vai mesmo sentir minha falta, né?

Revirei os olhos.

— Que seja, Jax. Não exagera.

— Agora não tem jeito. Mas seria ótimo se você fosse me ajudar com a mala. E também seria ótimo se você passasse a noite comigo. Quero poder te beijar antes de eu ir, quando o sol nascer.

Nunca foi tão fácil dizer sim a um pedido.

Atravessamos a floresta para chegar à casa de Jax, e foi só então que percebi que eu nunca tinha entrado lá. Eu nunca tinha visto o lugar onde ele morava, onde o pai dele morou. A parte mais estranha era que a ideia de pisar na casa onde ele cresceu me causava um misto de empolgação e nervosismo. Eu sabia que muitas coisas horríveis haviam acontecido ali. Mas gostava de acreditar que também tinha muitas memórias amorosas naquele espaço.

Quando entramos e ele me mostrou os cômodos, meu peito se apertou. Tudo o que podia transformar uma casa em um lar estava presente. Os móveis estavam gastos. Havia fotos de sua família espalhadas por todo canto. Em um batente, vi riscos de marcação da altura de Derek e Jax. Passei os dedos por cima deles e não consegui controlar meu sorriso. Que lembrança especial.

Infelizmente, com os vislumbres de luz, vinha a escuridão. Minhas mãos pousaram em uma parede onde havia um buraco. Parecia que alguém tinha dado um soco no gesso. Havia buracos como aquele pela casa inteira.

Quando Jax me viu tocando um deles, pigarreou.

— Essas são as lembranças que tenho do meu pai.

— Por que você não consertou?

Sua boca se retorceu e ele enfiou as mãos nos bolsos.

— Eu não queria esquecer como ele era. Parece idiota e mesquinho, mas eu não queria que os problemas de saúde dele me fizessem perdoar todo o sofrimento que ele me causou. Então deixei os buracos pra me lembrar.

— Quantas vezes ele errou a parede e acertou você?

Ele ficou em silêncio.

Eu queria chorar.

— Sinto muito, Jax, muito mesmo.

Só um monstro seria capaz de maltratar uma criança. Jax não mereceu nada daquilo. Nenhuma criança no mundo merecia ser machucada por aqueles que deveriam proteger sua vida.

Ele deu de ombros.

— Já faz muito tempo.

— Mesmo assim — falei. — Sinto muito.

Ele abriu um sorriso desanimado antes de me levar para o quarto para fazer a mala.

Quando entrei, fiquei paralisada ao ver duas caixas grandes abertas sobre a escrivaninha.

— O que é isso? — perguntei, correndo para ver o que havia lá dentro, apesar de já desconfiar do que era.

Ele olhou para mim e ficou um pouco envergonhado.

— Não era pra você ter visto.

— Mas eu vi. — Mexi nas caixas e balancei a cabeça quando uma risadinha escapou dos meus lábios. — Eu sei que você disse que tinha comprado um dos meus livros pra biblioteca, mas parece que foram todos os cinco — falei, chocada. — E cinco de cada!

— Eu queria te apoiar.

Eu ri.

— Um já teria sido suficiente.

— E se eu derramasse alguma coisa nele sem querer? Eu queria ter reservas. Um dia, vou construir uma biblioteca só com os seus livros nas prateleiras.

Jax era o homem mais fofo do mundo, e eu me sentia muito grata por tê-lo de volta em minha vida.

— Pelo andar da carruagem, esses serão meus únicos livros — brinquei.

Ele balançou a cabeça, certo de que eu estava errada.

— Você vai chegar lá, Kennedy. Um dia de cada vez.

Torci para que ele tivesse razão.

Naquela noite, fizemos amor e dormimos nos braços um do outro. Quando a manhã chegou, eu não estava pronta para me despedir. Quando paramos na frente da picape dele, fui tomada pela culpa.

— Desculpa por eu não conseguir levar você até o aeroporto. Eu queria ser melhor nessas coisas. Queria não ter tantos traumas.

Qual era o meu problema? Eu devia ser capaz de fazer aquilo. Eu devia ser capaz de entrar na picape e levá-lo até o aeroporto, como uma pessoa normal. Eu queria poder voltar a ser a boa e velha Kennedy de antes.

Ele se inclinou e beijou meus lábios, depois minha testa.

— Você vai chegar lá, Kennedy — repetiu ele, como havia dito na noite anterior. — Um dia de cada vez.

Quando ele foi embora, imediatamente comecei a sentir saudades. Fui egoísta e contei as horas até o seu retorno.

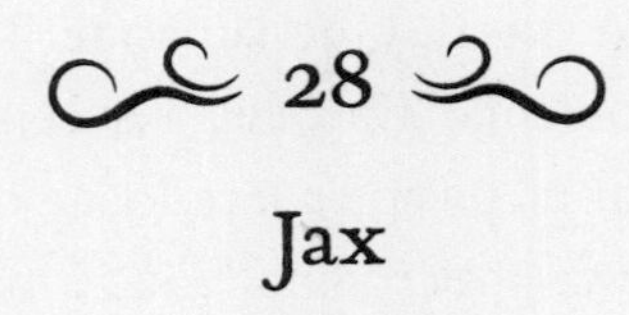

28
Jax

Não havia como negar que meu irmão Derek estava muito bem de vida. Ele era um empresário bem-sucedido, que trabalhou feito um louco ao longo dos anos para crescer profissionalmente. Se alguém me perguntasse o que exatamente ele fazia, eu daria de ombros sem hesitar; eu só sabia que ele que ganhava bem.

Ao vê-lo chegar ao Aeroporto Internacional O'Hare para me buscar em sua BMW, fui lembrado de como a vida dele era pura ostentação.

— Olha só, se não é o meu irmão caçula favorito — disse Derek, sorrindo ao sair do carro. Ele veio até mim, segurou meus ombros e balançou a cabeça. — Você parece maior do que da última vez que nos vimos. Desse jeito, vai me obrigar a entrar na academia e começar a levantar ferro.

— Se você fizer isso, não vai mais caber nos seus ternos caros — brinquei.

— É pra isso que servem os alfaiates, maninho.

Ele me puxou para um abraço, e eu estaria mentindo se dissesse que não foi uma sensação boa. Visitar Derek em Chicago sempre me causava uma sensação boa. Às vezes, eu sentia que estava visitando minha mãe também, ao olhar para o rosto dele. Ela estaria orgulhosa do homem que ele havia se tornado.

Assim que nos soltamos do abraço, levei um susto com a mulher que saiu do carro dele. Era uma moça muito bonita, com o sorriso mais radiante que eu já tinha visto — depois do de Kennedy. Aquilo era novidade nas minhas visitas a Derek. Não era segredo que meu irmão era do tipo pegador. Ele já tinha ido para a cama com um monte de mulheres, mas nunca a ponto de compartilhar sua BMW com elas.

E com certeza não as trazia para me buscar no aeroporto.

— Olá! — Ela sorriu. — Eu sou a Stacey. Eu e o Derek estamos...

— Noivos — interrompeu-a Derek.

Stacey riu e cutucou Derek.

— Era eu quem ia dar a notícia!

— Desculpa, mas não me canso de dizer isso em voz alta — disse ele, beijando a testa dela.

— Noivos? — perguntei, tentando não parecer surpreso. — Eu não sabia nem que você estava namorando.

— É, bom... Foi tudo muito rápido. — Stacey sorriu. — Só nos conhecemos há uns dois meses, e aí ontem, pá! Noivado!

Que loucura.

— É como dizem por aí, você sabe quando encontra a pessoa certa — completou Derek, beijando a testa da garota de novo.

Os dois pareciam caidinhos um pelo outro. A felicidade caía bem para Derek. Às vezes, parecia que ele tinha dificuldade em encontrar um rumo na vida quando não estava trabalhando. Havia momentos em que seus pensamentos ficavam muito pesados, mas ele se recusava a desabafar com alguém. Dizia que terapia não era a sua praia, mas ficava feliz por funcionar para mim. Mesmo assim, eu queria que ele conversasse com alguém. Mal não faria.

— Parabéns! — exclamei, oferecendo um aperto de mão para Stacey.

— Ah, não, querido, eu gosto de abraços — disse ela, me puxando para perto.

Enquanto ela me espremia, olhei para meu irmão, que sorria de orelha a orelha como se ela fosse seu sol.

Que bom para eles.

— Mas não se preocupa. Não vou ficar no pé de vocês o fim de semana inteiro. Eu só queria te conhecer. Derek me contou muitas coisas sobre você.

— Espero que todas boas — brinquei.

— Eu só tenho coisas boas pra dizer — comentou Derek, apesar de eu saber que isso era mentira.

Fomos para o apartamento dele, que também deixava claro que dinheiro não era problema. O lugar era enorme, com três quartos, no octogésimo andar de um prédio no centro de Chicago. Às vezes, eu me perguntava como seria a minha vida se tivesse aceitado a oferta dele para trabalhar em sua empresa. Por outro lado, eu sabia, no fundo da minha alma, que eu era um cara do interior. O brilho da cidade grande não era para mim. Eu me sentia mais tranquilo na floresta.

Stacey não ficou com a gente por muito tempo. Mesmo depois de eu dizer que ela era mais do que bem-vinda para jantar com a gente, ela recusou o convite, falando que nós precisávamos botar a conversa em dia.

Derek escolheu a melhor churrascaria da cidade, e não me fiz de rogado quando ele disse que seria por conta dele. Encanadores não ganhavam a mesma grana que Derek, e boa parte do meu dinheiro cobria as despesas médicas do meu pai.

— É bom demais ver você, Jax. A gente precisa se ver mais vezes. Uma vez por ano parece pouco agora. Ainda mais porque a Stacey é muito família. Ela ficou horrorizada quando contei que a gente só se vê uma vez por ano — disse Derek, cortando seu filé.

— As portas de Havenbarrow estão abertas pra você — falei, e ele franziu o nariz.

A reação não foi nenhuma surpresa. Eu sabia que Derek não pretendia voltar à sua cidade natal. Nem para me visitar. Muitos dos seus demônios moravam lá. Para ser sincero, eu entendia por que ele não queria reencontrá-los.

— Você sabe que é difícil demais pra mim, Jax. — Sua voz ficou um pouco desanimada. — Mas você será sempre bem-vindo aqui.

— Eu sei. Vou tentar vir mais vezes.

Talvez eu trouxesse Kennedy para apresentá-la a ele e a Stacey. O fato de eu cogitar trazer Kennedy para uma visita me surpreendeu. O fato de eu ter ficado feliz com a ideia me surpreendeu mais ainda.

— Ou você pode vir trabalhar na minha empresa. Você sabe que eu arrumaria uma vaga, e não seria um cargo pequeno. Você pode trabalhar comigo, ser meu sócio.

Eu ri.

— Não tenho talento nenhum pro mundo corporativo, Derek. É loucura querer que eu seja seu sócio. Eu levaria sua empresa à falência num piscar de olhos.

— Posso treinar você. É sério, Jax. A gente seria uma ótima dupla.

Arqueei uma sobrancelha.

— Por que a gente tem a mesma conversa sempre que eu venho pra cá?

Ele suspirou e baixou os talheres.

— Eu quero mais pra você do que aquela vida no Kentucky.

— A minha vida é boa lá. Tenho minha empresa.

— A empresa de serviços hidráulicos é do Cole, não sua — argumentou ele. — Você só assumiu os negócios depois que ele teve o primeiro derrame, porque, por algum motivo, acha que deve alguma coisa àquele desgraçado.

Eu sempre achei que devia algo para o meu pai porque matei a esposa dele. Parecia um bom motivo para manter a empresa funcionando.

— Sou bom no trabalho. — Dei de ombros. Eu sabia que Derek jamais entenderia, mas eu realmente gostava do meu emprego. Eu era bom naquilo e não me imaginava fazendo outra coisa tão cedo. — Por que você vive insistindo pra eu sair de Havenbarrow?

— Porque é uma cidade de merda. Você não precisa daquele lugar.

Eu não estava no clima para discutir. O tempo que tínhamos juntos era curto. A última coisa que eu queria era brigar.

— Mudando de assunto — falei, me remexendo na cadeira. — Que tal me contar mais sobre essa Stacey.

Derek sorriu feito um garoto que havia se apaixonado pela primeira vez. A conversa ficou mais leve, e, quando ele me contou tudo sobre Stacey, foi a minha vez de falar sobre Kennedy.

— Tá de sacanagem! — arfou ele, chocado. — A mesma garota por quem você era caidinho quando era mais novo?

— A mesma.

— Isso parece um filme do Nicholas Sparks ou algo do tipo — brincou ele. — Então, vocês estão namorando?

Pensei na pergunta por um momento. Nós não tínhamos oficializado nada, mas não era segredo nenhum que Kennedy era minha, e que eu era dela. Pelo menos, na minha cabeça, ela era minha, e eu não imaginava que isso fosse mudar em um futuro próximo.

— Digamos que sim.

Ele continuava sorrindo feito um bobo.

— Que ótimo, Jax. Olha só pra gente. Nós dois estamos em relacionamentos com mulheres legais. A mamãe ficaria orgulhosa.

A menção à nossa mãe fez meu peito se apertar um pouco com a onda de culpa que me atingiu.

— Ela deveria estar aqui pra ir ao seu casamento, Derek... — Engoli em seco e olhei para baixo. — Desculpa por eu ter tirado isso de você.

Eu tirei muitos momentos dele, e me odiava por isso. Minha mãe nunca conheceria os netos. Nunca dançaria com os filhos nos nossos casamentos. Nunca veria que Derek venceu na vida.

— Para, Jax — brigou Derek. — Chega dessa merda, tá? Tira esse fardo dos ombros.

— É difícil, quando foi por minha causa que...

— Não foi! — berrou ele, fazendo outras pessoas se virarem para nós. Sua voz saiu alta e poderosa, e seu rosto ficou vermelho de irritação. Depois a voz falhou quando ele baixou o tom. — Você não foi o responsável por aquela merda, Jax. Já faz muito tempo, e você não pode carregar isso pelo resto da vida. A culpa não foi sua. Um dia, você vai ter que esquecer isso.

— Isso não vai acontecer. Ela morreu por minha causa, Derek, e eu amo você por fingir que não foi assim, mas eu sei a verdade. Enfim, desculpa tocar no assunto. Vamos falar de outra coisa.

A maneira mais fácil de irritar meu irmão era dizer que eu tinha sido responsável pela morte da nossa mãe, mas ele estava lá. Ele estava na floresta comigo quando eu puxei o gatilho. Ele sabe o que aconteceu. Não havia como negar o que eu havia feito.

Ainda assim, ele ficava arrasado por saber que eu me culpava. Então eu me esforçaria para não falar do assunto, principalmente quando nós teríamos tão pouco tempo juntos. Passamos o restante da noite relembrando histórias do passado e conversando sobre o futuro. Antes de o jantar acabar, Derek me fez uma pergunta muito importante, que fiquei muito honrado em responder.

— Jax, quer ser meu padrinho de casamento?

29

Kennedy

Eu estava com saudade de Jax. E me sentia como um disco arranhado devido à quantidade de vezes que disse a mim mesma que estava com saudade dele. Era muito estranho o fato de eu sentir tanta falta de alguém que não fazia parte da minha vida até pouco tempo antes. Mas me esforcei para me manter ocupada, e, por sorte, as palavras continuavam fluindo.

Passei boa parte do fim de semana na biblioteca, fazendo intervalos para almoçar na lanchonete do Gary. Marty estava sempre interessado em conversar comigo sobre meus livros. Descobri que escrever também era seu passatempo, e ele sugeriu que a gente marcasse uma noite na semana para escrevermos juntos, se eu quisesse.

Eu gostava da ideia de ter alguém com quem conversar caso empacasse no enredo. Mas, durante todo o tempo livre, eu pensava em Jax — escrever, comer, Jax. Sempre a mesma coisa.

Na tarde de sábado, enquanto eu comia a segunda fatia de bolo red velvet na lanchonete, abri um sorriso enorme quando vi Connor lá fora, distribuindo folhetos para os pedestres. Eu não sabia o que ele estava aprontando, mas dava para ver que tentava vender seus serviços. Nunca vi um garoto com tanta ética no trabalho. Quando ele irrompeu na lanchonete, todos o cumprimentaram com sorrisos felizes, porque Connor era amado por todos que o conheciam.

— Oi, Kennedy — disse ele, abrindo um sorriso de orelha a orelha. — Tudo bem?

— Tudo ótimo, Connor. Tudo bem com você? Como está a sua mãe? — perguntei.

Alguns dias antes, Connor me contou que a mãe estava lutando contra um câncer e que vinha se superando a cada dia. Ele falava como se ela fosse a melhor mulher do mundo. Eu adorava isso nele. Havia algo especial em garotos que amam suas mães.

— Ela está muito bem, na verdade! As coisas parecem estar melhorando. — Ele esticou um panfleto e um cartão de visita na minha direção. — Falando sobre coisas que estão melhorando, queria saber se você pode escrever uma avaliação no Yelp sobre a JEC Paisagismo.

Olhei para o cartão de visita e não consegui segurar a risada.

— O Jax sabe que você abriu uma empresa enquanto ele está fora?

O jovem sorriu.

— Achei que seria melhor dar a notícia quando ele voltar, fazer surpresa. Não conta pra ele, tá? Uns clientes novos já até entraram em contato depois de verem o trabalho que estamos fazendo no seu gramado.

— Ele vai te matar, Connor. — Eu ri e balancei a cabeça.

— Ah, bom, isso não é novidade nenhuma. — Ele olhou para o celular. — Desculpa por não poder ficar mais, preciso ir entregar esses folhetos na igreja. O ensaio do coral vai acabar agora e tenho certeza de que Jesus ficaria feliz se o pessoal de lá tivesse gramados abençoados. Até logo, Kennedy!

Ele desapareceu tão rápido quanto chegou, entregando um panfleto para todo mundo que surgisse em seu caminho.

Jax ia adorar a empresa nova.

Quando terminei de comer meu bolo, saí da lanchonete e notei uma mulher meio atrapalhada com um carrinho de bebê, deixando a bolsa de fraldas cair no chão, fazendo todo o conteúdo se esparramar pela calçada. Sem pensar duas vezes, fui correndo ajudar.

— Aqui está — falei, pegando suas coisas enquanto ela me agradecia.

— Ah, nossa, muito obrigada. Desculpa, ando tão distraída que nem percebi que a bolsa estava aberta — comentou ela. — E, com o outro a caminho, tenho certeza de que as coisas só vão piorar. Cabeça de grávida e tudo mais.

Olhei para o carrinho e vi não um, e sim dois bebês. Um deles dormia profunda e tranquilamente, enquanto o outro estava aos berros. Minha mente ficou confusa, e dei um passo para trás, balançando a cabeça.

Ela inclinou a cabeça, me encarando.

— Você está bem?

Minha boca abriu, mas não consegui falar. As palavras não saíam mais conforme o ataque de pânico começava a subir por meu peito. Não era justo. Aquela mulher tinha dois bebês — e outro a caminho —, e eu não tinha a minha Daisy.

Daisy.

Ela havia morrido por minha causa.

A culpa era minha.

Uma lágrima escorreu pela minha bochecha, e a mulher arregalou os olhos, assustada.

— Nossa, você está bem? Eu... eu falei alguma coisa errada? Você...?

— Des-desculpa — murmurei, ainda encarando o carrinho.

Eu não conseguia me mexer, não conseguia respirar e, desta vez, Jax não estava ali para me levar para casa.

A mulher acompanhou meu olhar, e seu nervosismo apenas aumentou ao ver que eu não tirava os olhos de seus filhos. Ela juntou as coisas na mesma hora e saiu depressa dali.

Anda, Kennedy. Vai. Para com isso, falei para mim mesma. Mas nada acontecia. O pânico era intenso demais para me deixar fugir. Quando senti uma mão no meu ombro, dei um pulo ao me virar e dar de cara com Amanda parada atrás de mim.

— Você está bem? — perguntou ela, confusa com meu repentino comportamento estranho.

— Eu... eu...

Engoli em seco e só consegui balançar a cabeça. Eu me sentia uma idiota. Tão fraca. Tão perdida. Amanda entrelaçou o braço ao meu e me guiou até um banco do outro lado da rua. Nós nos sentamos, e ela ficou esperando o pânico que me dominava passar.

— Coloca a cabeça no meio das pernas e respira — ordenou ela.

Eu obedeci, sem falar nada, porque tudo parecia exigir esforço demais. Ela ficou comigo até minha respiração voltar ao normal e a vergonha tomar o lugar dos meus medos.

— Obrigada — murmurei, voltando a me sentar direito enquanto meu coração permanecia disparado.

— Qual é o seu problema? — disparou ela com irritação, me encarando como se eu tivesse duas cabeças. Era o mesmo olhar que Penn lançava na minha direção. Como se eu fosse uma aberração.

— Desculpa. Tenho ataques de pânico às vezes.

— Por quê? — questionou ela em um tom seco.

Eu tinha certeza de que ela estava se perguntando por que Jax escolheria alguém como eu. Alguém tão problemático, enquanto ela parecia tão... sã.

— Eu... eu passei por um grande trauma no ano passado. Ainda estou aprendendo a lidar com isso.

Ela franziu a testa. Por um milésimo de segundo, achei que ela estivesse com pena de mim, mas então ela disse o que pensava.

— O Jax merece alguém melhor do que você.

— Como é?

— É sério. Ele já passou por merda demais na vida, e agora está sofrendo com os últimos momentos da vida do babaca do pai dele, e não precisa de mais problemas. Ele já enfrentou coisa demais. Por que você jogaria as suas dores em cima dele?

Meu peito apertou enquanto eu me recostava, chocada com aquelas palavras.

— Não, eu... eu estou lidando com as minhas questões. Não estou colocando nada nas costas do Jax.

— Está sim, e isso é muito egoísta da sua parte. E, com base no ataque de pânico em público que você acabou de ter, é evidente que você não está se esforçando o suficiente pra superar a porcaria dos seus problemas. Se você gostasse dele de verdade, o deixaria em paz pra assimilar o fato de que o pai dele está morrendo. A última coisa de que ele precisa é do drama de uma garota qualquer.

Ela não falou mais nada. Apenas se levantou e foi embora, me deixando chocada com suas palavras.

Odiei me sentir abalada pelo que ela havia dito. Odiei ter começado a duvidar de mim mesma e do meu relacionamento com Jax por causa dos comentários de Amanda. Mas e se ela tivesse razão? E se eu só estivesse piorando as coisas para Jax? Ele tinha passado por tanta coisa. Por que precisava lidar com as minhas crises emocionais também? E se Yoana estivesse errada sobre Jax tornar a minha situação pior? E se eu fosse o problema?

E se eu fosse um problema impossível de consertar?

Fui para casa e não consegui parar de pensar em tudo aquilo. Não consegui dormir naquela noite e, quando Jax voltou de viagem na manhã seguinte, fiz questão de estar ocupada demais para vê-lo. Eu precisava resolver as minhas questões antes de aparecer na sua porta. Ele já estava enfrentando muita coisa. Não era justo deixar que meus problemas também pesassem em suas costas.

30

Kennedy

Passei os dias seguintes enfurnada na biblioteca, dizendo a Jax que estava ocupada demais com o livro para encontrar com ele. Sempre que ele me perguntava se estava tudo bem, eu mentia e dizia que sim. Eu ainda não sabia como encará-lo depois da conversa que tive com Amanda, apesar de eu querer muito voltar aos seus braços e ser reconfortada.

Naquela terça, fiquei tanto tempo na biblioteca que nem percebi que havia começado a chover. Quando Hunter veio me expulsar, fiquei surpresa com a quantidade de água que caía ao meu redor.

Meu primeiro pensamento foi ligar para Jax, mas eu sabia que não podia fazer isso. Então peguei o celular e usei o aplicativo Cuber que Connor tinha falado para eu baixar semanas atrás. Inseri o código "diamante" e abri um sorriso quando vi que funcionou.

Connor era jovem, mas extremamente inteligente. O aplicativo era brilhante.

Eu me esforcei para não ficar nervosa com o barulho da chuva enquanto esperava o carro de Connor parar na frente da biblioteca. Quando ele apareceu, desci correndo a escada e me sentei no banco do carona. Meu coração já batia acelerado no peito, mas tentei controlar meu pânico.

— Oi, Kennedy! Bem-vinda ao Cuber, a revolução dos transportes. Aceita uma água? Ou uma bala? Também tenho umas revistas pra...

— Estou bem, Connor. Só quero chegar logo em casa.

— Pode deixar. No Cuber, nós gostamos de dar aos passageiros exatamente o que eles querem, então você vai chegar num instante. Senta, relaxa e aproveita a viagem.

Duvido muito.

A tempestade martelava o teto do carro enquanto Connor dirigia pela estrada. Eu detestava chuva, detestava a maneira como aquelas lágrimas golpeavam o carro com violência.

Apertei as mãos em punho e fechei os olhos, respirando fundo. A gente chegaria em poucos minutos, eu logo estaria dentro de casa, e tudo ficaria bem. Eu ficaria bem.

Eu estou bem.

A cada trovoada estrondosa, meu coração disparava. Eu conseguia ouvir a música que tocava no rádio tanto tempo atrás. Conseguia ouvir mamãe cantando no banco ao meu lado. Podia jurar que Daisy e papai cantavam junto no banco detrás.

O celular de Connor apitou, e meus olhos se arregalaram.

— O que foi isso? — perguntei, entrando em pânico, com o coração entalado na garganta.

Connor sorriu para mim e deu de ombros, olhando para o painel do carro.

— Foi só meu celular. Deve ser minha mãe querendo saber onde estou.

Ele esticou a mão para pegar o aparelho enquanto a chuva batia no carro.

— Não! Para! — gritei. Cobri o celular com a minha mão, e ele ficou paralisado, me encarando com uma sobrancelha levantada. — Olha pra estrada. Está chovendo muito, e você não devia mexer no celular.

— Não se preocupa, Kennedy. Sou mestre nisso — disse ele, pegando o aparelho e verificando as notificações.

Meu coração batia com força contra minhas costelas, tentando escapar do peito, e balancei a cabeça.

— Para o carro — ordenei.

Ele levantou uma sobrancelha.

— O quê?

— Para o carro! Para o carro! Para o carro! — berrei, batendo no painel. Eu não conseguia respirar. Eu não conseguia fechar a boca enquanto a onda de pânico tomava conta de mim. — Por favor, Connor! Por favor, para o carro. Para o carro.

— Tá bom, tá bom! — disse ele, jogando o carro para o acostamento.

Ele colocou o carro em ponto morto, e saí o mais rápido possível.

Segui na direção das árvores, na beira da estrada, enquanto a chuva caía, me agachei, abracei minhas pernas e fiquei me balançando para a frente e para trás, paralisada pelo medo. Estava acontecendo de novo. Estava acontecendo de novo. Eu estava perdendo todos. Eu estava perdendo todos de novo.

~

— Ela começou a surtar, cara, e não consegui levá-la de volta de jeito nenhum — disse Connor para alguém quando um outro carro chegou.

Eu tremia na chuva fria enquanto trovões ribombavam no céu. Não conseguia me mexer. Estava tentando sair do lugar durante os últimos quinze minutos, mas não conseguia. Meu corpo estava congelado enquanto a chuva batia na minha pele. Cada gota disparava um flashback, e cada flashback aumentava o pânico que devastava minha alma.

Fazia tanto tempo que eu não tinha um ataque de pânico tão ruim. Era para eu estar melhorando. Era para eu estar recomeçando. Eu tinha voltado a escrever. Eu me sentia feliz. Ou pelo menos achava que me sentia feliz.

Mas lá estava eu, encolhida em posição fetal embaixo de um carvalho, sem conseguir me mexer devido às lembranças do meu pesadelo.

— Tudo bem, eu cuido dela — disse uma voz grave, serena. Ele veio até mim e se agachou na minha frente. — Oi, Sol — disse Jax, exibindo seu meio sorriso. — O que houve?

— Eu... eu... eu... eu nã.. não consigo res...

Inspirei fundo enquanto apertava os braços ao redor do meu corpo e me balançava para a frente e para trás.

— Respira — disse ele, assentindo de modo compreensivo. — Você consegue respirar. Você está respirando. Sua respiração só está um pouco acelerada. É melhor sairmos da chuva.

— Não consigo... o carro... não consigo entrar no carro agora.

Ele não levantou uma sobrancelha nem pareceu me julgar enquanto me observava em pleno ataque de pânico. Ele não fez perguntas, nem me disse que eu era perfeitamente capaz de entrar no carro. Ele não descredibilizou meus sentimentos nem meus medos, não disse para eu me controlar, como meu ex fazia. Jax era a tranquilidade no meio do meu furacão.

— Então não vamos para o carro, mas você não pode ficar aqui na chuva, então vem. — Ele abriu os braços para mim.

— O que você vai fazer?

— Vou te carregar.

Encarando a paz no olhar dele, senti meu coração partido voltar a bater. No meio da minha crise de pânico, ele permanecia sereno. Ele era a calmaria do meu mar enquanto minha mente tentava nadar nas próprias ondas de desespero.

Balancei a cabeça.

— Não, Jax. Es-estamos muito longe da minha casa. Você não pode fazer isso. E eu sou pesada demais, e... e... e...

— Kennedy — interrompeu-me ele, ainda com os braços esticados. — Vou pegar você no colo.

Não falei mais nada, apenas concordei com a cabeça enquanto ele passava os braços ao meu redor e me levantava. Ele começou a andar na direção das nossas casas, que ficavam a quarteirões de distância.

— O que você está fazendo? — perguntou Connor.

— Levando ela pra casa.

— São quase dois quilômetros de distância, Jax.

— Não tem problema — disse ele em um tom prático, apesar de eu saber que era algo absurdo.

Connor passou as mãos pelo cabelo e suspirou.

— Vou seguir vocês, caso mudem de ideia e prefiram pegar carona.

Ele entrou no carro e foi dirigindo devagar atrás de Jax. Connor era para Jax o que Jax era para mim — um amigo de verdade. Uma pessoa que carrega você na chuva era alguém que merecia estar na sua vida, e uma pessoa que seguia você só para garantir que você teria uma carona caso precisasse também era digna de prêmio.

Havenbarrow tinha homens feitos para livros de romance.

Enterrei a cabeça no peito de Jax enquanto ele me carregava, sem jamais parecer cansado com o peso do meu corpo em seus braços. Cada passo que ele dava parecia controlado e calculado. Com a cabeça apoiada em seu peito, fiquei ouvindo seu coração bater, e o meu pareceu se acalmar.

— Obrigada, Lua — sussurrei, apertando sua camisa ensopada.

— Às ordens, Sol — respondeu ele.

Nós chegamos à minha casa, e ele me levou até a escada da varanda. Connor veio correndo com minha bolsa e as chaves. Ele as ofereceu para mim, e lhe agradeci.

Quando dei por mim, Connor estava me dando um abraço apertado.

— Desculpa, Kennedy. Desculpa por qualquer coisa que eu tenha feito.

Eu disse que ele não tinha feito nada de errado, mas, quando ele me soltou, vi lágrimas de culpa preencherem seu olhar.

— Juro, Connor. Estou bem.

Ele assentiu e ajeitou o boné.

— Descansa um pouco, moça. Jax, fica de olho nela, tá?

Jax esfregou a nuca.

— Pode deixar.

Connor voltou para o carro e foi embora, deixando um Jax ensopado, pingando na minha varanda. Agora que eu tinha me acalmado, me sentia meio ridícula.

Passei as mãos pelas bochechas e abri um sorriso patético.

— Você não devia ficar com essas roupas molhadas. Estou bem agora, juro. Vou trocar de roupa, ir pra cama e...

— Você pode falar comigo.

Levantei uma sobrancelha.

— O quê?

— Você pode falar comigo sobre o que está sentindo.

Balancei a cabeça. Minha boca se abriu para falar, mas engasguei com as palavras, incapaz de expressar as emoções que pesavam no meu coração.

— Não sei como falar sobre isso. Achei que estivesse melhor. Achei que estivesse melhorando.

— Você está melhorando.

— Não estou, não. Tenho ataques de pânico quando vejo crianças. Tenho ataques de pânico quando chove. Não consigo nem entrar em um carro sem ficar nervosa. Não consigo dirigir. Você não entende? Eu não sou normal. O Penn sempre dizia que eu era difícil, e é verdade. A Amanda tinha razão.

— A Amanda? — perguntou ele, arqueando uma sobrancelha. — Que diabos a Amanda tem a ver com qualquer coisa? O que ela disse pra você?

— Não importa. A única coisa importante é que ela estava certa. Você merece uma pessoa menos problemática do que eu.

— Que besteira — disse ele, balançando a cabeça. — Você só teve um ataque de pânico. Não é o fim do mundo.

— É, sim. Você não entende, Jax? Estou acabada. Estou cheia de problemas, enquanto você já superou as suas questões. Você não devia ter que lidar com as minhas crises depois de ter passado por tanta coisa sozinho.

— Você pode me contar tudo, e vou continuar aqui — prometeu ele. — Não importa o que seja, Kennedy, não tenho medo. Estou aqui.

Baixei a cabeça e sequei as lágrimas que teimavam em escorrer pelo meu rosto.

— Tem dias que mal consigo me olhar no espelho sem sentir o peso dos meus erros.

Ele enfiou as mãos nos bolsos e estreitou os olhos enquanto analisava cada centímetro de mim.

— Sei como é.

— Mas você está se restabelecendo. Você fez um tratamento. Eu sinto que dou um passo pra frente e cinco pra trás.

— Não existe um caminho direto, Kennedy. A cura não é linear. É um caminho com curvas, solavancos e buracos. Ainda tem dias em que penso na minha mãe e quero ficar na cama pra sempre. Ainda tem semanas em que meu corpo dói com as lembranças do passado, mas sei que esses momentos fazem parte do processo. Uma vez, o Eddie me disse que não podemos melhorar se tivermos medo de enfrentar nossos momentos sombrios. Até o sol fica coberto pelas nuvens em alguns dias. Mas isso não diminui a luz que ele emana.

Meus lábios se abriram, mas eu não sabia o que dizer. Meu peito continuava muito apertado, e minhas mãos estavam trêmulas.

— Deixa eu ficar com você — disse ele, apontando para mim com a cabeça. — Por favor?

Assenti.

Entramos na casa, e troquei minhas roupas molhadas. Dei minha calça de moletom larga para Jax, e ele a vestiu, ficando sem camisa.

Nós nos deitamos na cama, e ele me envolveu em um abraço apertado, enquanto eu me permitia desmoronar. Ele não me apressou. Ele não deu um prazo para meu sofrimento acabar. Ele só me deixou sentir tudo ao mesmo tempo, e entendi o quanto eu precisava daquilo. Eu precisava desabar, e ele estava lá para juntar meus cacos.

— Tenho medo — confessei, encarando o teto do quarto. Eu tinha passado um bom tempo chorando no peito de Jax e finalmente minhas emoções me traziam de volta à realidade. — De que eu sou complicada demais pra ser amada. De que os meus problemas afastam o resto do mundo. De que meus traumas me partiram em muitos cacos impossíveis de serem amados.

Jax ficou em silêncio por um momento. Era como se ele tentasse pensar nas palavras perfeitas para me fazer compreender seus pensamentos. Quando ele voltou a falar, cada partícula do meu ser prestava atenção nele.

— Eu nunca me apaixonei — disse ele. — Eu nunca me apaixonei, nunca soube como isso funciona, mas estou tentando entender um pouco mais. Estou tentando aprender tudo o que posso. O que eu descobri até agora é que, quando penso em amor, eu penso em você.

Minha boca se abriu, e senti meu corpo se arrepiar.

— Jax...

— Eu amo os seus cacos, porque eles mostram que você viveu. Eles mostram que você tem coragem suficiente pra se jogar no mundo, por mais difícil que seja às vezes. — Ele olhou nos meus olhos. — Eu te amo, Kennedy. Eu te amo de um jeito que é maior do que o amor. Eu amo seus raios de sol e as sombras da sua lua, e vou continuar amando você e seus caquinhos até a força do meu amor fazer você esquecer que o seu coração tem rachaduras. E aí, eu vou te amar mais.

Aquelas palavras curaram partes de mim que eu nem sabia que estavam quebradas. Meus lábios dançaram sobre os dele, e o beijei de leve.

— Eu também te amo.

— Um dia, você vai superar isso tudo, Kennedy. Um dia, você vai conseguir sair de casa e dançar na chuva como fazia quando éramos crianças, e eu vou estar dançando do seu lado. Mas não precisa ter pressa, tá? Você pode ir devagar. Não existe um prazo pra você, pra sua cura. Vá no ritmo que parecer mais confortável para você, e eu vou te carregar quando as suas pernas cansarem. Você não precisa andar sozinha.

Naquela noite, a tempestade continuou lá fora, mas, pela primeira vez em muito tempo, nos braços de Jax, eu consegui dormir.

~

Quando acordei no dia seguinte, o sol entrava pelas janelas. Rolei na cama e percebi que Jax não estava mais ali. Eu me sentei rapidamente, peguei o celular e vi que já passava das onze horas. Eu estava bem mais cansada do que havia imaginado.

Coloquei meu robe e fui procurar Jax pela casa. Será que ele tinha ido embora sem avisar? Antes que eu pudesse criar outras teorias, ouvi um zumbido alto vindo do lado de fora. Abri a porta da frente, e meu coração quase pulou para fora do peito quando vi milhares de bolinhas de sabão vindo na minha direção. Dezenas de máquinas de soprar bolhas ocupavam meu quintal, e bem no meio delas estava Jax, com as mãos nos bolsos da calça de moletom, com um sorriso enorme estampado no rosto.

— O que é isso? — Eu ri, balançando a cabeça de um lado para o outro.

— É impossível ficar triste quando se está cercado por bolinhas de sabão — explicou ele, vindo na minha direção. Ele segurou minhas mãos e as apertou. — E eu queria que você sentisse a presença da sua filha hoje. Queria que você lembrasse que, não importa o que aconteça, ela continua aqui.

Meus olhos se encheram de lágrimas.

— Você é tudo o que eu queria e tudo o que eu nunca soube que poderia ter.

— Eu sou seu — prometeu ele. — Acho que sempre fui. — Ele deu um passo para trás, esticou a mão para mim e fez uma reverência. — Agora, quer me dar a honra de dançar comigo no meio das bolhas? — perguntou ele.

Eu ri, peguei sua mão, e nós dançamos.

31

Kennedy

— O que você está fazendo aqui? — arfei quando Yoana veio andando até a minha varanda.

Jax e Connor trabalhavam no quintal, e eu estava completamente imersa na cena que escrevia para o meu livro quando notei minha irmã se aproximando.

Eu me levantei com um pulo e corri até ela, puxando-a para um abraço apertado.

— Vocês só iam voltar no mês que vem — falei, mais confusa do que nunca.

— É, bom, um passarinho me contou que você estava precisando da sua família. O Nathan está em casa descansando, mas eu quis vir até aqui para conversar com você — disse Yoana, depois olhou para Jax, que se esforçava para fingir que estava focado no trabalho. — E você deve ser o Jax. — Ela sorriu e foi até ele. — Que bom te ver depois de tantos anos. Obrigada por ter ligado.

Ela o puxou para um abraço e eu continuei sem entender nada.

— Você ligou pra ela? Como? — perguntei, atordoada.

Ele deu de ombros.

— Peguei o seu celular enquanto você estava dormindo e falei com ela. Achei que seria bom pra você ter rostos familiares por perto.

Meu coração era dele.

— Obrigada, Jax — falei, e ele abriu aquele meio sorriso para mim, me aquecendo por dentro. Fui dar outro abraço em Yoana.

Ela passou um braço sobre meus ombros e bateu o quadril no meu.

— Agora, que tal uma xícara do café favorito da mamãe enquanto a gente bota a conversa em dia?

— Você não está cansada da viagem? Não precisa ficar aqui comigo se você quiser descansar.

— Eu prefiro ficar exausta mas estar com você. Agora, vamos. Preciso que você me atualize sobre tudo, especialmente sobre como o pequeno Jax virou aquele gostosão.

Balancei a cabeça.

— Achei que você estivesse preocupada sobre eu estar saindo com ele.

— Depois daquela ligação? De jeito nenhum. Eu estava errada. Eu estava muito, muito errada. Então, vamos lá... me enche de cafeína.

Nós entramos, e meu peito parecia prestes a explodir de felicidade por ter minha irmã de volta. Eu precisava dela mais do que imaginava. Nós nos sentamos na sala de jantar e conversamos sobre absolutamente tudo. Ela me contou sobre a viagem, e, sempre que mencionava Nathan, dava para ver que estava ainda mais apaixonada do que antes. Era incrível como o amor era capaz de continuar crescendo depois de tantos anos.

— E esse Jax, Kennedy — disse ela, balançando a cabeça e segurando sua xícara de café. — Ele é pra valer, né?

— Acho que sim. Ele faz eu me sentir melhor. Ele me deixa feliz nos dias em que eu normalmente ficaria triste.

— Que bom — disse ela, concordando com a cabeça. — É isso que você merece. Não vou mentir; fiquei bem preocupada quando você me contou sobre o passado dele. Eu não queria que você se magoasse, mas ele ficou do seu lado no seu pior momento e te deu apoio... é isso que eu sempre quis pra você. Eu queria que você tivesse um amor de verdade, do tipo que eleva a gente, e não aquele que nos puxa pra baixo. O Penn não era o cara certo pra você, mas o Jax... o jeito como ele te olha... — Ela fingiu que ia desmaiar, me fazendo rir.

— Você viu o Jax me olhando por dois segundos, e já foi suficiente?

— Foi — respondeu ela, séria. — Sabe por quê?

— Por quê?

— Porque ele olhou pra você do mesmo jeito que o papai olhava pra mamãe. Como se você fosse o mundo, e ele tivesse sorte por estar na sua órbita.

Senti um frio na barriga.

— É assim que ele faz eu me sentir: importante, como se eu fosse suficiente.

— Porque você é suficiente, Kenny. Você sempre foi. Sei que você passou por maus bocados, mas, no fim das contas, essas coisas vão fazer você mais forte. Estou muito orgulhosa de todo o progresso que você fez.

Olhei para o café que girava em minha caneca.

— Às vezes, acho que fui uma idiota por passar tanto tempo longe. Eu podia estar aqui com você e o Nathan, e melhorado muito mais rápido.

— Ninguém pode fazer outra pessoa melhorar mais rápido, mas a gente com certeza estaria do seu lado durante as tempestades.

Talvez o segredo fosse esse. Talvez não fosse uma questão de ver a luz do sol, mas de conseguir enfrentar as tempestades ao lado das pessoas que você mais ama.

— Acho que vou começar a me consultar com alguém — falei. — O Jax me contou que a terapia fez muito bem a ele, e acho que isso pode me ajudar a organizar a bagunça dentro da minha cabeça.

— Que ótima ideia. É preciso ter coragem pra pedir ajuda. Mas nunca se esqueça de que você não está sozinha no mundo, Kennedy. Eu estou do seu lado pro que der e vier. E quer saber a parte mais bonita disso tudo?

— Qual é?

— Agora, temos uma equipe de anjos tomando conta de nós todos os dias. Se isso não for uma bênção, não sei o que é.

~

Naquela noite, agradeci a Jax com minhas palavras e com meu corpo. Eu o amei como se isso fosse minha missão de vida. Nós nos encaixávamos tão bem, parecendo peças de quebra-cabeça que se completavam. Eu amava a forma como ele me amava, com seu corpo e com suas palavras.

Estávamos deitados na cama quando seu celular apitou, e ele se sentou para ver o que era. Vi o olhar preocupado em seu rosto enquanto ele lia a mensagem.

— O que foi? — perguntei.

— É da Amanda, sobre o meu pai — respondeu ele, sério. — Ele está respirando por aparelhos, e a situação não parece boa. Ele foi transferido pro hospital.

— Nossa, Jax. Sinto muito.

Ele se levantou.

— Preciso ir pra lá. Preciso ver, preciso... — Ele começou a vestir as roupas, e suas palavras foram se embolando. — Preciso...

— Ei — falei, segurando seus ombros. — Não tem problema. Estou aqui. Eu levo você lá.

— Não, não posso te pedir uma coisa dessas. Sei que dirigir é difícil pra você. Eu estou bem, estou...

— Jax, você não está bem. Você não está em condições de dirigir agora. Deixa comigo. Me dá as chaves.

Ele as entregou com relutância, e nós pegamos nossas coisas antes de sairmos. Depois de me sentar no banco do motorista, respirei mais fundo do que nunca. Eu estaria mentindo se dissesse que não estava nervosa, mas precisei engolir o medo depressa, porque no banco do carona estava o homem que havia ficado ao meu lado durante as minhas tempestades, e agora era a minha vez de fazer o mesmo por ele. Virei a chave na ignição, coloquei o pé no acelerador, e lá fomos nós.

Quando chegamos, o prognóstico não era bom. Jax levou um livro com ele, e os médicos informaram que Cole não tinha muito tempo. Jax deveria se despedir do pai.

Ele não disse nada para o pai sobre seus sentimentos. Não expressou amor nem gratidão. Não compartilhou histórias com o pai que mudaram a sua vida. Em vez disso, se sentou e leu *Guerra e paz*. Ele leu um capítulo atrás do outro até suas emoções começarem a vencer a batalha. Quando ele chegou ao seu limite, quando as palavras não conseguiam mais sair de seus lábios e o sofrimento começou a dominá-lo, peguei o livro de suas mãos e comecei a ler por ele.

32

Kennedy

Cole deu seu último suspiro no dia cinco de agosto. Eu estava lá com Jax quando aconteceu. Ficamos sentados no quarto do hospital, e as enfermeiras nos deram um pouco de privacidade enquanto Jax testemunhava os pulmões do pai inalando e exalando pela última vez.

Depois, Jax se virou para mim e baixou a voz:

— É errado eu estar um pouco aliviado por ele ter partido? É egoísta da minha parte pensar que ele não pode mais me machucar? Isso faz de mim um monstro?

— Não — falei, segurando sua mão. — Isso faz de você um ser humano.

O dia do enterro foi ensolarado, porém o mundo parecia triste. Apenas um grupo pequeno de pessoas se reuniu no cemitério; Cole não queria uma cerimônia. O irmão de Jax, Derek, foi com a noiva, Stacey. Eddie e Marie apareceram, assim como Connor, Yoana e Nathan. Todo mundo que se preocupava com Jax estava lá para apoiá-lo.

Meu coração perdeu o compasso quando eu me virei para ver uma outra pessoa vindo na nossa direção. Joy entrou no cemitério e, quando nos alcançou, se posicionou ao lado direito de Jax.

Ele se virou para ela, chocado por Joy finalmente ter saído de casa após tantos anos.

— O que você está fazendo aqui? — perguntou ele com um olhar confuso.

Joy abriu um sorriso que era capaz de curar todos os corações partidos. Ela pegou a mão dele e a apertou.

— Eu vou aonde encontro amor — respondeu ela em um tom calmo. — O que significa que vou aonde você estiver.

Meu coração quase explodiu ao vê-los compartilhando aquele momento.

— Obrigado, Joy — sussurrou Jax.

— Às ordens — respondeu ela.

Quando chegou o momento de Jax dizer algumas palavras, ele não sabia o que falar.

— A maioria de vocês não conheceu meu pai, e os que conheceram sabem que ele não era o melhor dos homens. Seria ridículo fingir que ele foi um bom pai pra mim, porque isso é mentira. Ele era cruel e impiedoso, e eu o odiava na maioria dos dias, mas, mesmo assim... — Ele respirou fundo. — É possível odiar tanto uma pessoa e sentir falta dela ao mesmo tempo? Meu amor pelo meu pai é calejado a esse ponto. A única coisa que eu queria na vida era que ele se orgulhasse de mim, mesmo nos seus últimos dias. — Jax enfiou a mão no bolso do casaco e pegou o livro que vinha lendo para o pai. — Meu pai viu minha mãe lendo este livro no dia em que eles se conheceram. Ele dizia que o leu porque queria que os dois tivessem algo em comum. Não vou mentir e fingir que meus pais tinham um casamento maravilhoso, porque isso não é verdade. Eles tinham seus problemas, como todos nós, mas este livro era algo que os conectava, e eu queria terminar de ler pra ele antes dos seus últimos dias pra termos uma conexão também. Ficaram faltando alguns capítulos, e é assim que eu penso no nosso relacionamento de um modo geral. Faltaram alguns capítulos pra nós. — Fungando, ele passou a mão embaixo do nariz e deu de ombros. — Espero que ele encontre paz na escuridão e, onde quer que esteja, espero que a manhã chegue e lhe dê outra oportunidade de encontrar sua luz.

Ele baixou a cabeça, tomado pelas emoções. Fui até ele e segurei sua mão. Eddie se aproximou também e pegou o livro.

— O que você está fazendo? — perguntou Jax.

— Vou ler uns capítulos — respondeu Eddie, folheando as páginas. — Porque o livro só acaba quando lemos a última palavra.

— Ainda falta bastante, Eddie — argumentou Jax. — Você não vai conseguir ler tudo.

— Também vou ler um pouco — interferiu Yoana, e, como uma reação em cadeia, todo mundo se ofereceu para ler enquanto estávamos ali, rodeando o caixão de Cole.

Foi o momento mais lindo que já presenciei. Fomos passando o livro pelo círculo, de um para o outro, e, ao chegarmos à última página, Jax leu o final.

Quando ele terminou, colocou o livro sobre o caixão e se despediu.

Então todos voltamos para nossos carros de mãos dadas, porque nunca mais teríamos de caminhar sozinhos.

33

Kennedy

Depois do enterro, fomos para a casa de Jax. Ele parecia estar lidando bem com as coisas até chegar o momento de separar os pertences do pai com Derek. Os dois estavam no escritório de Cole fazia um tempo quando ouvi Jax gritar:

— Que palhaçada é essa?

Assustada, fui ver se estava tudo bem, e, no instante em que olhei para Jax, meu coração começou a se partir.

Seus olhos pareciam pesados — cansados —, e suas mãos agarravam um copo de uísque.

Nós ainda não tínhamos trocado de roupa depois do enterro. Não tivemos tempo nem de pensar, na verdade. O terno preto de Jax estava desabotoado, sua gravata estava solta, e seu brilho interno se apagava aos poucos.

— A gente vai resolver isso, Jax. Não se preocupa — disse Derek com a voz séria. Ele se virou para sair do escritório e me deu um sorriso desanimado. — Cuida dele?

— Cuido. — Derek fechou a porta ao sair, me deixando sozinha com um Jax que parecia muito abalado. — Está tudo bem? — perguntei.

— Ele era um babaca. — Jax concordou com a cabeça, olhando para o copo, que tremia em suas mãos. — E não estou falando isso tipo "sou um homem adulto traumatizado pelo papai". Não, só estou deixando claro que ele era um babaca. Ninguém apareceu no enterro porque ele era um babaca. A única pessoa que o visitava no hospital era eu, porque ele era um babaca. Foi um babaca até o fim, mesmo depois da morte, ele foi um maldito de um babaca.

Ele riu, mas nós dois sabíamos que não havia nada de engraçado naquela situação. Cada risada parecia uma facada. Cada sorriso parecia doloroso.

Eu me apoiei contra o batente e o encarei.

— Jax...

— *Não* — sibilou ele, levantando o copo que havia colocado na mesa. — Não faça eu me sentir melhor. Não quero a sua luz agora.

— O que eu posso fazer? Como eu posso te ajudar?

— Não há nada o que fazer. Você não entende. Você não sabe o que ele fez...

Ele respirou fundo e se aproximou da estante, onde apoiou a mão, a bebida balançando dentro do copo. Mesmo ele estando de costas para mim, dava para ouvir na sua voz — a devastação.

— Me conta — insisti.

— O Derek foi embora depois que minha mãe morreu, depois que viu quem meu pai sempre foi de verdade. Ir embora foi uma decisão inteligente, e eu podia ter ido junto. Eu podia ter ido. O Derek me chamou pra ir com ele, mas fiquei, porque sentia que devia alguma coisa ao meu pai. Ele nunca me disse nada que fizesse com que eu me sentisse bom o bastante. Nunca me deu um motivo pra ficar. Eu me lembro de todas as vezes que ele me bateu. Eu me lembro de cada comentário horrível que ele fez sobre mim, e, por tudo que é mais sagrado, não tenho uma única lembrança de ouvi-lo dizer que me amava. Nenhuma. Aí ele morre. Ele *morre*, Kennedy. Está morto. E tem a coragem de deixar aquilo pra mim.

Ele apontou para a escrivaninha.

Meus olhos correram para lá antes de eu me aproximar e pegar uma papelada. Era uma cópia do testamento do pai dele.

Jax riu.

— Abre na página três, quarto parágrafo — ordenou ele.

Quando fiz o que ele mandou e li o que estava escrito, meu estômago se revirou, e fui dominada pela náusea.

Meu olhar encontrou o de Jax, e ele concordou com a cabeça. Reli o parágrafo, torcendo para que estivesse errado, para ter sido um erro de digitação, algum engano. Não era.

— Ele deixou a empresa de serviços hidráulicos e o terreno pro Derek. Ele deixou tudo... — disse ele, balançando a cabeça, mordiscando o canto da boca. — Isso foi tudo o que eu sempre tive. Meu pai e este lugar eram as únicas merdas que eu tinha, e ele deu tudo pro meu irmão, que foi embora.

Eu não sabia o que dizer. Eu não sabia como processar aquela informação. Minha única certeza era que Jax nunca teve sorte na vida, e, quando parecia que as coisas poderiam melhorar, o azar dava as caras novamente, trazendo outra rodada de decepções.

— Ele deve ter deixado alguma coisa pra você... Ele deve ter... — Eu me enrolei com as palavras, que davam cambalhotas na minha língua. — Isso não faz sentido — falei, ainda sem acreditar.

— Cole Kilter nunca fez sentido.

— Ele não deixou nada pra você?

Jax balançou a cabeça e apontou para o testamento de novo.

— Tem uma caixa de sapatos no chão. Foi isso que ele deixou pra mim.

Olhei para baixo e peguei a caixa. Lá dentro, havia cartas — as nossas cartas, as de Jax que eu nunca havia recebido, e as que eu havia mandado e ele nunca recebeu. Por cima delas, havia um pedaço de papel que dizia: *Você tirou a minha felicidade, então tirei a sua.*

Quando levantei o olhar, Jax me encarava. Eu não fazia ideia do que dizer nem de como me sentir, então nem imaginava o que estava passando pela cabeça dele.

— É engraçado, né? — Ele andava de um lado para o outro do escritório, aumentando a voz. — Mesmo no túmulo, ele consegue me torturar.

— Jax...

Ele balançou a cabeça.

— Esse tempo todo, eu achava que haveria um propósito por trás de tudo isso, um motivo por trás de tanta merda, mas não havia.

Como eu conseguiria consertar aquilo? Como eu conseguiria convencer um homem que tinha passado a vida inteira lutando pelos outros de que ele também merecia que lutassem por ele, mesmo quando tantas coisas na sua vida pareciam sugerir o contrário?

— É tudo uma grande piada — resmungou ele.

Dando um passo para trás, ele observou o estrago, e vi um leve tremor em seu lábio inferior. Ele soltou o copo e se espatifou no chão junto com ele. Jax caiu de joelhos, e seus ombros se curvaram para a frente. Ele não chorou, apesar de eu saber que havia chegado ao seu limite. Cobri a boca com uma das mãos para abafar meu choro pela alma destruída diante de mim. Ele não conseguia chorar, então eu fiz isso no seu lugar.

Suas mãos pousaram sobre o vidro quebrado, que cortou sua pele. Eu me aproximei sem dizer uma palavra. Não pedi a ele que se levantasse. Não disse que ele deveria ser forte. Eu me sentei ao seu lado durante aquela tempestade e continuei ali mesmo quando ele me implorou que fosse embora.

34

Kennedy

— Como ele está? — perguntou Derek depois que obriguei Jax a se deitar para descansar um pouco.

Derek e Stacey estavam hospedados em uma pousada no centro da cidade. Stacey tinha voltado para lá, para descansar um pouco, mas ele não queria ir embora sem ter certeza de que o irmão estava bem.

Eu me aproximei e me sentei ao seu lado no sofá.

— Ele está sofrendo, é claro. Dá pra entender. O que o seu pai...

— Ele não era meu pai — sibilou Derek com os dentes trincados. — Ele também não era pai do Jax. Nem de longe. A forma como aquele monstro tratava o Jax era desprezível. Não consigo nem imaginar pelo que ele passou depois que fui embora. Eu não devia ter deixado ele aqui.

— Você tentou convencê-lo a ir — disse.

— É, bom, eu devia ter me esforçado mais.

— Pelo menos você pode deixar a casa pra ele — falei. — Tenho certeza de que você pode transferir a escritura pro nome dele ou algo assim. Sei que existe uma maneira de resolver as coisas.

Derek baixou a cabeça. Seus dedos estavam entrelaçados, com as juntas brancas, e ele ficou quieto.

— Derek — insisti. — Você pode transformar a crueldade do seu pai em algo bom.

— Eu sei — concordou ele. — E é exatamente por isso que vou vender este buraco pela proposta mais alta.

Suas palavras pareceram uma facada.

— Você não pode fazer isso. Este lugar é importante demais pro Jax.

— Sério? Por causa dos buracos de soco nas paredes? É isso que faz ele continuar aqui? Ou as lembranças de quando o Cole arremessou o micro-ondas pela cozinha? Ou de quando ele me deu um soco tão forte que apaguei, na noite antes de eu ir embora? É isso que faz ele continuar aqui? — rebateu ele, irritado.

— Não. É claro que não.

— Então que diabos prende ele aqui?

— A sua mãe — falei.

Derek começou a bater o pé no chão acarpetado. Seu corpo inteiro tremia.

— Esse é outro motivo pra ele deixar este lugar pra trás. Aconteceram muitas tragédias aqui.

— Ele está tentando transformar tudo isso em algo lindo. Você precisa acreditar em mim, Derek.

— É impossível fazer algo lindo com o nosso passado. Acredita em mim, eu tentei.

Fiz uma careta enquanto observava a ansiedade de Derek aumentar. Eu sabia que sua cabeça estava girando na velocidade da luz, e ele realmente acreditava que vender a casa da família seria a coisa certa a fazer.

— Derek...

— Vou entrar em contato com as pessoas certas pra agilizar isso o mais rápido possível. — Ele se levantou do sofá e esfregou as sobrancelhas com o dedão. — Meu voo de volta pra casa é amanhã cedo, mas depois eu converso com o Jax.

— Espera, não. Por favor, pensa mais um pouco — implorei, levantando com um pulo. — Ele vai ficar arrasado, Derek. Você vai destruir o seu irmão se tirar esta casa dele.

O canto de sua boca se contraiu, mas ele se recusou a fazer contato visual comigo.

— Ele já passou por coisas piores e ficou bem. Tenho certeza de que vai superar isso também, e se tornar uma pessoa ainda melhor. Ele finalmente vai poder ter uma vida.

— Ele tem uma vida aqui.

— Não, ele tem uma prisão aqui. Uma porcaria de prisão na qual está trancafiado tempo demais. Escuta, Kennedy, eu entendo. Você se preocupa com ele. Eu também. É por isso que estou tomando essa decisão. Ele não a tomaria por conta própria. Já fiz muita besteira na vida. Fiz várias escolhas erradas, mas sinto, no fundo da minha alma, que não estou cometendo um erro agora.

— Pra onde ele vai? — sussurrei, balançando a cabeça. — Se ficar sem a casa, pra onde ele vai?

— Essa é a beleza de tudo isso — murmurou ele enquanto alisava seu terno de marca. — Ele pode ir pra qualquer lugar que não seja aqui. Fala com ele que fui embora, tá?

— Que tal você avisar? Seja homem. Olhe nos olhos do seu irmão e conte a ele o que você quer fazer.

— Nunca fui corajoso. — Ele baixou a cabeça por um segundo e puxou o ar com força antes de soltá-lo. — Só diz pra ele que vai ser melhor assim, e que eu entro em contato depois.

— Você é um covarde — bradei, enojada com a ideia de que Derek estava indo embora sem contar a Jax sobre os seus planos; de que ele não tinha nem coragem de olhar na cara do irmão e lhe contar a verdade. — Ele idolatra você, e você vai acabar com ele.

— Ele vai me perdoar, porque o Jax é assim. Ele perdoa as pessoas.

— Isso não te dá o direito de se aproveitar dele.

— Você tem razão, e talvez eu precise lidar com as consequências dessa escolha, mas pelo menos vou conseguir dormir melhor sabendo que meu irmão não está mais nesta prisão. Eu entendo que você se preocupa com ele, estou feliz por ele ter alguém que o defenda, mas estou fazendo a mesma coisa. Sinto muito se você não entende isso agora, mas talvez compreenda com o tempo. Adeus, Kennedy.

Ele me deixou ali com a notícia que destruiria o homem que eu amava.

Lá estava eu, segurando uma bomba-relógio, que explodiria a alma de Jax do pior jeito possível.

Quando dei a notícia a Jax, ele não ficou chateado. Não gritou nem perdeu a cabeça. Ele parecia... murcho. Quase anestesiado. Como se já tivesse sentido todas as emoções, e agora só restasse um vazio.

— Acho melhor você ir embora — disse Jax quando me sentei na beirada da cama.

— Não, Jax. Não vou te deixar sozinho.

Eu ficava insistindo que permaneceria ali, mas ele parecia nem me escutar mais.

Ele estava desconectado do mundo ao seu redor, desconectado dos seus sentimentos, desconectado de mim.

Ele se remexeu para se sentar no colchão e pigarreou.

— Preciso ir ao banheiro.

Eu me levantei junto com ele. Ele me deu um sorriso desanimado.

— Você não precisa me seguir até no banheiro, Sol. Acho que consigo fazer isso sozinho.

— Certo. É claro. Tá bom. Vou ficar esperando.

Eu me sentei de novo enquanto ele saía do quarto. Alguns instantes depois, ouvi o motor da picape ligar. Saí correndo pela porta da frente da casa a tempo de vê-lo indo embora.

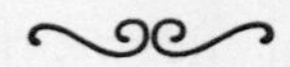

— Ele não atende o celular. Estou ligando sem parar. Já faz mais de quatro horas — expliquei para Yoana assim que ela chegou à minha casa. — Estou muito preocupada.

— Ele deve estar bem. Talvez só precisasse esfriar a cabeça. É muita coisa pra ele processar.

— Mas não quero que ele fique sozinho por aí. Quero estar ao seu lado. Acho que ele precisa de alguém, mas está afastando todo mundo. Sei como é estar nesse inferno. Eu me afastei de você por um ano inteiro porque sabia que você ia me consolar, e eu achava que não merecia isso.

A tristeza dessa declaração trouxe dor aos olhos de Yoana.

— Você ama o Jax, não ama?

Concordei com a cabeça.

— Com todas as minhas forças.

Ela abriu um sorriso triste e cutucou meu braço.

— Sabe o que você faz quando ama alguém?

— O quê?

— Você ama ainda mais essa pessoa nos piores dias dela. O Jax está sofrendo e precisa de você, apesar de talvez achar o contrário. Ele precisa de você mais do que nunca. Sabe o que eu faria se fosse o Nathan nessa situação?

Esperei pela resposta.

Ela se levantou, foi até a porta e começou a calçar o tênis.

— Eu procuraria por todos os cantos da face da Terra até encontrá-lo e trazê-lo de volta pra casa. Então, vamos procurar.

Peguei meus sapatos, e nós saímos.

35
Jax

— Uísque — murmurei, deslizando meu copo vazio para o bartender.

Eu não sabia há quanto tempo estava sentado naquele bar. Não sabia há quanto tempo estava ali. Fugi de Kennedy e de suas palavras de carinho porque minha mente estava confusa demais. Eu precisava me afastar e, quando saí da cidade, me dei conta de que não tinha para onde ir.

Eu não conhecia nada além daquela porcaria de cidade.

Então, acabei ficando no Ray's Bar e Grill, bêbado para cacete, em um sábado à noite. Eu tinha oficialmente chegado ao ponto em que o uísque havia parado de descer queimando e meus pensamentos tinham desaparecido. *Ótimo*. Eu não queria sentir nada. Não queria lidar com o fato de que passei anos tentando me redimir dos meus erros e fracassei mesmo assim. Eu não tinha casa, eu não tinha nada.

Eu tinha me doado de corpo e alma para o meu pai, e ele me ferrou. Apesar de me dizer que o terreno seria meu um dia. Apesar de ter jurado que deixaria tudo para mim. Aquele tinha sido meu erro — acreditar em um mentiroso. Era quase como acreditar em Papai Noel.

— Você não acha que já bebeu o suficiente, Jax? — perguntou Ray, estreitando os olhos.

Por que as pessoas daquela cidade tinham mania de colocar o nome delas em seus restaurantes? Elas não tinham nenhuma criatividade?

Merda.

Eu estava bêbado.

— Eu enterrei um babaca hoje, Ray. Consigo beber um pouco mais de uísque — resmunguei.

Ray franziu a testa.

— Fiquei sabendo.

Ele não me ofereceu seus sentimentos, porque era um homem sincero. Ele não estava triste com a morte do meu pai. Fazia sentido. Mesmo assim, ele devolveu meu copo e me entregou a garrafa de uísque.

Passei as mãos pelo meu cabelo bagunçado antes de me servir de outro copo. Desliguei o celular, para evitar as ligações de Kennedy, que não paravam de chegar. Não estava pronto para me sentir bem. Não estava pronto para o amor que ela teria para me dar.

A única coisa que eu queria era me afogar nas minhas verdades patéticas.

A única coisa que eu queria era ficar sozinho.

Infelizmente, soube que isso não aconteceria no instante em que ouvi uma voz risonha entrar no bar.

— Nossa, Lars! Para — riu Amanda.

Olhei para trás e vi duas Amandas e três Lars se aproximando. Eles estavam alegrinhos, chamando atenção, e dançavam ao som da música country que saía das caixas de som. Quando foi que começou a tocar música?

Talvez já estivesse tocando esse tempo todo.

Pisquei algumas vezes e balancei a cabeça. Acabou que era só uma Amanda e um Lars. Que seja. Não fazia diferença.

Voltei para o meu uísque e me esforcei para afastar minha irritação quando Lars começou a berrar.

— Olha só, se não é Jax Kilter lá no bar. Que honra pra todo mundo aqui! — gritou ele, batendo palmas.

Meu peito se apertou, mas continuei ignorando.

— Deixa ele em paz, Lars — disse Amanda. — O dia dele já foi bem difícil.

— Ah, é. Esqueci que foi hoje. Aposto que é por isso que ele está aqui. Tenho certeza de que ele está bebendo em homenagem ao inútil do pai. Estou certo, Jax? — perguntou Lars, marchando até mim e segurando meus ombros.

Minhas mãos apertaram o copo, e fiquei quieto.

— Lars, vem. Vamos pegar uma mesa e comer — pediu Amanda, como se estivesse surpresa com o fato de Lars se comportar feito um babaca. A babaquice estava em seu DNA. — Deixa ele em paz.

Ela acreditava mesmo que Lars ia fazer isso? Ele nunca tinha me deixado em paz na vida. Por que me daria um desconto naquela noite? Além do mais, o passatempo preferido de Lars era chutar cachorro morto.

Nada como atacar quem já estava no chão.

— Que tal você pegar uma mesa enquanto eu boto o papo em dia com um velho amigo? — ordenou ele.

— Não sou seu amigo — resmunguei.

Ele inclinou a cabeça na minha direção e chegou mais perto.

— O que foi que você disse?

Amanda deu alguns passos na nossa direção.

— Lars...

— Vai logo — disse ele, abrindo um sorriso convencido para ela.

Olhei para Amanda. Os olhos dela estavam cheios de preocupação. Mas não sabia se a preocupação era por mim ou por si mesma.

— Não deixa ele falar com você desse jeito — falei em um tom calmo. — Não deixa ninguém falar com você desse jeito.

— Jax — começou ela, e Lars a interrompeu de novo.

— *Já mandei você ir pegar a mesa* — disse ele, irritado.

Como ela foi acabar com ele? Ela era melhor do que isso. Ela merecia coisa melhor. Pelo jeito como baixou a cabeça e foi procurar uma mesa para os dois, ela não sabia que seria muito melhor ficar sozinha.

Ela sabia que eu não gostava de Lars. Era difícil eu não me perguntar se ela estava saindo com ele para tentar chamar minha atenção.

— Você está incomodado? — perguntou Lars, insistindo. — Em saber que estou comendo a sua ex?

— Cara. Você está falando sério? A gente tem quase trinta anos. O que falta para você parar com essa merda? — resmunguei. — Já passou da idade.

— Você deve estar se corroendo. Na verdade, acho incrível a Amanda ter ficado com você por tanto tempo. E quer saber? Quando eu cansar de trepar com ela, acho que vou trepar com a sua namorada nova também.

Agora ele foi longe demais.

— Se você chegar perto da Kennedy — sibilei, me virando para ele.

— Ahh, agora sim. — Ele sorriu. — A fera acordou.

— O que você quer de mim, Lars?

— Quero você fora desta cidade. A gente não precisa desse seu jeito tóxico. E você acha que é espertão? Abrindo uma empresa de paisagismo? Roubando minha cliente?

— Não estou abrindo nenhuma empresa de paisagismo — murmurei.

— Então que porra é esta? — bradou ele, jogando um cartão de visita para mim.

Eu o peguei e tentei focar minha visão o máximo que pude. É claro que Connor tinha feito cartões de visita e os havia distribuído pela cidade. Eu devia ter imaginado que ele acabaria fazendo uma idiotice dessas.

— Não é sério — respondi.

— Pra mim, ficou sério a partir do momento em que as pessoas começaram a falar que vão pedir orçamento pra outra empresa. Você não vai tirar dinheiro do meu bolso.

— Ninguém está tirando dinheiro do seu bolso — resmunguei.

Eu estava bêbado demais para aquela conversa. Por que Lars estava falando comigo? Ele não estava em um encontro?

— É claro que você não está, porque é um inútil, que nem o defunto idiota do seu pai. Ninguém nesta cidade quer trabalhar com você, a menos que seja pra você desentupir a merda das privadas dos outros. Um homem de merda que mexe em merda, é isso que você é. Eu queria que você tivesse se dado um tiro quando matou a escrota da sua mãe — sussurrou ele, a voz baixa e cheia de veneno.

E num piscar de olhos, as partes anestesiadas da minha alma acordaram dentro de mim assim que ele falou da minha mãe.

— O que você quer, Lars? — rebati com irritação, me levantando do banco. — Você quer me tirar do sério? Quer me fazer perder a cabeça? Quer que eu brigue com você? Quer que eu fique parecendo o babaca da história? Tudo bem. Aqui estou eu, o escroto do Jax Kilter! O babaca que matou a própria mãe. O babaca que levava porrada do pai. O babaca que não tem nada. Você quer que eu libere o monstro que vive dentro de mim? Então tá! Fica à vontade! Manda ver — sibilei, abrindo os braços. O que eu tinha a perder?

— Você quer mesmo fazer isso, Kilter? — perguntou Lars, parecendo surpreso.

Não. Eu não queria brigar com Lars. Eu não queria fazer nada. Eu estava bêbado, tudo girava, e o torpor que eu sentia começava a desaparecer.

Balancei a cabeça.

— Não faz diferença — murmurei.

— Qual é o seu problema, hein? Por que você é tão estranho? Por que vive murmurando? — bradou Lars. — Não sei como a Amanda aguentou isso.

Eu não queria lidar com ele. Eu não queria lidar com ninguém. Só queria ficar sozinho.

Quando me virei para ir embora, Lars agarrou meu ombro e me girou para encará-lo.

— Ainda não terminei de falar, seu babaca! — berrou ele, e, sem pensar, dei um soco no meio da cara dele.

Eu não queria ter feito isso. Eu estava indo embora. Eu só queria ir para casa.

Eu não tinha casa...

Merda, merda, merda.

Antes que eu conseguisse me concentrar, Lars pulou em cima de mim e me jogou no chão. Começamos a brigar enquanto todo mundo no bar gritava. Amanda parecia estar chorando. Algumas pessoas torciam pela briga, outras tentavam nos separar.

— Saiam da porra do meu bar! — berrou Ray, nos separando.

— Foi mal, Ray. — Lars se levantou. — Foi ele que começou.

— Nem vem, Lars. É muita babaquice sua provocar o Jax justamente hoje. Cai fora — ordenou ele. Ray me ofereceu a mão. — Tudo bem, Jax?

Concordei com a cabeça, mas me levantei em silêncio. Meu rosto doía. Minha cabeça doía. E meu coração doía também.

Enfiei a mão no bolso, peguei meu dinheiro e o joguei no balcão.

— Desculpa, Ray — murmurei antes de sair cambaleando do bar.

Eu estava tateando os bolsos em busca das minhas chaves quando uma voz me chamou.

— Jax!

Levantei o olhar e vi quatro Kennedys se aproximando.

Duas Kennedys.

Não, só uma.

— O que você está fa-fazendo aqui? — gaguejei, tropeçando. Talvez fosse uma boa ideia deitar na calçada.

— Vim te levar pra casa — disse ela, entrelaçando um braço ao meu.

Eu a afastei.

— Pra casa? — Eu ri. — Que engraçado, Kennedy.

Comecei a andar na direção oposta, e ela veio correndo atrás de mim.

— Espera, Jax. Vem. Você pode ficar na minha casa. Você não precisa passar por isso sozinho.

— Por que não? Foi assim a minha vida inteira.

— Você está bêbado — sussurrou ela me alcançando, pegando meu braço.

Aquele choque elétrico que eu sentia ao seu toque ainda estava ali. Eu odiava a forma como ela me aquecia. Odiava que estar perto dela tornava tudo um pouquinho melhor.

— Eu estou fodido. — Suspirei. — Tenho que ir. Preciso sair desta cidade. Preciso ir embora deste lugar. Preciso...

— Vem comigo — interrompeu-me ela. Seus olhos cor de mel me atravessavam.

— Pra onde?

— Pra qualquer lugar. Pra todo lugar. Aonde quer que você vá, me leva junto. — Ela segurou minhas mãos e me puxou para si. Eu queria me afastar, só que a vontade de ficar era maior. Sua testa se apoiou na minha. — Fica, Jax.

— Sol...

— Fica, Lua — sussurrou ela, colocando as mãos sobre o meu peito.

Meus olhos se fecharam quando minha cabeça começou a rodar.

— Fica comigo — implorou ela.

— Eu não tenho nada, Kennedy. Não tenho nada pra te oferecer.

— Me dá seu coração, é só disso que eu preciso. Por favor, Jax. Por favor — implorou ela, roçando os lábios de leve pelos meus. — Se você ficar, vou te amar pra sempre.

Abri os olhos, e lá estava ela, meu amor. Minha amiga. Meu raio de sol.

— O que eu vou fazer? — perguntei com a voz falhando.

— Vamos pra casa agora, e amanhã nós pensamos numa solução. Combinado?

Nós pensamos numa solução.

Nós.

Eu não estava mais isolado de tudo e de todos. Eu não caminhava mais sozinho, porque Kennedy era corajosa o suficiente para andar ao meu lado.

Assenti com calma e peguei a mão dela.

— Combinado.

36

Kennedy

— Por que você está aqui? Como sabia onde eu estava? — perguntou Derek na manhã seguinte.

— Só tem uma pousada no centro da cidade. Não foi tão difícil assim. — Não dormi nada na noite anterior, porque Jax não conseguiu dormir, então fiquei acordada com ele até o sol invadir as janelas. — Posso te mostrar uma coisa? — perguntei.

Derek coçou a barba e pigarreou.

— Eu e a Stacey precisamos ir pro aeroporto daqui a pouco. Não tenho tempo.

— Vai ser rápido. Só quero te mostrar uma coisa.

— Mostrar o quê?

— O que o Jax fez. Só venha dar uma olhada, por favor. Prometo que você vai entender por que a propriedade da sua família precisa ficar com o Jax.

Ele olhou para o relógio no pulso e cruzou os braços.

— Tenho só vinte minutos.

— Tudo bem, não vai demorar mais do que isso.

Ele não disse nada, apenas concordou com a cabeça.

Levei Derek para a floresta do terreno de Jax. Não trocamos uma palavra pelo caminho inteiro. Quando chegamos ao campo de margaridas, os olhos de Derek se encheram de lágrimas ao ver todas as flores.

— Margaridas — murmurou ele, parecendo o irmão.

— Sim.

— Eram as flores favoritas dela. — Ele pigarreou. — O Jax fez esse espaço pra ela?

— Fez. E ele tem inúmeros outros planos. Ele guardou todos os projetos de paisagismo dela, e...

— Merda — sussurrou Derek antes de um grito escapar de seus lábios. — Porra!

Seu acesso de raiva me pegou de surpresa, e eu não sabia o que dizer.

— Desculpa se te deixei chateado por trazer você aqui — falei, me sentindo culpada pela ideia. Eu achei que fosse ajudar.

— Não, você não entende — disse ele, enquanto lágrimas começavam a escorrer pelo seu rosto. Ele levou as mãos à cabeça, tomado pelas emoções. — Você não entende.

— Não entendo o quê?

— Nada disso. — Ele engoliu em seco e esfregou atrás da cabeça. — Tudo o que meu irmão sofreu foi por minha culpa, porra.

Estreitei os olhos, chocada.

— Do que você está falando?

— Todas as dificuldades, toda a dor. Ele ter ficado preso aqui com o Cole, foi tudo por minha causa. E aqui está ele, plantando as flores favoritas da nossa mãe porque se sente culpado por algo que nem fez.

— Derek, que história é essa?

— O acidente. Não foi ele. — Sua cabeça baixou, as lágrimas escorrendo rápido pelas bochechas. Seu corpo inteiro tremia enquanto ele pronunciava palavras que viraram o mundo de cabeça para baixo. — Fui eu, Kennedy. Fui eu. Eu atirei nela. Eu matei a nossa mãe, não o Jax.

Aquela declaração mexeu comigo, e o silêncio que preencheu a floresta era apavorante.

Dei alguns passos para trás.

— O quê? Não. Foi o Jax. Sei que você provavelmente se culpa por ter convencido ele a sair, mas...

— Não — discordou Derek. — Fui eu. Eu apertei o gatilho, Kennedy. A trava de segurança da arma dele estava engatada. Ele não destravou a arma. Fui eu. Sinto muito. Sinto muito mesmo. Eu atirei nela. Eu matei a minha mãe.

Ele começou a chorar descontroladamente enquanto revelava suas verdades.

— Desculpa. Desculpa.

Eu não sabia o que fazer. Eu não sabia o que fazer com tudo aquilo que saía da boca de Derek. Ele atirou na mãe? Ele matou Elizabeth e deixou Jax passar a vida toda achando que tinha sido ele quem havia apertado o gatilho?

Que diabos estava acontecendo?

37

Derek

DEZESSETE ANOS

Cole cancelou a viagem de Jax para o acampamento de verão. Ele fez isso porque meu irmão não tinha matado o cervo. Minha mãe brigou com Cole para fazê-lo mudar de ideia, mas ele disse que o dinheiro era dele e que não mandaria o filho fracote para o acampamento.

Ultimamente, minha mãe e Cole brigavam toda hora, e eu não aguentava aquilo. Era igual a antes, quando ela discutia com meu pai. Eu odiava a gritaria, só que a ideia de abandonarmos Cole era ainda pior. Mas eu sabia que minha mãe iria embora se Jax não tomasse jeito. Eu já tinha perdido um pai e não queria perder outro.

No geral, Cole era tudo o que eu queria em um pai. Ele ia aos meus jogos de futebol americano. Nós pescávamos juntos. Nós caçávamos juntos. Ele era legal para caralho. Realmente, ele não facilitava as coisas para Jax, mas isso era culpa do meu irmão. Ele vivia se comportando feito uma criança. Se ele conseguisse agir mais como um garoto do que como uma menininha, Cole o trataria do mesmo jeito que me tratava. Então, minha mãe e Cole voltariam a ser felizes, e tudo ficaria bem. Eu ia me certificar disso.

— Levanta — ordenei, entrando no quarto de Jax e empurrando seu ombro num fim de noite, depois de outra briga entre minha mãe e Cole. — A gente precisa sair e resolver isso rápido.

— Resolver o quê?

— Você precisa matar um cervo pro Cole te perdoar.

O rosto de Jax foi tomado pelo pânico.

— Não, não. Não co-consigo — gaguejou ele.

Joguei o cobertor dele para longe e o puxei para fora da cama.

— Consegue, sim, Jax. Você só está com medo.

— Não estou — mentiu ele.

Ele estava apavorado.

— Está, sim. Agora, anda logo. Você quer mesmo ser o motivo da nossa mãe largar o Cole? Você quer que os seus pais se separem?

— Não.

— Então vem.

— Não dá nem pra gente pegar as armas. Meu pai deixa tudo trancado.

Balancei o chaveiro de Cole na frente do rosto dele.

— Já cuidei disso. Vamos, antes que eles percebam que a gente não está na cama.

Jax ficou imóvel por um momento e eu gemi, batendo com a palma da mão na minha testa.

— Jax, a hora é agora. Ou você fica com medo pra sempre, ou toma uma porra de uma atitude — falei, encarando-o.

O olhar dele era bondoso, como o da nossa mãe. Ele era delicado como ela. Sensível. Cole dizia que os dois eram sensíveis demais.

— Você não quer que o Cole te ame do mesmo jeito que me ama? — provoquei.

Isso o convenceu a se levantar.

Eu o arrastei para fora do quarto e o fiz calçar os tênis. Ele me seguiu até o galpão, onde pegamos as armas.

— Pega a espingarda do Cole — ordenei. — Ele vai ficar impressionado quando souber que você matou um cervo com a arma favorita dele.

Assim que saímos, fiz Jax segurar a arma com firmeza. Ele tremia muito, muito mesmo.

Estava escuro, e eu sabia que ele odiava o escuro. Havia poucas coisas das quais Jax não tinha medo.

Nossa única fonte de iluminação era a lamparina bruxuleante que eu havia levado. Achei que uma lanterna assustaria os cervos.

Eu também peguei a minha arma, só para o caso de Jax precisar de ajuda.

A única coisa que ele precisava fazer era matar o cervo. A única coisa que ele precisava fazer era apertar o gatilho, e Cole passaria a gostar dele. Aí tudo voltaria ao normal. Minha mãe e Cole parariam de brigar, e continuaríamos sendo uma família.

A lamparina nos ajudou a ver os cervos andando entre as árvores. Cole me ensinou a ser paciente para caçar uma belezinha como o cervo-de-cauda-branca.

Então ficamos esperando, esperando. E esperamos mais um pouco.

Finalmente, ele apareceu. O cervo era grande. Quase duas vezes maior do que aquele que eu tinha matado no outono passado.

— Olha lá, Jax. Ele é lindo! Se prepara — ordenei, apesar de as mãos de Jax estarem trêmulas.

Então ouvi a voz na floresta, nos chamando.

— Jax! Derek!

Minha mãe.

Ela estava vindo.

Ela sabia que não estávamos dormindo.

Merda.

— Atira! — gritei em uma espécie de sussurro, fazendo Jax dar um pulo e derrubar a lamparina com o susto.

— Caramba, Jax, anda logo! Você consegue, é só apertar o gatilho. Aperta o gatilho, aperta o...

O tiro foi disparado, e Jax largou a arma.

Ouvimos um grito.

A arma escorregou das minhas mãos e tentei enxergar na escuridão. Ouvi alguém chorando enquanto eu corria no escuro, na direção dos soluços. Quando cheguei, fui dominado pelo pânico ao ver o sangue pintando a grama e os galhos ao redor. Olhei para baixo e vi um par de olhos castanhos grandes, arregalados de medo.

— Mãe! — gritei.

Jax veio correndo, apavorado igual a mim.

— Meninos — arfou minha mãe, tremendo como suas palavras, com lágrimas escorrendo por suas bochechas.

O quê?

Como?

Não...

Jax colocou as mãos dela nas minhas quando comecei a gritar.

— Socorro! — berrei, cada centímetro do meu corpo tomado pelo pavor.

Meu peito subia e descia freneticamente, como se meu coração estivesse sendo arrancado de lá.

— Está tudo bem, querido — gemeu minha mãe, apertando as mãos de Jax.

— Desculpa, mãe — choramingou Jax.

As palavras dela sumiram conforme a escuridão da noite me engolia por inteiro.

Não, não, não...

— O que foi que eu fiz?! — gritou Jax, e o pânico se instalava no meu peito.

A culpa era minha.

Meus olhos se encheram de lágrimas enquanto ele olhava para nossa mãe.

— Ai, meu Deus — gritei, andando de um lado para o outro.

Não tinha sido ele. Não tinha sido ele.

Diz pra ele que foi a minha arma. Diz pra ele que foi você que apertou o gatilho. Seja corajoso, porra!

Mas eu não conseguia. Não conseguia pronunciar as palavras.

Falei a única coisa que jamais deveria ter saído da minha boca enquanto meu irmãozinho soluçava com nossa mãe em seus braços.

— Jax — gritei, minha voz arranhando. — O que você fez?

38

Kennedy

Eu não sabia o que dizer conforme Derek contava sua história.

Ele continuou se debulhando em lágrimas no meio das margaridas, e eu balancei a cabeça.

— Você precisa contar a verdade pra ele.

— Não, não posso. Não... isso vai acabar com ele — disse ele, engasgado. — Ele nunca vai me perdoar.

— Não interessa, Derek. A vida dele foi um inferno, sofrendo esse tempo todo com a dor e a culpa de algo que não fez! Você deve isso a ele! Você não tem o direito de esconder isso do seu irmão! E sinto muito, mas, se você não contar, eu conto.

— O que está acontecendo? — perguntou uma voz atrás de nós. Eu me virei e encontrei Jax parado ali, parecendo confuso. — Derek, está tudo bem? É por causa da morte do meu pai? — perguntou ele com carinho.

Derek balançou a cabeça.

— Desculpa, Jax.

— Está tudo bem. Não importa o que seja, está tudo bem.

Ele foi até o irmão sem nem imaginar o motivo por trás das lágrimas de Derek. Jax não sabia por que o irmão estava chorando, mas o consolou. Mesmo sem que ele merecesse, na minha opinião.

— Conta pra ele — ordenei a Derek, cuja culpa estava estampada em seu rosto.

— Contar o quê? — perguntou Jax. — O que está acontecendo?

Derek baixou a cabeça e continuou pedindo desculpas. As palavras pareciam menos verdadeiras cada vez que saíam de sua boca.

— Desculpar pelo quê? — questionou Jax. — Que diabos está acontecendo?

Derek respirou fundo e revelou tudo para o irmão. As palavras ardiam ao saírem da boca de Derek e golpearem a alma de Jax.

Jax se afastou do irmão.

— Não. Você deixou que eu... — Ele fechou os olhos com força e respirou fundo. — Eu passei a vida inteira achando que tinha sido eu que...

— Eu sei — confessou Derek, concordando com a cabeça. — Eu sei. Não posso mudar o passado, e sinto muito. Eu fugi porque não conseguia encarar o que havia feito, Jax. Eu fui covarde. Eu estava com a cabeça fodida, e fui embora. Me arrependo disso todos os dias.

— Sempre que eu te ligava, você me dizia que a culpa não era minha. Você insistia nisso. Você tentava tanto enfiar na minha cabeça que eu não devia me culpar, e nunca entendi por quê. Eu achava que você queria me consolar, mas a verdade era que você estava tentando confessar.

Derek continuou chorando, e Jax ficou imóvel.

Eu não sabia o que fazer, o que dizer, como melhorar as coisas. Eu tinha quase certeza de que Jax estava prestes a surtar. Eu teria perdido as estribeiras se alguém me contasse algo assim. Mas, para minha surpresa — para a surpresa de todos —, ele continuou calmo.

— Me dá — disse Jax para o irmão. — Me dá a propriedade. Não quero mais nada de você. Mas você me deve isso. Não quero seu tempo, e estou pouco me fodendo pros seus pedidos de desculpas, mas você pode me dar isso, então vamos seguir em frente.

— É sua — disse Derek, seus ombros se curvando para a frente ao se render. — É sua.

Derek foi embora, ainda murmurando pedidos de desculpa.

Corri até Jax e segurei suas mãos.

— Não consigo imaginar o que você está sentindo. Não consigo sequer pensar no que está se passando pela sua cabeça agora, mas quero que saiba que estou aqui com você. Eu estou aqui, Jax, e não vou embora.

Ele fechou os olhos e levou os lábios até a minha testa. Então me puxou para perto de si e me deu um abraço apertado.

— Está tudo muito confuso.

— Eu sei.

— Mas ainda tenho você.

— Sim. Jax, eu estou aqui. Não importa o que aconteça, estou aqui.

— Eu te amo, Kennedy.

— Eu também te amo.

Eu sabia que não seria fácil. Eu sabia que Jax ainda precisaria lidar com muita coisa, mas eu estaria ao seu lado. Eu seguraria sua mão durante todas as tempestades que viessem.

Não saí do lado de Jax durante os dias seguintes, que foram se transformando em semanas. Ele estava tendo dificuldade para assimilar a verdade sobre o acidente. Derek havia ligado várias e várias vezes para tentar se redimir com o irmão, mas Jax nunca atendia.

— Vamos ter que conversar algum dia — disse ele. — Mas esse dia não vai ser hoje.

Dava para entender o lado dele.

Depois de tudo o que havia acontecido, era compreensível se Jax nunca mais quisesse falar com o irmão, mas eu o conhecia. Seu amor era maior do que seu ódio. Sua relação com o irmão nunca mais seria a mesma, mas eu sabia que ele o procuraria em algum momento.

Por ora, ele estava se dedicando ao paisagismo, cuidando de seu terreno, com a minha ajuda e a de Connor, é claro. Mexer na terra parecia ser revigorante para ele. Sempre que ele desenterrava uma lembrança do passado, era como se descobrisse um futuro novo. Algo que poderia ser lindo e saudável. Ele finalmente estava encontrando uma maneira de recomeçar.

Eu também.

Eddie — ou melhor, Dr. Jefferson, naquela tarde — me entregou outro lenço para eu secar minhas lágrimas. Fazia três semanas que eu me consultava com ele duas vezes por semana, e as sessões sempre terminavam com muitas lágrimas.

— Isso é bom, Kennedy. É saudável botar pra fora suas emoções — incentivou ele.

Eu sabia que ele tinha razão, mesmo isso sendo mais difícil em certos dias. Meus ataques de pânico estavam melhorando depois que ele me ensinou alguns truques.

— Sempre que você vir outra criança, talvez seja bom dizer a palavra "Daisy" na sua cabeça. Pense que a sua filha está mandando amor pra você nesses momentos, e não os transformando em um lembrete da sua perda. Se você deixar, ela pode permanecer viva a cada segundo, e isso é uma dádiva.

Fazia um tempo que eu estava tentando seguir essa dica, nem sempre funcionava, mas eu acabava abrindo um sorriso de vez em quando. Depois eu compartilhava histórias sobre Daisy com as pessoas que eu amava, as pessoas que estavam sempre dispostas a me ouvir.

Naquela tarde, depois que saí da terapia, Jax me esperava do lado de fora da casa.

— Está chorando? — perguntou ele com um sorrisinho.

— Pois é. — Eu ri. — Não seria uma sessão de terapia se o Eddie não me fizesse chorar.

— Ele é muito bom no que faz — concordou Jax.

Estreitei os olhos e cutuquei seu peito.

— Talvez você devesse deixar o Eddie ser muito bom no que faz com você também.

Ele me deu um beijo na testa e me puxou para o seu lado.

— Nós dois não podemos melhorar ao mesmo tempo, Sol. Precisamos de pelo menos uma pessoa instável nesse namoro — brincou ele.

Parei.

— É sério, Jax. Você está bem? Quer dizer, eu sei que você diz que está bem, mas está mesmo?

— Vou chegar lá. Prometo. Mas preciso ir aos poucos. Só tenho que continuar acordando de manhã e querendo mais para a minha vida. Por enquanto, está dando certo.

Eu sorri.

— Que bom.

— Aham. Um passo de cada vez. É o que consigo fazer.

Eu pretendia dar cada um desses passos ao lado dele. Desde que continuássemos seguindo em frente, eu sabia que ficaríamos bem.

— Agora, podemos ir pra essa maldita festa? Prometi ao Connor que não perderia. — Jax jogou as chaves para mim e foi para o banco do carona da picape.

Ele me deixava dirigir sempre que eu pedia, para que eu me acostumasse a dirigir de novo. Nossos trajetos nunca passavam de dez minutos, mas, para nossa sorte, dez minutos bastavam para chegar a qualquer lugar em Havenbarrow.

Hoje era a grande festa de aniversário de Connor; na verdade, grande queria dizer enorme. Connor era amado por praticamente todo mundo na cidade. O centro inteiro havia sido fechado, como se tivesse um grande festival na cidade. Havia uma roda-gigante, barraquinhas de jogos e um gira-gira.

Todo mundo da cidade apareceu para comemorar o aniversário de dezoito anos de Connor, o que era basicamente a versão do inferno para Jax. Ele continuava odiando os moradores locais — porém amava Connor mais do que estava disposto a admitir.

Paramos a picape — eu dirigi perfeitamente, por sinal —, e Jax pegou o presente de Connor no banco detrás.

As pessoas andavam pela festa rindo, berrando e se enchendo de algodão-doce e pipoca. Era tudo muito extravagante e perfeito. Connor merecia uma comemoração como aquela.

Quando Connor disse que a entrada para a festa seria vinte e cinco dólares, ele não estava brincando. Duas adolescentes recolhiam o dinheiro no portão principal. Eu deixei uma nota de cinquenta — me sentindo mais generosa que o normal depois de ter terminado o primeiro rascunho do meu livro. Meu agente ainda não tinha conseguido vendê-lo para uma editora, e eu teria de continuar usando minhas economias por um tempo, mas era bom estar novamente trilhando o caminho dos meus sonhos e objetivos.

— Sócio, você veio! — exclamou Connor, correndo até nós, exibindo um sorrisão no rosto.

Essa não era a única coisa no seu rosto. Connor havia contratado um profissional para fazer pinturas faciais durante a festa e ele agora era oficialmente um tigre. Eu torcia para que ele não mudasse nunca. Sua energia era contagiante demais para desaparecer um dia.

Jax sorriu.

— A gente fez um acordo. Feliz aniversário. — Ele entregou o presente de Connor.

— Espero que você tenha me dado isto e os cem dólares que me deve.

— Aham, espertinho. Paguei às meninas quando cheguei.

Connor se apressou em abrir o presente e soltou uma gargalhada quando viu o que estava na caixa. Levantei minhas sobrancelhas ao ver o presente esquisito.

— Puta merda! — exclamou Connor.

— Olha a boca — disse Jax.

— Sem chances, Jax. Agora eu tenho dezoito anos e posso falar qualquer merda que eu quiser. Mas, sério, este é o melhor presente de todos.

Fiquei ainda mais curiosa.

— Isso aí são... esferas anais?

— São, sim. — Connor sorriu de orelha a orelha. — Fala a verdade, Jax. Estas são as do Eddie?

— Calma, o quê? — arfei.

— Deixa pra lá — responderam os dois juntos.

Quer saber? Era melhor deixar aquilo pra lá mesmo. A última coisa de que eu precisava na próxima vez em que me debulhasse em lágrimas na terapia era pensar em Eddie usando esferas anais com a esposa.

— Também trouxe isto pra você — disse Jax, pegando a carteira.

Connor remexeu as sobrancelhas.

— Mais dinheiro?

— Não, mas acho que você vai gostar.

Ele lhe entregou um cartão de visita e, na mesma hora, Connor ficou todo emocionado.

Ele balançou o cartão no ar.

— Sério?

Aham.

Connor passou o cartão para mim, mostrando por que ficara tão feliz. Eu li em voz alta.

— "Kilter & Roe Paisagismo: Dois Homens & Uma Poda." Que elegante. Gostei.

— Você quer mesmo abrir outro negócio comigo? — perguntou Connor.

— Seria uma honra. — Jax esticou a mão para ele. — O que você acha, sócio?

— Eu acho que é uma ideia do caralho! — Connor começou a pular de empolgação. — Ah! Quase me esqueci da melhor notícia: minha mãe está em remissão. O câncer foi oficialmente embora.

Os olhos de Jax se encheram de lágrimas enquanto ele abraçava Connor e o balançava, todo animado.

— Isso aí, porra! — berrou ele.

Connor riu.

— Olha a boca, Jax! Enfim. Finalmente juntei dinheiro suficiente pra ir com ela na Disney World no próximo inverno, e eu queria convidar vocês dois pra virem com a gente. Sabe, preciso do meu sócio comigo pra conhecer o lugar mais feliz do mundo.

— Eu não perderia por nada — disse Jax com um sorriso gigantesco.

Naquele momento, me lembrei de algo muito importante sobre a vida. Eu lembrei que, mesmo quando passamos por momentos ruins, há outros cheios de alegria. A mãe de Connor teve um final feliz, e eu sabia que muitos outros finais felizes surgiriam em nossas vidas. Eu estava ansiosa por todos os momentos ao lado de Jax. Os bons e os ruins.

— Só pra deixar claro, não vou bancar nada pra vocês, então é melhor começarem a juntar dinheiro. Quero vocês lá, mas não sou um caixa eletrônico — brincou Connor antes de se virar para conversar com outras pessoas.

Jax me puxou para um abraço apertado. Enquanto olhávamos para a multidão, meu coração se encheu de alegria ao ver uma garotinha se empanturrando de algodão-doce.

— Daisy — sussurrei para mim mesma.

— O que você disse? — perguntou Jax, sorrindo para mim.

— Nada. — Fiquei na ponta dos pés e beijei sua boca. — Senti uma onda de amor. Só isso.

Passamos o restante da noite perdendo nosso dinheiro nas barraquinhas de jogos e dando voltas no gira-gira. Quando fui para casa com Jax naquela noite, me sentia muito agradecida. Muitas coisas haviam acontecido na minha vida, mas, apesar de tudo, eu ainda era capaz de sorrir. Eu era grata por todas as tempestades que haviam me levado de volta para ele.

— Você quer ler todas? — perguntei a Jax quando já estávamos em casa, depois da festa.

Nós nos sentamos na cama dele, com a caixa de cartas antigas que havíamos trocado tantos anos antes. Nos últimos dias, vínhamos conversando sobre o que fazer com elas.

Ele balançou a cabeça.

— Acho que não. Quando eu escrevi essas cartas, estava num momento muito ruim. Passei muitos anos remoendo aquilo, e estou cansado dessa história. Quero seguir em frente, e isso significa jogar as cartas fora. — Ele me puxou para perto. — Temos o resto da eternidade pra escrevermos bilhetes de amor um pro outro.

Beijei seus lábios no mesmo instante em que a campainha tocou.

— Você marcou alguma coisa com alguém?

— Nunca — respondeu ele, levantando-se para atender.

Eu o segui para ver quem era.

Quando ele abriu a porta, nós dois ficamos surpresos ao ver Amanda segurando uma caixa. Seus olhos se focaram em mim antes de ela abrir um sorriso desanimado para Jax.

— Oi, desculpa atrapalhar a sua noite. Achei que já estava na hora de devolver as coisas que você deixou na minha casa. Não sei por que fiquei com elas por tanto tempo, mas aqui estão — disse ela, entregando a caixa para Jax.

— Valeu — disse ele.

— É. E desculpa pelo que aconteceu no bar. O Lars pisou na bola. Ele é um idiota às vezes. Você não merecia aquilo. — Ela não parava de remexer os dedos, evitando contato visual. — Você merece ser feliz.

— Você também, Amanda. Você merece mais do que o Lars.

— Talvez. — Ela soltou uma risada nervosa. — Vamos descobrir com o tempo. — Ela olhou para mim e abriu um sorriso triste. — Cuida dele, tá? Esse homem não ama ninguém assim tão fácil. Por um tempo, eu achei que ele fosse incapaz de amar, mas não é isso que vejo quando ele olha pra você. Você o torna inteiro. Você era a parte que faltava nele. Então, pode me fazer um favor?

— O quê? — perguntei.

Ela sorriu para nós dois e soltou um suspiro profundo.

— Fica com ele.

39

Jax

Kennedy se recusou a sair do meu lado durante todos os momentos difíceis. Ela permaneceu comigo nas fases mais sombrias e prometeu que não iria a lugar nenhum sem mim. Dia após dia, ela abria meu coração e não parecia sentir medo do que via.

Quando chegou a hora de procurar um tratamento que iria me curar, eu sabia exatamente aonde precisava ir.

— Nossa, mas quem diria. Quando vi seu nome na minha agenda, achei que fosse engano — disse Eddie quando entrei no consultório.

Dei uma risadinha e me sentei naquele lugar que me era bem familiar diante da mesa dele.

— É, bom, o que posso dizer? Eu gosto de fazer surpresas.

Fazia algumas semanas que Derek tinha ido embora, e eu ainda tentava lidar com as verdades que ele havia revelado. Todo dia tinha seus desafios, e eu já havia sentido todas as emoções do mundo, mas não precisava mais enfrentá-las sozinho. Não precisava me sentir como antes, nos momentos sombrios, porque Kennedy estava lá para ser minha luz.

A verdade era que eu tinha toda uma rede de apoio para me guiar sempre que começava a me perder, e isso incluía minhas sessões de terapia com Eddie. Entre tantas coisas, aprendi o que significava vencer meus próprios demônios. E não era algo específico que os fazia desaparecer em um passe de mágica. Não, a vida está sempre pronta para jogar uma bomba no seu colo, não importa o quanto você tente permanecer no seu reino da felicidade.

Mas descobri a importância de aprender a reagir.

Era isso que acontecia com as tempestades. Quando se está bem no meio delas, elas parecem muito poderosas. Elas parecem conduzir sua vida, e você acaba sendo levado pelo vento, incapaz de controlar para onde vai. Por isso é muito importante ter um grupo de amor ao seu redor o tempo todo. Quando encaramos a tempestade juntos, segurando a mão das pessoas que amamos, nos mantendo firmes, os ventos não conseguem nos empurrar com tanta facilidade. As tempestades não sopram você para longe, porque você está conectado com o mundo do amor, a arma mais poderosa contra os piores temporais.

E quando elas passavam? Você permanecia onde estava com as pessoas que amava, admirando os arco-íris. Kennedy era o que me dava firmeza. Sua mão segurava a minha e me mantinha no lugar; seu amor havia me ajudado a sobreviver à tempestade mais difícil de todas.

Eu e Eddie conversamos por um tempo. Estouramos o horário da sessão, mas ele não pareceu se importar, e, quando chegou a hora de eu ir embora, ele se recostou na cadeira, me observando com lágrimas nos olhos.

Eu ri.

— Você está emocionado, doutor?

— É só que... — Ele pigarreou, tirou os óculos, secou os olhos. — Isso é bom. Isso é maravilhoso, Jax. Foi uma honra ver você se tornar o homem que é hoje. Você é a definição da cura. Você se esforçou e colheu os resultados.

Eu também me sentia assim. Sentia que estava me curando, que estava me tornando inteiro de novo.

Chamei Derek para vir a Havenbarrow, dizendo que eu precisava resolver a papelada sobre a transferência da escritura da casa para o meu nome. Mas esse não era o motivo real do convite. Havia chegado o momento de conversarmos de verdade sobre tudo o que aconteceu.

Quando ele chegou, parecia arrasado e tomado pela culpa. Antes que outro pedido de desculpas saísse pela sua boca, avisei a ele que não dissesse nada.

— Só entra — falei, seguindo para dentro da casa.

Ele veio atrás de mim.

Assim que entrou na sala, ele parou e levantou uma sobrancelha.

— O que está acontecendo aqui?

O espaço estava cheio de latas de tinta e materiais para consertar a casa. Eu me sentei diante dele no sofá e cruzei os braços.

— Estou cansado de coisas difíceis. Estou cansado de tentar entender por que você fez o que fez e imaginar como a minha vida teria sido diferente se você tivesse me falado a verdade. Estou cansado de tentar odiar você. Estou cansado de me sentir mal por você e pelo peso que carrega na consciência. Estou cansado do passado, Derek. Então vou consertar os buracos daqui. Estou removendo todas as lembranças do que meu pai fez comigo. Vou tampar todos os buracos que me lembram de tudo o que aconteceu, e quero que você me ajude.

Ele pigarreou e cruzou os braços.

— Não espero que você me perdoe, Jax.

— É, eu sei, mas vou perdoar um dia. Vai demorar um pouco. Por enquanto, só preciso que você me ajude a pintar as paredes.

Nós não precisávamos resolver tudo naquele momento. Não precisávamos nos abraçar e fazer as pazes. Não precisávamos curar nossas feridas, porque elas ainda eram muito recentes. Mas podíamos pintar a casa juntos. Podíamos cobrir o passado e criar um futuro melhor. A cura acontecia aos poucos, e eu não estava com pressa.

Uma semana depois, Derek voltou para Chicago. Nós estávamos bem, e, na minha opinião, as coisas só melhorariam com o tempo. Quando você chega ao fundo do poço, o único caminho possível é para cima. Mas eu também sabia que seria necessário mais do que uma semana consertando paredes para resolver nossos problemas.

Depois que ele foi embora, em uma tarde de domingo, fui para a casa de Kennedy. Ela havia tirado o dia para ir a um spa com Yoana, devido a um pedido meu. Quando cheguei ao quintal dos fundos da casa dela, Connor estava dando os toques finais no nosso projeto de paisagismo. Havíamos pendurado luzinhas na noite anterior, e, agora que o céu escurecia, elas começavam a iluminar o lugar de forma perfeita. Kennedy ainda não tinha visto nada daquilo, porque eu queria que o quintal fosse a maior surpresa do mundo. Queria estar junto quando ela encontrasse o produto final.

Nas árvores, penduramos borboletas de papel, o bichinho favorito de sua filha. Nos arbustos, máquinas de soprar bolinhas de sabão funcionavam sem parar, e, no lado esquerdo da cerca, havia um campo de margaridas com uma placa que dizia *Flores da Daisy* com um D ao contrário.

Connor veio até mim e me deu um tapinha nas costas.

— Você gostou do resultado, chefe?

Sorri para ele e passei um braço sobre seus ombros.

— Ficou melhor do que eu imaginava, sócio.

Connor olhou para mim e sorriu de orelha a orelha. A verdade era que seria impossível ter um sócio melhor do que aquele garoto. Seu senso de humor e sua bondade provavelmente tinham me salvado nos piores dias da minha vida. Eu era grato por conhecer uma pessoa como ele.

— Promete que você não vai me esquecer quando se tornar um milionário, Con? — perguntei.

— Para de bobagem, Jax. — Ele balançou a cabeça. — Eu vou ser *bilionário*. Provavelmente vou acabar comprando a sua empresa, mas prometo que vou pagar uma boa grana.

Soltei uma risada. Era provável que isso acontecesse mesmo.

— Meninos, se preparem, se preparem — disse Joy, correndo para o quintal. — A Yoana e a Kennedy estão voltando.

Meu estômago estava embrulhado, mas não consegui evitar um sorriso quando vi Yoana virando a esquina, guiando uma Kennedy vendada.

— Por que é que estou sentindo um déjà-vu muito forte? — Kennedy riu. — Yoana, eu já sei como é a casa. Esta venda é realmente necessária?

— É — respondi.

Kennedy se empertigou.

— Jax? — chamou ela. — O que você está fazendo aqui?

— A gente queria fazer uma surpresa pra você agora que o quintal ficou pronto. — Eu me aproximei e beijei seus lábios. — Pronta?

— Pronta! — exclamou ela. — Eu estava aguardando ansiosamente esse momento.

— Tá, mas lembra que, se você detestar, foi o Connor que fez tudo — brinquei.

Tirei a venda dos olhos de Kennedy, e ela arfou ao ver o ambiente ao seu redor.

— Minha nossa!

Ela ficou com os olhos cheios de lágrimas, olhando ao redor. Quando avistou as borboletas nas árvores, caiu em prantos. Então as lágrimas começaram a escorrer ainda mais rápido no instante em que ela leu a placa, e não pararam mais. Yoana chorou junto com a irmã, e até eu quase caí no choro, porque ver a felicidade de Kennedy fazia meu coração ir às alturas.

— Gostou? — perguntei.

— Se eu gostei? Jax, isso é tudo e mais um pouco. Nunca imaginei nada tão bonito. É melhor do que eu poderia ter sonhado.

Peguei a mão dela e a guiei ao redor.

— Vem, deixa eu te mostrar.

Mostrei todos os pequenos detalhes que provavelmente nem faziam diferença para ela, mas estava muito empolgado e nervoso, e, porra, estava difícil até de respirar.

Eu a levei até o canteiro das margaridas e apontei para as flores.

— Essas margaridas são especiais. Dizem que objetos crescem dentro delas.

Ela riu.

— Como assim?

— Dá uma olhada mais de perto que você vai entender.

Ela estreitou os olhos para mim e depois se agachou. Então começou a procurar alguma coisa de diferente nas flores.

— Não tem nada aqui — disse ela, confusa.

— É porque eu já peguei a melhor — respondi.

Ela se virou e me viu ajoelhado, segurando uma margarida. Sobre a flor havia um anel de diamante, esperando para ser colocado em seu dedo.

As mãos de Kennedy voaram até a boca, e ela arfou.

— Jax...

— Kennedy, eu soube que você era especial na primeira vez que te vi. Você era um pouco esquisita, é verdade, mas foi isso que fez eu me apaixonar por você. — Ela deu uma risadinha, abafada pelas mãos trêmulas. — Você é a definição de força. Você é a parte mais alegre do meu dia. O seu amor curou as rachaduras no meu coração que pareciam fadadas a ficar partidas para sempre. Você é minha melhor amiga, minha alma gêmea e a minha flor favorita, e, se você me der uma chance, adoraria poder fazer você sorrir pelo resto da minha vida. Quer casar comigo?

— Sim! — gritou ela, me levantando do chão. Ela começou a beijar meu rosto todo, me fazendo rir.

— Acho que você precisa deixar eu colocar a aliança no seu dedo — brinquei.

— Ah, é! Claro.

Ela esticou a mão, e todos gritaram de alegria ao nosso redor. Eu não conseguia acreditar no quanto a minha vida tinha mudado. Era como se todas as peças tivessem se encaixado outra vez e a tempestade finalmente tivesse passado, dando lugar a dias melhores.

Eu sabia que a vida não seria um mar de rosas, mas também sabia que eu ficaria bem, porque estava cercado por amor, por amizade, por Kennedy. Ela era o meu sol, eu era a sua lua, e, pelo resto de nossas vidas, nós nos lembraríamos de dançar na chuva.

Epílogo

Jax

Três anos depois

— Nossa, Kennedy, eu sempre soube que você era especial! Não foi isso que eu disse no dia em que a conhecemos, Kate? Eu não fiquei falando o tempo todo que a Kennedy era especial? — elogiava Louise, parada diante da mesa da minha esposa.

Minha esposa.

Eu adorava dizer isso.

Era divertido observar Louise, junto com todo mundo na cidade, ficar bajulando Kennedy na sessão de autógrafos do seu livro mais recente em Havenbarrow. Quinze meses antes, Kennedy havia assinado um contrato com uma grande editora. Seu livro, *Invasão de propriedade*, virou um sucesso instantâneo assim que chegou às livrarias.

Kennedy chorou no dia em que a *O, The Oprah Magazine* o incluiu na lista de "leituras obrigatórias". Ela quase vomitou quando chegou à lista de mais vendidos do *New York Times* — onde permanecia havia dez meses.

Depois de ser convencida pelos moradores da cidade, Kennedy concordou em participar de uma sessão de autógrafos local, e as gêmeas eram as primeiras da fila.

Kennedy poderia ter sido maldosa com as mulheres que só a trataram mal desde sua chegada à cidade, mas não foi. Ela era gentil, simpática e mostrava toda a sua gratidão. Às vezes, eu queria que ela fosse babaca como eu, mas ela era o sol. Ela era o *meu* sol. Eu me apaixonei pelo sol, e ela aquecia meu coração frio.

— Obrigada por terem vindo, meninas, mas acho que vou ter que encerrar a sessão mais cedo — disse Kennedy se levantando.

Havia uma fila imensa saindo pela porta da lanchonete do Gary. As pessoas começaram a reclamar da possibilidade de Kennedy ir embora sem autografar seus livros.

Levantei uma sobrancelha para ela, sem entender o que estava acontecendo.

— Eu sei, peço desculpas a todo mundo, mas vou remarcar a sessão assim que possível. É só que a minha bolsa acabou de estourar, então acho que precisamos ir pro hospital — explicou ela.

Ah. Certo. Fazia sentido.

Eu a encarei sem entender por alguns segundos até que a ficha caiu.

Ah!

Certo!

Fazia sentido!

A gente ia ter um bebê! Bom, ela ia ter o bebê, eu só estava acompanhando àquela altura. Acompanhar. Picape. Chaves. Bebê! Ah, droga, eu estava entrando em pânico.

— Não entra em pânico — disse Kennedy, vindo na minha direção com as mãos na barriga.

— Pânico? Por que eu entraria em pânico? Não estou em pânico! Só preciso das minhas chaves — falei, batendo nos bolsos. — Chaves, chaves, preciso das minhas cha...

— Aqui — disse ela, balançando-as diante do meu rosto. — Eu vim dirigindo, lembra?

— Certo, tudo bem. Tá. Vamos. — Saí correndo pela porta, deixando-a para trás, até me dar conta de que eu havia deixado minha esposa grávida, em trabalho de parto, para trás. — Eu esqueci, você precisa vir comigo.

Ela riu enquanto tentava controlar a respiração.

— Pois é, acho que preciso.

Chegamos ao hospital, e correu tudo bem. Tirando a parte em que desmaiei, mas não precisamos falar disso.

Após doze horas de trabalho duro da minha linda esposa, pudemos segurar nossa linda filha no colo.

Elizabeth Daisy Kilter.

Batizada em homenagem à minha mãe e à filha de Kennedy, é claro.

Elizabeth era um sonho, e, quando a segurei no colo pela primeira vez, soube que jamais a deixaria.

— Ela é perfeita — falei, balançando-a de um lado para o outro em meus braços. Olhei para minha esposa exausta e beijei sua testa. — Você é perfeita.

Todos os sonhos que já tive se realizaram naquele dia. Eu estava com o amor da minha vida, olhando nos olhos da nossa filha, e não poderia pedir por mais nada. Eu sabia que, a partir de agora, todos os dias seriam uma bênção, e prometi a mim mesmo que eu nunca deixaria de valorizar aquilo. Eu viveria cada dia como se fosse o último — o que significava demonstrar meu amor pela minha família a cada oportunidade que tivesse.

Especialmente pela minha esposa. Meu sol. Minha melhor amiga.

Amigos para sempre.

Um amor para a vida inteira.

Cinco anos depois

— Papai, posso comer uma barrinha de granola? — perguntou Elizabeth enquanto andávamos pela floresta, concluindo uma das nossas caminhadas mais demoradas.

O sol começava a se pôr, e a gente adorava assistir a esse momento no conversível que havíamos instalado entre as árvores.

O velho carro amarelo recebeu muitos acréscimos artísticos desde que eu e Kennedy nos reencontramos anos antes. No mês passado, Joy havia feito um desenho para registrar sua festa de aniversário de noventa e cinco anos. Nathan e Yoana desenharam seu filho recém-nascido, Elijah, no ano passado. E havia pouco tempo que nós pedimos a Elizabeth que recriasse seu primeiro dia de escola.

Observar o carro se enchendo de lembranças era uma das minhas coisas favoritas.

Quando chegamos ao conversível, nos sentamos no banco detrás para observar o céu escurecer.

— Você não acabou de comer uma barrinha de granola? — perguntou Kennedy para Elizabeth, levantando uma sobrancelha.

— Comi, mamãe, mas foi por isso que pedi pro papai, porque ele sempre diz que posso mesmo quando você diz que não — disse ela, direta.

Ela não estava errada. Eu tinha muita dificuldade em dizer não para a minha garotinha. A culpa era dos olhos, juro. Ela tinha os olhos da mãe.

— Bom, que tal a gente deixar a barrinha de granola pra depois do jantar? — sugeriu Kennedy.

Elizabeth fez pirraça, é claro, mas, quando percebeu que não mudaríamos de ideia, soltou o maior suspiro do mundo.

— Ser criança é muito difícil — gemeu ela.

— Aposto que sim. — Eu ri e a puxei para o meu colo. — Não se preocupa, um dia você vai ser adulta e vai poder comer todas as barrinhas de granola que quiser.

Os olhos dela se iluminaram.

— Sério?

— Claro.

— Até as com gotas de chocolate? — perguntou ela.

— Até essas. — Kennedy concordou com a cabeça, dando um beijo na testa de Elizabeth.

Quando observávamos o céu, Elizabeth sempre adorava apontar para a lua.

— Está ali! Ali! É você, né, papai? Você é a lua?

Eu sorri.

— Aham. Eu sou a lua.

Elizabeth estreitou os olhos.

— E a mamãe é o sol?

— Exatamente — respondi.

— Isso quer dizer que eu e a Daisy podemos ser as estrelas? — perguntou ela, olhando para o céu outra vez.

Meu coração quase explodiu no peito.

Os olhos de Kennedy se encheram de lágrimas, e um sorriso se abriu em seus lábios.

— Sim, querida. Você e a sua irmã podem ser as estrelas.

Todos os dias, nós contávamos para Elizabeth histórias das pessoas que amávamos. Nós contávamos suas histórias para mantê-las vivas, e eu ficava emocionado ao ver que Elizabeth entendia que, apesar de as pessoas morrerem, elas nunca iam embora de verdade — contanto que as guardássemos em nossos corações. Naquela noite, nossos entes queridos estavam perto de nós. Eu conseguia senti-los no vento. Eu conseguia sentir seu amor e sua proteção sempre que olhava para o céu.

Naquela noite, nos sentamos sob o céu, e as estrelas brilhavam intensamente.

Primeira dança

Kennedy

Doze anos
Segundo ano do acampamento de verão

— O que você quer ser quando crescer, Jax? — perguntei enquanto nos sentávamos no píer, olhando para a água.

Ficamos jogando pedras no lago até que elas acabaram, então agora estávamos sentados ali, morrendo de tédio. Era um dia tranquilo no acampamento, sem muita coisa para fazer. Pelo menos eu tinha Jax para ficar sem fazer nada comigo, e isso sempre tornava tudo melhor.

Além do mais, eu havia roubado uns picolés do refeitório, então tínhamos isso para aproveitar.

O céu estava nublado, e eu sabia que uma tempestade chegaria logo. Eu estava muito empolgada. Adorava quando chovia. Jax não gostava muito dos temporais, mas eu sempre dizia que era só uma questão de costume.

— Sei lá. Não penso tanto assim no futuro — respondeu ele, lambendo o picolé. — O que você quer ser?

— Acho que quero escrever livros e usar todas as palavras grandes que você me ensinou. Quero que meus livros sejam enormes e bons, pra deixar todo mundo feliz depois da leitura. Quero que as pessoas fiquem empolgadas com a ideia de esperar pelo meu próximo lançamento. E tem mais, tem mais. Cada livro vai ter uma palavra que você me ensinou, pra você sempre fazer parte deles também.

Por um instante, achei que ele fosse rir de mim e dizer que meu sonho era bobo, mas ele apenas foi o Jax. Continuou calmo, lambendo o picolé na velocidade certa para não sujar as mãos. Então disse:

— Eu vou ler todos os seus livros um milhão de vezes.

Eu sorri.

— Ei, Jax?

— Sim, Kennedy?

— Nós vamos continuar amigos no futuro?

— Amigos pra sempre — respondeu ele.

— Pra todo sempre.

Ele apoiou a mão livre no píer, e coloquei a minha bem do lado. Seu dedo mindinho encostou no meu, e meu coração se apertou.

Eu amava Jax Kilter e torcia para que ele também me amasse um dia.

Mas isso não fazia muita diferença para mim naquela noite. Nós ainda éramos crianças. Tínhamos uma eternidade para nos apaixonarmos. Não precisava acontecer agora. Naquele momento, a única coisa que tínhamos de fazer era ficarmos sentados no píer, esperando a tempestade chegar.

Quando a chuva começou a cair, eu me levantei e comecei meus passos de dança malucos. Pulei, me chacoalhei, girei, virei. E não acreditei no que aconteceu em seguida.

Pela primeira vez desde que o conheci, Jax começou a dançar comigo também.

Agradecimentos

Este livro é para a minha família — minha tribo. Minha família me apoiou em todos os altos e baixos da minha carreira, e eu não estaria aqui se não fosse pelo seu amor e apoio.

Obrigada à minha equipe de edição maravilhosa. Caitlin, Ellie, Jenny e Jenn — vocês estão sempre me salvando.

Obrigada à minha equipe incrível que leu o livro antes de ele ser publicado e que faz o possível e o impossível para me ajudar! Vocês são as melhores leitoras do mundo.

Obrigada a Hang Le pela linda capa para a edição original. Estou muito encantada. Seu talento é de tirar o fôlego.

Obrigada à equipe maravilhosa da Record! Começando pela tradutora brasileira, Carolina Simmer, por seu talento e sua dedicação ao trabalho. Obrigada por toda a sua dedicação a esta obra. Agradeço também a Isabela Duarte Britto Lopes pelo copidesque. Obrigada à designer Leticia Quintilhano por ter feito a capa mais deslumbrante que já vi em muito tempo! E então chegamos a Mariana Ferreira. Não tenho palavras para elogiar o suficiente suas habilidades extraordinárias. É uma honra trabalhar com uma editora tão maravilhosa quanto você. Por último, o maior agradecimento do mundo para a fantástica Renata Pettengill — obrigada por enxergar meus sonhos quando eu não conseguia enxergá-los e por acreditar nas minhas histórias. Serei eternamente grata a você e a toda a equipe da Record.

Este livro é para as minhas agentes, Flavia e Meire. Tenho total consciência de que eu não estaria aqui sem seu amor e apoio.

A cada leitor e influenciador que continua me acompanhando, obrigada. Obrigada por lerem minhas palavras. Obrigada pelas palavras de amor e apoio. Obrigada por serem meu sol nos dias em que me sinto como a lua. O mundo é lindo por causa de todos vocês.

Até a próxima.

— BCherry

Este livro foi composto na tipografia ITC Galliard
Pro, em corpo 11/16, e impresso em
papel off-white no Sistema Cameron da
Divisão Gráfica da Distribuidora Record.